스스로 학습 강화 시리즈

금자랑 놀자!

중학교 **기술·가정** ② 자습서

가정편

민창기 · 윤병구 · 박세열 · 류보람
이고은 · 임윤희 · 김민정

금성출판사

이 책의 구성과 특징

이 책은 2015개정 교육과정이 추구하는 핵심 성취 기준의 '알아야 할 것(이해)'과 '할 수 있어야 하는 것(능력)'으로 구성되어 있습니다. 각 단원별로 '알아야 할 것'에는 이론적 학습 내용을, '할 수 있어야 하는 것'에는 실천적 활동 내용을 넣었습니다.

알아야 할 것!

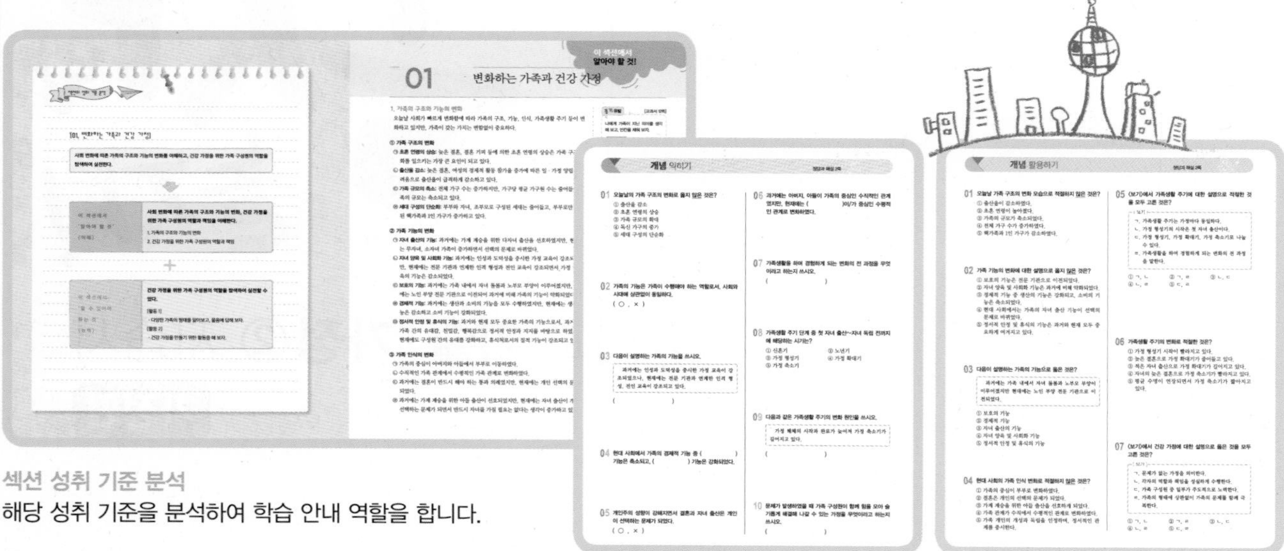

섹션 성취 기준 분석
해당 성취 기준을 분석하여 학습 안내 역할을 합니다.

추가 설명
교과서의 내용 해설을 제시하였습니다.

개념 익히기
간단한 문제 풀이를 통해 핵심 내용을 점검할 수 있습니다.

개념 활용하기
학습 내용을 활용한 다양한 문제 유형으로 제시하였습니다.

할 수 있어야 하는 것!

활동 TIP
활동에 대한 주의 사항을 알 수 있습니다.

선생님 생각 엿보기
교과서 활동의 목적, 평가 기준, 예시 답안 등을 제시하였습니다.

이와 관련된 활동
주제와 유사한 활동에 대한 정보를 제시하였습니다.

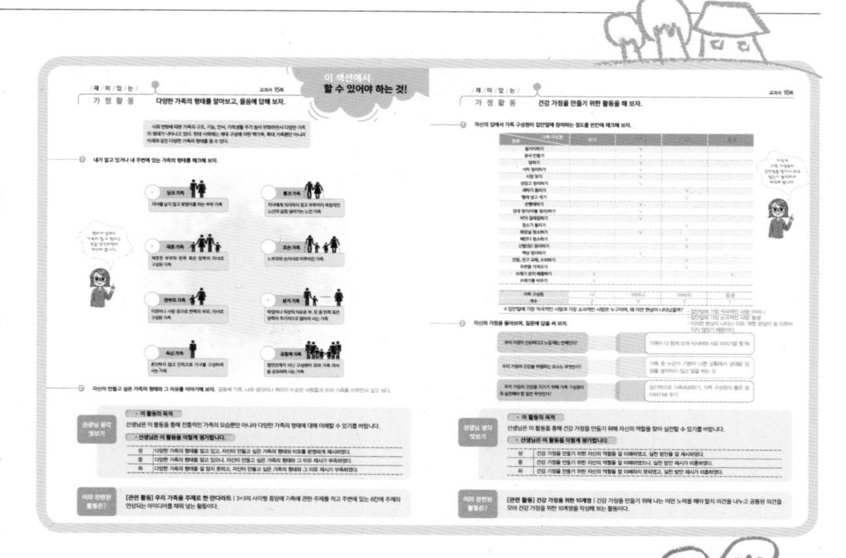

차례

Ⅰ. 건강한 가족 관계

Ⅱ. 창의적인 생활 문화

Ⅲ. 안전한 생활

Ⅳ. 미래를 위한 생애 설계

관계
핵심 개념
I

건강한 가족 관계

1. 변화하는 가족과 건강 가정
2. 가족 관계
3. 가족 간의 갈등과 해결

이 단원의 성취 기준

1. 사회 변화에 따른 가족의 구조와 기능의 변화를 이해하고, 건강 가정을 위한 가족 구성원의 역할을 탐색하여 실천한다.

2. 다양한 가족 관계의 유형과 특징을 파악하고, 양성평등하고 세대 간의 민주적인 가족 관계를 형성하는 방안을 탐색하여 실천한다.

3. 가족 관계에서 발생하는 갈등의 원인과 배경을 분석하고, 효과적인 의사소통을 통해 가족 간의 갈등 해결 방안을 탐색하여 실천한다.

[01. 변화하는 가족과 건강 가정]

사회 변화에 따른 가족의 구조와 기능의 변화를 이해하고, 건강 가정을 위한 가족 구성원의 역할을 탐색하여 실천한다.

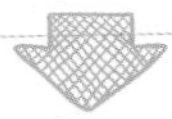

이 섹션에서 '알아야 할 것' (이해)	**사회 변화에 따른 가족의 구조와 기능의 변화, 건강 가정을 위한 가족 구성원의 역할과 책임을 이해한다.** 1. 가족의 구조와 기능의 변화 2. 건강 가정을 위한 가족 구성원의 역할과 책임

이 섹션에서 '할 수 있어야 하는 것' (능력)	**건강 가정을 위한 가족 구성원의 역할을 탐색하여 실천할 수 있다.** [활동 1] · 다양한 가족의 형태를 알아보고, 물음에 답해 보자. [활동 2] · 건강 가정을 만들기 위한 활동을 해 보자.

이 섹션에서
알아야 할 것!

01 변화하는 가족과 건강 가정

1. 가족의 구조와 기능의 변화

오늘날 사회가 빠르게 변화함에 따라 가족의 구조, 기능, 인식, 가족생활 주기 등이 변화하고 있지만, 가족이 갖는 가치는 변함없이 중요하다.

① 가족 구조의 변화

㉠ **초혼 연령의 상승:** 늦은 결혼, 결혼 기피 등에 의한 초혼 연령의 상승은 가족 구조 변화를 일으키는 가장 큰 요인이 되고 있다.

㉡ **출산율 감소:** 늦은 결혼, 여성의 경제적 활동 참가율 증가에 따른 일 · 가정 양립의 어려움으로 출산율이 급격하게 감소하고 있다.

㉢ **가족 규모의 축소:** 전체 가구 수는 증가하지만, 가구당 평균 가구원 수는 줄어들어 가족의 규모는 축소되고 있다.

㉣ **세대 구성의 단순화:** 부부와 자녀, 조부모로 구성된 세대는 줄어들고, 부부로만 구성된 핵가족과 1인 가구가 증가하고 있다.

② 가족 기능의 변화

㉠ **자녀 출산의 기능:** 과거에는 가계 계승을 위한 다자녀 출산을 선호하였지만, 현재에는 무자녀, 소자녀 가족이 증가하면서 선택의 문제로 바뀌었다.

㉡ **자녀 양육 및 사회화 기능:** 과거에는 인성과 도덕성을 중시한 가정 교육이 강조되었지만, 현재에는 전문 기관과 연계한 인격 형성과 전인 교육이 강조되면서 가정 내 교육의 기능은 감소되었다.

㉢ **보호의 기능:** 과거에는 가족 내에서 자녀 돌봄과 노부모 부양이 이루어졌지만, 현재에는 노인 부양 전문 기관으로 이전되어 과거에 비해 가족의 기능이 약화되었다.

㉣ **경제적 기능:** 과거에는 생산과 소비의 기능을 모두 수행하였지만, 현재에는 생산 기능은 감소하고 소비 기능이 강화되었다.

㉤ **정서적 안정 및 휴식의 기능:** 과거와 현재 모두 중요한 가족의 기능으로서, 과거에는 가족 간의 유대감, 친밀감, 행복감으로 정서적 안정과 지지를 바탕으로 하였으며, 현재에도 구성원 간의 유대를 강화하고, 휴식처로서의 질적 기능이 강조되고 있다.

③ 가족 인식의 변화

㉠ 가족의 중심이 아버지와 아들에서 부부로 이동하였다.

㉡ 수직적인 가족 관계에서 수평적인 가족 관계로 변화하였다.

㉢ 과거에는 결혼이 반드시 해야 하는 통과 의례였지만, 현재에는 개인 선택의 문제가 되었다.

㉣ 과거에는 가계 계승을 위한 아들 출산이 선호되었지만, 현재에는 자녀 출산이 개인이 선택하는 문제가 되면서 반드시 자녀를 가질 필요는 없다는 생각이 증가하고 있다.

동기 유발 [교과서 12쪽]

나에게 가족이 지닌 의미를 생각해 보고, 빈칸을 채워 보자.

예시 답안
- 살아가는 힘을 줘요.
- 의식주를 해결해 줘요.

보조 노트

가족의 기능

가족이 수행해야 하는 역할로서, 사회와 시대에 따라 끊임없이 변화하고 있다.

사회화

개인이 속한 사회에서 요구하는 가치관이나 행동 양식을 배우고 익혀 사회 구성원이 되는 과정이다.

작은 활동 [교과서 12쪽]

과거의 가족사진과 현재의 가족사진의 차이점을 이야기해 보자.

예시 답안

과거에는 할머니, 할아버지와 함께 살고 가족원의 수가 많았으나, 현재의 가족은 부모와 자녀로만 이루어져 있고, 가족원의 수도 적다.

보조 노트

가족생활 주기

가족생활을 하며 경험하게 되는 변화의 전 과정을 말한다.

세상을 이어 주는 **가정 이야기**

[교과서 17쪽]

가족의 의미를 다시 한번 생각해 본 일이 있다면 이야기해 보자.

예시 답안

내가 아팠을 때 옆에서 걱정하면서 간호해 주는 가족들을 보며 가슴이 뭉클해졌고, 가족의 소중함을 느꼈다.

④ 가족생활 주기의 변화

㉠ 가족생활 주기의 분류

- 가정 형성기(결혼~첫 자녀 출산 전)
- 가정 확대기(첫 자녀 출산~자녀 독립 전)
- 가정 축소기(첫 자녀의 독립~부부 중 한 명이 사망)

㉡ 사회의 변화에 따른 가족생활 주기의 변화

- 늦은 결혼으로 인해 가정 형성기 시작이 늦어지고 있다.
- 늦은 결혼, 적은 자녀 출산으로 인해 가정 확대기가 줄어들고 있다.
- 자녀의 늦은 결혼, 결혼 기피로 인해 가정 축소기의 시작이 늦어지고 있다.
- 평균 수명 연장으로 가정 해체의 시작과 완료가 늦어지고 있다.

2. 건강 가정을 위한 가족 구성원의 역할과 책임

① 건강 가정

㉠ **의미:** 문제가 없는 가정을 의미하는 것이 아니라 문제가 발생하였을 때 가족 구성원이 함께 힘을 모아 슬기롭게 해결해 나갈 수 있는 가정을 말한다.

㉡ 건강 가정은 가족 구성원 간의 긍정적인 상호 작용을 통해 각 개인의 잠재성을 개발하고 자아실현을 가능하게 한다.

㉢ 어떠한 형태의 가족이라도 가족 관계가 원만하고 어려운 문제를 함께 극복해 가며, 가족 기능을 잘 수행해 나간다면 건강 가정이라고 할 수 있다.

㉣ 건강 가정을 만들기 위해서는 가족 모두가 함께 노력해야 하는데 가족이 서로 이해하고 존중하며, 각자의 역할과 책임을 성실하게 수행하는 것이 중요하다.

② 건강 가정을 위한 가족 구성원의 역할과 책임

㉠ **존중과 애정:** 서로 사랑하며 친밀감과 유대감 갖기

㉡ **즐거운 시간 공유:** 가족 간에 대화 시간 많이 갖기

㉢ **믿음, 지지, 이해, 위로:** 세대 간의 차이를 인정하고, 양성평등한 가치관으로 역할 분담하기

㉣ **스트레스와 위기 극복:** 가족 문제가 생겼을 때 긍정적 사고로 협동하며 대처하기

㉤ **긍정적 의사소통:** 가족의 일을 결정할 때에는 모든 가족 구성원의 합의로 결정하기

㉥ **정신적 안녕:** 개개인을 존중하는 자세로 민주적인 가족 관계 만들기

핵심 용어 | 가족 구조의 변화, 가족 기능의 변화, 가족 인식의 변화, 가족생활 주기의 변화, 건강 가정

스스로 정리하기

1 문제가 발생하였을 때 가족 구성원이 함께 힘을 모아 슬기롭게 해결해 나갈 수 있는 가정을 어떤 가정이라고 하는가? 건강 가정

2 창의·인성 오늘날의 가족 구조가 어떻게 변화하고 있는지 이야기해 보자.

- 초혼 연령이 높아지고 있다.
- 출산율이 감소하고 있다.
- 독신 또는 노인 가구가 증가하고 있다.
- 가족의 규모가 축소되고 있다.
- 세대 구성이 단순화되고 있다.

정답과 해설 2쪽

01 오늘날의 가족 구조의 변화로 옳지 않은 것은?

① 출산율 감소
② 초혼 연령의 상승
③ 가족 규모의 확대
④ 독신 가구의 증가
⑤ 세대 구성의 단순화

02 가족의 기능은 가족이 수행해야 하는 역할로서, 사회와 시대에 상관없이 동일하다.

(○ , ×)

03 다음이 설명하는 가족의 기능을 쓰시오.

> 과거에는 인성과 도덕성을 중시한 가정 교육이 강조되었으나, 현재에는 전문 기관과 연계한 인격 형성, 전인 교육이 강조되고 있다.

(   )

04 현대 사회에서 가족의 경제적 기능 중 (   ) 기능은 축소되고, (   ) 기능은 강화되었다.

05 개인주의 성향이 강해지면서 결혼과 자녀 출산은 개인이 선택하는 문제가 되었다.

(○ , ×)

06 과거에는 아버지, 아들이 가족의 중심인 수직적인 관계였지만, 현재에는 (   )이/가 중심인 수평적인 관계로 변화하였다.

07 가족생활을 하며 경험하게 되는 변화의 전 과정을 무엇이라고 하는지 쓰시오.

(   )

08 가족생활 주기 단계 중 첫 자녀 출산~자녀 독립 전까지에 해당하는 시기는?

① 신혼기
② 노년기
③ 가정 형성기
④ 가정 확대기
⑤ 가정 축소기

09 다음과 같은 가족생활 주기의 변화 원인을 쓰시오.

> 가정 해체의 시작과 완료가 늦어져 가정 축소기가 길어지고 있다.

(   )

10 문제가 발생하였을 때 가족 구성원이 함께 힘을 모아 슬기롭게 해결해 나갈 수 있는 가정을 무엇이라고 하는지 쓰시오.

(   )

01 오늘날 가족 구조의 변화 모습으로 적절하지 않은 것은?

① 출산율이 감소하였다.
② 초혼 연령이 높아졌다.
③ 가족의 규모가 축소되었다.
④ 전체 가구 수가 증가하였다.
⑤ 핵가족과 1인 가구가 감소하였다.

02 가족 기능의 변화에 대한 설명으로 옳지 않은 것은?

① 보호의 기능은 전문 기관으로 이전되었다.
② 자녀 양육 및 사회화 기능은 과거에 비해 약화되었다.
③ 경제적 기능 중 생산의 기능은 강화되고, 소비의 기능은 축소되었다.
④ 현대 사회에서는 가족의 자녀 출산 기능이 선택의 문제로 바뀌었다.
⑤ 정서적 안정 및 휴식의 기능은 과거와 현재 모두 중요하게 여겨지고 있다.

03 다음이 설명하는 가족의 기능으로 옳은 것은?

> 과거에는 가족 내에서 자녀 돌봄과 노부모 부양이 이루어졌지만 현대에는 노인 부양 전문 기관으로 이전되었다.

① 보호의 기능
② 경제적 기능
③ 자녀 출산의 기능
④ 자녀 양육 및 사회화 기능
⑤ 정서적 안정 및 휴식의 기능

04 현대 사회의 가족 인식 변화로 적절하지 않은 것은?

① 가족의 중심이 부부로 변화하였다.
② 결혼은 개인의 선택의 문제가 되었다.
③ 가계 계승을 위한 아들 출산을 선호하게 되었다.
④ 가족 관계가 수직에서 수평적인 관계로 변화하였다.
⑤ 가족 개인의 개성과 독립을 인정하며, 정서적인 관계를 중시한다.

05 〈보기〉에서 가족생활 주기에 대한 설명으로 적절한 것을 모두 고른 것은?

> 보기
> ㄱ. 가족생활 주기는 가정마다 동일하다.
> ㄴ. 가정 형성기의 시작은 첫 자녀 출산이다.
> ㄷ. 가정 형성기, 가정 확대기, 가정 축소기로 나눌 수 있다.
> ㄹ. 가족생활을 하며 경험하게 되는 변화의 전 과정을 말한다.

① ㄱ, ㄴ ② ㄱ, ㄹ ③ ㄴ, ㄷ
④ ㄴ, ㄹ ⑤ ㄷ, ㄹ

06 가족생활 주기의 변화로 적절한 것은?

① 가정 형성기 시작이 빨라지고 있다.
② 늦은 결혼으로 가정 확대기가 줄어들고 있다.
③ 적은 자녀 출산으로 가정 확대기가 길어지고 있다.
④ 자녀의 늦은 결혼으로 가정 축소기가 빨라지고 있다.
⑤ 평균 수명이 연장되면서 가정 축소기가 짧아지고 있다.

07 〈보기〉에서 건강 가정에 대한 설명으로 옳은 것을 모두 고른 것은?

> 보기
> ㄱ. 문제가 없는 가정을 의미한다.
> ㄴ. 각자의 역할과 책임을 성실하게 수행한다.
> ㄷ. 가족 구성원 중 일부가 주도적으로 노력한다.
> ㄹ. 가족의 형태에 상관없이 가족의 문제를 함께 극복한다.

① ㄱ, ㄴ ② ㄱ, ㄹ ③ ㄴ, ㄷ
④ ㄴ, ㄹ ⑤ ㄷ, ㄹ

가 정 활 동

교과서 15쪽

이 섹션에서
할 수 있어야 하는 것!

다양한 가족의 형태를 알아보고, 물음에 답해 보자.

사회 변화에 따른 가족의 구조, 기능, 인식, 가족생활 주기 등이 변화하면서 다양한 가족의 형태가 나타나고 있다. 현대 사회에는 세대 구성에 의한 핵가족, 확대 가족뿐만 아니라 아래와 같은 다양한 가족의 형태를 볼 수 있다.

1 내가 알고 있거나 내 주변에 있는 가족의 형태를 체크해 보자.

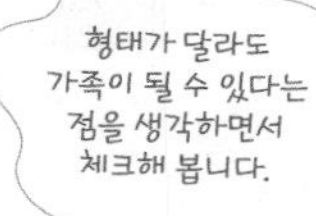

V **딩크 가족**

자녀를 낳지 않고 맞벌이를 하는 부부 가족

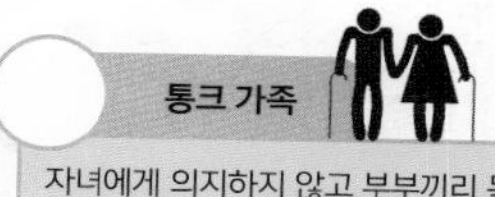

통크 가족

자녀에게 의지하지 않고 부부끼리 독립적인 노년의 삶을 살아가는 노인 가족

V **재혼 가족**

재혼한 부부와 한쪽 혹은 양쪽의 자녀로 구성된 가족

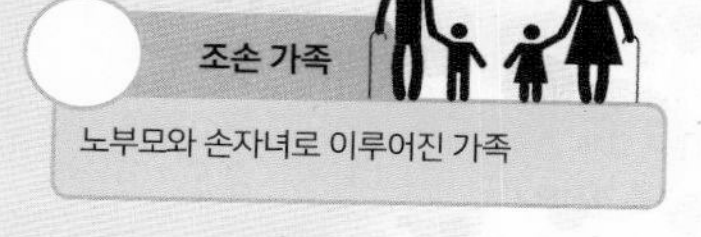

조손 가족

노부모와 손자녀로 이루어진 가족

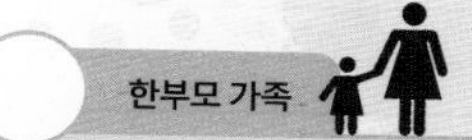

한부모 가족

이혼이나 사망 등으로 한쪽의 부모, 자녀로 구성된 가족

V **분거 가족**

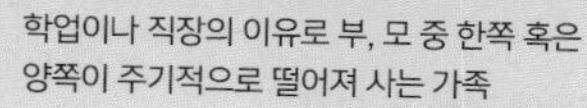

학업이나 직장의 이유로 부, 모 중 한쪽 혹은 양쪽이 주기적으로 떨어져 사는 가족

독신 가족

혼인하지 않고 단독으로 가구를 구성하여 사는 가족

공동체 가족

혈연관계가 아닌 구성원이 모여 가족 의식을 공유하며 사는 가족

2 자신이 만들고 싶은 가족의 형태와 그 이유를 이야기해 보자. 공동체 가족, 나와 생각이나 취미가 비슷한 사람들과 모여 가족을 이루면서 살고 싶다.

선생님 생각 엿보기

· 이 활동의 목적

선생님은 이 활동을 통해 전통적인 가족의 모습뿐만 아니라 다양한 가족의 형태에 대해 이해할 수 있기를 바랍니다.

· 선생님은 이 활동을 이렇게 평가합니다.

상	다양한 가족의 형태를 알고 있고, 자신이 만들고 싶은 가족의 형태와 이유를 분명하게 제시하였다.
중	다양한 가족의 형태를 알고 있으나, 자신이 만들고 싶은 가족의 형태와 그 이유 제시가 부족하였다.
하	다양한 가족의 형태를 잘 알지 못하고, 자신이 만들고 싶은 가족의 형태와 그 이유 제시가 부족하였다.

이와 관련된 활동은?

[관련 활동] 우리 가족을 주제로 한 만다라트 | 3×3의 사각형 중앙에 가족에 관한 주제를 적고 주변에 있는 8칸에 주제와 연상되는 아이디어를 채워 넣는 활동이다.

/ 재 / 미 / 있 / 는 /

가 정 활 동 건강 가정을 만들기 위한 활동을 해 보자.

1 자신의 집에서 가족 구성원이 집안일에 참여하는 정도를 빈칸에 체크해 보자.

종류 \ 가족 구성원	예 나	어머니	아버지	동생
설거지하기		V		
음식 만들기		V		
밥하기		V		
식탁 정리하기		V		
시장 보기		V		
냉장고 정리하기		V		
세탁기 돌리기			V	
빨래 널고 개기			V	
손빨래하기		V		
침대 정리(이불 정리)하기		V		
바닥 걸레질하기		V		
청소기 돌리기			V	
화장실 청소하기		V		
베란다 청소하기			V	
신발(장) 정리하기			V	
책상 정리하기		V		
전등, 전구 교체, 수리하기			V	
우편물 가져오기			V	
쓰레기 분리 배출하기	V			V
쓰레기통 비우기	V			

자신과 가족 구성원이 집안일을 얼마나 하고 있는지 솔직하게 체크해 봅니다.

가족 구성원	나	어머니	아버지	동생
개수	2	11	7	1

● 집안일에 가장 적극적인 사람과 가장 소극적인 사람은 누구이며, 왜 이런 현상이 나타났을까?

- 집안일에 가장 적극적인 사람: 어머니
- 집안일에 가장 소극적인 사람: 동생
- 이러한 현상이 나타난 이유: 역할 분담이 잘 이루어지지 않았기 때문이다.

2 자신의 가정을 돌아보며, 질문에 답을 써 보자.

질문	답
우리 가정이 건강하다고 느낄 때는 언제인가?	가족이 다 함께 모여 식사하며 서로 이야기를 할 때
우리 가정의 건강을 위협하는 요소는 무엇인가?	가족 중 누군가 기분이 나쁜 상황에서 상대방 입장을 생각하지 않고 말을 하는 것
우리 가정의 건강을 지키기 위해 가족 구성원이 꼭 실천해야 할 일은 무엇인가?	정기적으로 가족회의하기, 가족 구성원의 좋은 점 이야기해 주기

선생님 생각 엿보기

• 이 활동의 목적

선생님은 이 활동을 통해 건강 가정을 만들기 위해 자신의 역할을 찾아 실천할 수 있기를 바랍니다.

• 선생님은 이 활동을 이렇게 평가합니다.

상	건강 가정을 만들기 위한 자신의 역할을 잘 이해하였고, 실천 방안을 잘 제시하였다.
중	건강 가정을 만들기 위한 자신의 역할을 잘 이해하였으나, 실천 방안 제시가 미흡하였다.
하	건강 가정을 만들기 위한 자신의 역할을 잘 이해하지 못하였고, 실천 방안 제시가 미흡하였다.

이와 관련된 활동은?

[관련 활동] 건강 가정을 위한 10계명 | 건강 가정을 만들기 위해 나는 어떤 노력을 해야 할지 의견을 나누고 공통된 의견을 모아 건강 가정을 위한 10계명을 작성해 보는 활동이다.

[02. 가족 관계]

다양한 가족 관계의 유형과 특징을 파악하고, 양성평등하고 세대 간의 민주적인 가족 관계를 형성하는 방안을 탐색하여 실천한다.

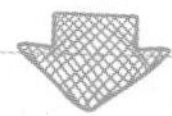

이 섹션에서 '알아야 할 것' (이해)	**다양한 가족 관계의 유형과 특징, 양성평등하고 세대 간에 민주적인 가족 관계 형성 방안을 이해한다.** 1. 가족 관계 유형과 특징 2. 양성평등하고 세대 간에 민주적인 가족 관계 형성 방안

이 섹션에서 '할 수 있어야 하는 것' (능력)	**양성평등하고 세대 간에 민주적인 가족 관계를 형성하는 방안을 탐색하여 실천할 수 있다.** [활동] · 양성평등하고 세대 간에 민주적인 가족 관계 형성 방안을 브레인스토밍으로 찾아보자.

이 섹션에서
알아야 할 것!

02 가족 관계

동기 유발 [교과서 18쪽]

위의 가족 구성원 간의 관계를 상상해 보자.

예시 답안

- 심청전: 부모 자녀 관계
- 콩쥐와 팥쥐: 형제자매 관계
- 빨간 모자: 조부모 손자녀 관계
- 김수로왕 이야기: 부부 관계

보조 노트

가족 관계

결혼, 혈연관계가 중심이 되어 형성된다. 함께 생활하는 생활 공동체이며 운명 공동체로, 평생 지속된다. 또한 가족 관계는 다른 인간관계를 맺는 데 기본이 된다.

작은 활동 [교과서 18쪽]

나와 관련된 가족 관계 유형에 체크해 보자.

활동 TIP

나의 가족을 떠올려, 그 속에 형성된 관계를 생각해 보고 체크한다.

1. 가족 관계 유형과 특징

가족 관계는 다양한 유형이 있는데, 부부 관계를 기초로 하여 부모 자녀 관계, 형제자매 관계, 조부모 손자녀 관계 등으로 이루어진다.

① 부부 관계

㉠ 사랑을 기초로 결혼함으로써 맺어진 가장 가까운 관계이다.
㉡ 정신적 · 육체적으로 결합하고, 경제적으로 협력하는 생활 공동체이다.
㉢ 좋은 부부 관계는 가족 전체 생활에 영향을 준다.
㉣ 서로 간의 애정, 관심, 신뢰를 바탕으로 정서적 관계를 형성한다.
㉤ 의식주와 관련된 가정생활을 함께 한다.
㉥ 심신의 피로와 긴장을 해소하는 오락 및 휴식처 제공의 역할을 한다.
㉦ 가족 구성원의 문제에 대한 이해와 조언을 하는 가족 치료자의 역할을 한다.

② 부모 자녀 관계

㉠ 혈연 또는 입양으로 맺어진 관계로, 자녀의 성장과 인격 형성에 가장 큰 영향을 준다.
㉡ 일생 동안 끊을 수 없는 소중한 관계로, 서로 지속적으로 영향을 주고받는다.
㉢ 보호자로서 부모의 책임과 역할이 중요하다. 부모는 자녀가 건전한 사회인으로 성장할 수 있도록 도와주며, 자녀에게 역할 본보기가 된다.
㉣ 자녀가 태어나서 처음 맺는 사회관계로, 자녀는 부모의 양육과 보호, 관심과 사랑을 받으며 성장한다.
㉤ 최근에는 자녀 출산과 부모 됨이 의무가 아닌 선택의 문제로 바뀌고 있다.

③ 형제자매 관계

㉠ 어릴 적부터 놀이 상대이면서 깊은 유대 관계를 맺어 편안한 감정을 공유하나, 때로는 선의의 경쟁자가 되기도 한다.
㉡ 개인의 인성 발달과 사회화에 영향을 주고, 가족 밖 대인 관계의 기초가 된다.
㉢ 출생 순위가 가족 관계와 성격 형성에 영향을 준다.
㉣ 부모의 편애, 양육 태도 등에 의해서 갈등이 일어날 수 있다.
㉤ 협력과 경쟁을 통해 협동, 갈등, 경쟁, 조정 등의 인간관계를 경험하게 된다.

④ 조부모 손자녀 관계

㉠ 조부모는 손자녀에게 삶의 지혜와 경험을 전달하고 정서적 지지를 보내며, 훈육자의 역할을 한다.
㉡ 손자녀는 조부모의 삶의 지혜와 경험으로 폭넓은 지식을 배운다.
㉢ 조부모 손자녀의 좋은 관계 유지는 조부모에게 노년기 삶의 만족을 주고, 손자녀에게는 원만한 성격과 태도를 갖게 해 준다.

2. 양성평등하고 세대 간에 민주적인 가족 관계 형성 방안

원만한 가족 관계가 형성될 때 가족 구성원은 정서적으로 안정감을 느끼며 더욱 행복해진다. 가족 내 다양한 관계 속에서 원만한 가족 관계를 형성하기 위해서는 전통적인 가족 가치관에서 벗어나, 양성평등하고 세대 간에 민주적인 관계가 유지될 수 있도록 노력해야 한다.

① 부부 관계

㉠ 양성평등하고 민주적으로 역할을 분담한다.
㉡ 가정의 모든 일을 함께 공유하고, 서로 협력한다.
㉢ 서로 존중하고 신뢰한다.
㉣ 서로의 차이를 이해하고, 상대방을 배려하는 마음을 가진다.
㉤ 지속적인 대화를 통해 유대감을 형성하도록 노력한다.

② 부모 자녀 관계

㉠ 서로의 역할과 세대 차이를 인정한다.
㉡ 서로의 특성을 이해하고, 배려하는 마음을 가진다.
㉢ 서로 존중하고 인정하는 대화 분위기를 조성한다.
㉣ 부모와 자녀가 공동으로 의사 결정을 한다.
㉤ 솔직한 대화를 통해 안정적이고 친밀한 관계를 유지하도록 노력한다.

③ 형제자매 관계

㉠ 서로 도와주고 배려한다.
㉡ 같이 놀고 챙기며, 우애 있게 지낸다.
㉢ 서로에게 긍정적인 영향을 주고, 좋은 본보기가 되도록 노력한다.
㉣ 서로의 입장을 이해하고 양보하여 원만한 관계를 유지하도록 노력한다.

④ 조부모 손자녀 관계

㉠ 세대 간 생각과 가치관의 차이를 인정한다.
㉡ 조부모님의 삶의 방식과 경험을 존중한다.
㉢ 항상 존경하는 마음을 가지고 공경한다.
㉣ 서로 여가 활동을 함께 하면서 친밀감을 형성하고, 조부모님이 가족으로부터 소외감을 느끼지 않도록 한다.
㉤ 자주 찾아뵙고, 안부 전화 또는 편지, 문자 등을 주고받으며 돈독한 관계를 유지하도록 노력한다.

핵심 용어 | 가족 관계 유형과 특징, 양성평등하고 세대 간에 민주적인 가족 관계 형성 방안

스스로 정리하기

1 자녀의 성장과 인격 형성에 가장 큰 영향을 주는 가족 관계 유형은 무엇인가? 부모 자녀 관계

2 조부모 손자녀의 좋은 관계 유지는 손자녀에게 어떤 영향을 주는가? 손자녀가 원만한 성격과 태도를 갖게 해 준다.

3 창의·인성 원만한 가족 관계를 형성하기 위해 어떤 노력을 해야 하는지 이야기해 보자.
전통적인 가족 가치관에서 벗어나 양성평등하고 세대 간에 민주적인 관계가 유지될 수 있도록 노력해야 한다.

01 다음이 설명하는 가족 관계 유형으로 옳은 것은?

- 사랑을 기초로 결혼함으로써 맺어진 가장 가까운 관계이다.
- 정신적 · 육체적으로 결합하고, 경제적으로 협력하는 생활 공동체이다.

① 부부 관계
② 형제자매 관계
③ 부모 자녀 관계
④ 또래 친구 관계
⑤ 조부모 손자녀 관계

02 부모 자녀 관계는 혈연으로만 이루어진 관계를 말한다.
(○ , ×)

03 형제자매 관계는 놀이 상대이면서 깊은 유대 관계를 맺어 편안한 감정을 공유하나, 때로는 (　　　　　　) 이/가 되기도 한다.

04 다음이 설명하는 가족 관계 유형은 무엇인지 쓰시오.

삶의 지혜와 경험을 전달하고 정서적 지지를 보내며, 훈육자의 역할을 한다.

(　　　　　　　　　)

05 원만한 가족 관계를 형성하기 위해서는 전통적인 가족 가치관에서 벗어나, (　　　　　　)하고 세대 간에 민주적인 관계가 유지될 수 있도록 노력해야 한다.

06 양성평등한 부부 관계를 형성하기 위해서는 성별에 따라 역할을 구분하여 분담해야 한다.
(○ , ×)

07 청소년기 부모 자녀 관계를 원만하게 유지하기 위한 방안으로 적절하지 않은 것은?

① 솔직한 대화를 나눈다.
② 서로의 역할과 세대 차이를 인정한다.
③ 부모가 주도적으로 의사 결정을 한다.
④ 존중하고 인정하는 대화 분위기를 조성한다.
⑤ 서로의 특성을 이해하고, 배려하는 마음을 가진다.

08 원만한 조부모 손자녀 관계를 형성하기 위한 방안으로 적절하지 않은 것은?

① 자주 찾아뵌다.
② 존경하는 마음을 가지고 공경한다.
③ 세대 간 생각과 가치관의 차이를 인정한다.
④ 여가 활동을 함께 하면서 친밀감을 형성한다.
⑤ 조부모님이 가족으로부터 독립심을 느낄 수 있도록 한다.

개념 활용하기

정답과 해설 2쪽

01 **부부 관계의 특징으로 적절하지 않은 것은?**

① 정신적 · 육체적으로 결합한다.
② 경제적으로 독립된 생활 공동체이다.
③ 가족 전체 생활에 영향을 줄 수 있다.
④ 결혼으로 맺어진 가장 가까운 관계이다.
⑤ 서로 간의 애정, 관심, 신뢰를 바탕으로 정서적 관계를 형성한다.

02 **부모 자녀 관계에 대한 설명으로 적절한 것은?**

① 혈연으로만 이루어진 관계를 말한다.
② 때로는 선의의 경쟁자가 되기도 한다.
③ 자녀가 태어나서 처음 맺는 사회관계이다.
④ 자녀의 성장과 인격 형성에 가장 적은 영향을 준다.
⑤ 자녀 출산과 부모 됨이 선택에서 의무의 문제로 바뀌고 있다.

03 **다음과 같은 특징을 갖는 가족 관계로 옳은 것은?**

• 개인의 인성 발달과 사회화에 영향을 주고, 가족 밖 대인 관계의 기초가 된다.
• 부모의 편애, 양육 태도 등에 의해서 갈등이 일어날 수 있다.

① 부부 관계 ② 형제자매 관계
③ 부모 자녀 관계 ④ 또래 친구 관계
⑤ 조부모 손자녀 관계

04 **빈칸에 들어갈 단어로 가장 적절한 것은?**

조부모는 손자녀에게 삶의 지혜와 경험을 전달하고 정서적 지지를 보내며, (　　　　)의 역할을 한다.

① 친구 ② 협력자
③ 훈육자 ④ 놀이 상대
⑤ 선의의 경쟁자

05 **양성평등한 부부 관계를 형성하기 위한 방안으로 적절하지 않은 것은?**

① 서로 존중하고 신뢰한다.
② 민주적으로 역할을 분담한다.
③ 대화를 통해 유대감을 형성한다.
④ 가정의 중요한 일은 남편이 결정한다.
⑤ 서로의 차이를 이해하고, 배려하는 마음을 가진다.

06 **〈보기〉에서 원만한 부모 자녀 관계를 형성하기 위한 방안으로 적절한 것을 모두 고른 것은?**

보기
ㄱ. 같이 놀고 챙기며, 우애 있게 지낸다.
ㄴ. 서로의 역할과 세대 차이를 인정한다.
ㄷ. 갈등을 피하기 위해 대화를 자제한다.
ㄹ. 부모와 자녀가 공동으로 의사 결정을 한다.

① ㄱ, ㄴ ② ㄱ, ㄷ ③ ㄴ, ㄷ
④ ㄴ, ㄹ ⑤ ㄷ, ㄹ

07 **조부모 손자녀 관계를 바람직하게 유지하기 위한 방안으로 가장 적절하지 않은 것은?**

① 존경하는 마음을 가지고 복종한다.
② 조부모님의 삶의 방식과 경험을 존중한다.
③ 세대 간 생각과 가치관의 차이를 인정한다.
④ 여가 활동을 함께 하면서 친밀감을 형성한다.
⑤ 자주 찾아뵙고, 안부 전화 등을 주고받으며 돈독한 관계를 유지하도록 노력한다.

/ 재 / 미 / 있 / 는 /

가 정 활 동

교과서 20~21쪽

이 섹션에서 할 수 있어야 하는 것!

양성평등하고 세대 간에 민주적인 가족 관계 형성 방안을 브레인스토밍으로 찾아보자.

브레인스토밍: 여러 사람이 모여서 주제에 관해 다양한 아이디어를 내는 기법이다.
- 자유롭게 의견을 제시한다.
- 상대방의 의견을 비판하지 않는다.
- 다양한 의견 중에서 중복되는 의견은 버리고, 정리한 후 개선안을 만든다.

주제: 양성평등하고 세대 간에 민주적인 가족 관계를 형성하는 방안

[순서]

1. 모둠 활동을 하기 전에 주제에 관한 나의 아이디어를 개인 활동지에 작성한다.
   - 하지 말아야 할 것, 꼭 지켜져야 할 것, 바로 실천해야 할 것을 적는다.
2. 모둠 활동을 통해 아이디어를 선정하여 적는다.
   - 하지 말아야 할 것, 꼭 지켜져야 할 것, 바로 실천해야 할 것을 선정한다.
3. 모둠 활동에서 선정된 것 중에서 바로 실천해야 할 것을 골라 구체적인 실천 방안을 적는다.

1 Stop(하지 말아야 할 것), Keep(꼭 지켜져야 할 것), Begin(바로 실천해야 할 것)을 생각나는 대로 다양하게 적는다.

Stop(하지 말아야 할 것)	Keep(꼭 지켜져야 할 것)	Begin(바로 실천해야 할 것)
엄마 혼자 집안일하기	자신의 역할 찾기	자신이 할 수 있는 일 찾아 하기
어리다고 무시하기	예의 지키기	좋은 말로 말하기
여자라고 큰 목소리로 말하지 못하게 하기	사람들과 대화할 때는 작은 목소리로 말하기	남녀 구분 짓지 않기
매번 공부하라고 하기	자신의 말에 책임지기	자신의 일은 스스로 알아서 하기
별일 아닌데 욕하면서 무시하기	서로 배려하는 마음 갖기	형제자매 간에 사이좋게 지내기

2 브레인스토밍 후 Stop(하지 말아야 할 것), Keep(꼭 지켜져야 할 것), Begin(바로 실천해야 할 것)을 각각 3가지씩 적는다.

Stop(하지 말아야 할 것)	Keep(꼭 지켜져야 할 것)	Begin(바로 실천해야 할 것)
여자 일과 남자 일을 구분하기	가족 각자의 의견 존중하기	가족회의를 통해 각자 잘할 수 있는 가족 내 역할 정하기
어리다고 무시하기	부모님께 존댓말 쓰기	자신이 할 수 있는 일 찾아 하기
무조건 자기 의견만 고집하기	거짓말하지 않기	조부모님께 안부 전화하기

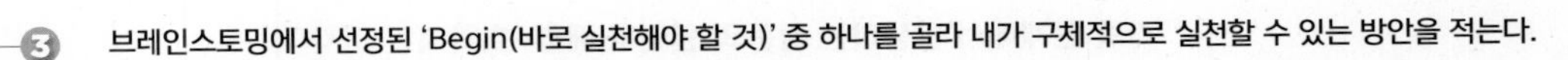
3 브레인스토밍에서 선정된 'Begin(바로 실천해야 할 것)' 중 하나를 골라 내가 구체적으로 실천할 수 있는 방안을 적는다.

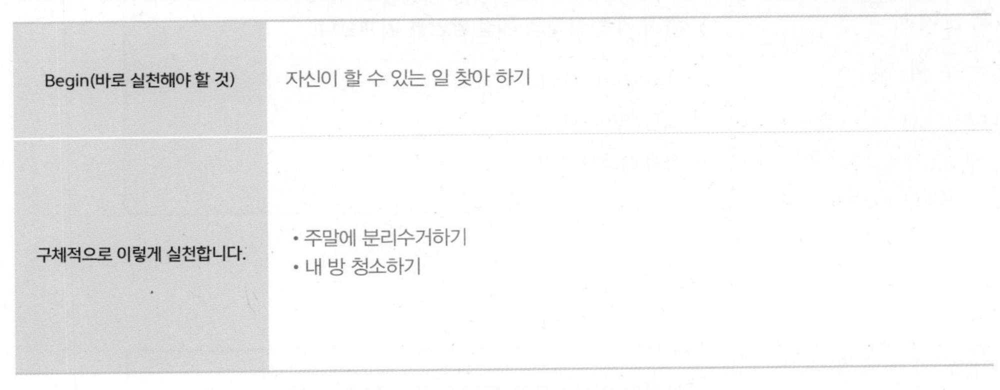

Begin(바로 실천해야 할 것)	자신이 할 수 있는 일 찾아 하기
구체적으로 이렇게 실천합니다.	• 주말에 분리수거하기 • 내 방 청소하기

선생님 생각 엿보기

· 이 활동의 목적

선생님은 이 활동을 통해 양성평등하고 세대 간에 민주적인 가족 관계 형성 방안을 찾아 실천할 수 있기를 바랍니다.

· 선생님은 이 활동을 이렇게 평가합니다.

상	양성평등하고 세대 간에 민주적인 가족 관계의 개념을 바르게 이해하였고, 여러 가지 실천 방안을 제시하였다.
중	양성평등하고 세대 간에 민주적인 가족 관계의 개념을 바르게 이해하였으나, 실천 방안 제시가 미흡하였다.
하	양성평등하고 세대 간에 민주적인 가족 관계의 개념을 잘 이해하지 못하였고, 실천 방안 제시가 미흡하였다.

이와 관련된 활동은?

[관련 활동] 우리 가족의 관계를 한 단계 업(UP) 시키기 | 우리 가족 중 관계를 더 증진시키고 싶은 가족에게 가족에 대한 자신의 생각과 아쉬운 점, 자신이 앞으로 노력할 점을 적어 보는 활동이다.

[03. 가족 간의 갈등과 해결]

가족 관계에서 발생하는 갈등의 원인과 배경을 분석하고, 효과적인 의사소통을 통해 가족 간의 갈등 해결 방안을 탐색하여 실천한다.

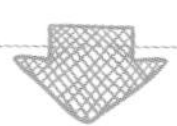

이 섹션에서 '알아야 할 것' (이해)	**가족 관계에서 발생하는 갈등의 원인과 배경, 효과적인 의사소통과 가족 갈등의 해결 방안을 이해한다.** 1. 가족 갈등의 원인과 배경 2. 효과적인 의사소통 3. 가족 갈등의 해결

이 섹션에서 '할 수 있어야 하는 것' (능력)	**효과적인 의사소통을 통해 가족 간의 갈등 해결 방안을 탐색하여 실천할 수 있다.** [활동 1] · 다음에서 한 가지 대화를 선택하여 원활한 의사소통이 이루어지도록 대화 내용을 바꾸어 보자. [활동 2] · 가족 간에 발생할 수 있는 갈등 상황을 설정해 보고, 의사소통으로 해결해 나가는 과정을 역할극으로 표현해 보자.

이 섹션에서 알아야 할 것!

03 가족 간의 갈등과 해결

1. 가족 갈등의 원인과 배경

가족 갈등은 가족 구성원이 상호 작용하는 과정에서 의견이 일치하지 않을 때 일어나는데, 가족 갈등이 발생하면 가족 구성원 전체에게 영향을 끼치게 되므로, 그 원인을 찾아보고 이를 해결하기 위해 가족 모두가 노력해야 한다.

• **가족 갈등의 원인**

㉠ **가족의 건강 문제**	㉡ **역할 기대의 차이**
㉢ **가정 경제 문제**	㉣ **세대 차이**
㉤ **가정 폭력**	㉥ **가족 구성원의 실직**
㉦ **가족 부양에 관한 의견 차이**	㉧ **자녀 교육 및 행동의 문제**
㉨ **이혼에 의한 가족 해체**	㉩ **가치관, 생활 습관, 기호 등의 차이**

2. 효과적인 의사소통

일상생활에서 의사소통은 서로를 이해하고 자신의 생각을 정확하게 전달하는 기회가 되며, 친밀한 인간관계를 맺는 데 중요한 역할을 한다. 특히 가족 구성원 간의 유대감을 높이고, 건강한 가족 관계를 유지하는 수단이 된다.

① 의사소통의 방법

㉠ **언어적 의사소통**

- 자신의 생각이나 감정을 말이나 글로 표현하는 방법을 말한다.
- 예 전화, 편지, 문자 메시지, 전자 우편 등

㉡ **비언어적 의사소통**

- 자신의 생각이나 감정을 언어 이외의 방법으로 표현하는 방법을 말한다.
- 예 몸짓, 자세, 표정, 옷차림, 시선 등

② 의사소통의 구성 요소

㉠ **의사소통을 구성하는 요소:** 보내는 사람, 받는 사람, 정보, 반응 등

㉡ 보내는 사람이 전달하고자 하는 정보가 정보를 받는 사람에게 정확하게 전달되어 이를 잘 받아들이고 이해하였다는 반응을 보일 때 의사소통이 제대로 이루어졌다고 볼 수 있다.

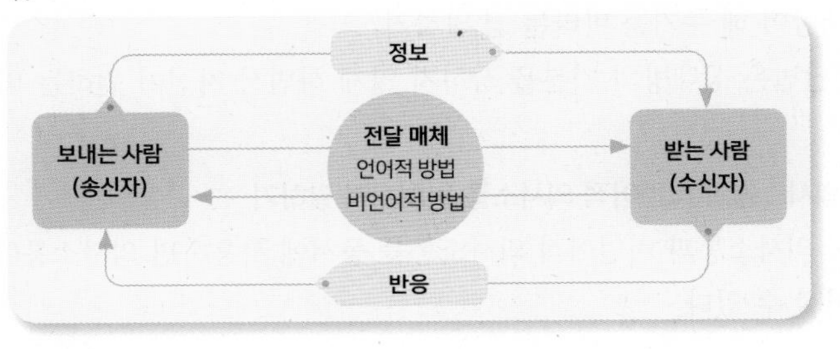

동기 유발 [교과서 22쪽]

위 상황을 해결하는 방법은 무엇일지 이야기해 보자.

예시 답안

양보 없이 그냥 있으면 둘 다 건널 수 없으므로 내가 먼저 양보하여 상대방이 지나가도록 한다.

보조 노트

갈등

칡과 등나무가 서로 얽히는 것과 같이, 사람들 간에 의견이나 이해관계가 달라 서로 화합하지 못하고 충돌하는 상태를 말한다.

의사소통

자신의 생각이나 감정을 말이나 행동을 통해 상대방에게 전달하고 전달받는 과정을 말한다.

작은 활동 [교과서 22쪽]

우리 가족은 주로 어떤 원인으로 가족 갈등이 발생하는지 위 그림에 체크해 보고, 이야기해 보자.

예시 답안

자녀 교육 및 행동의 문제, 부모님께 성적표를 보여드렸는데 기막혀 하시더니 갑자기 내가 공부 못하는 탓을 서로에게 미루시면서 싸워서 집안 분위기가 매우 좋지 않았다.

작은 활동 [교과서 23쪽]

의사소통이 잘 이루어졌던 경험을 이야기해 보자.

활동 TIP

평소 가족이나 친구들과의 대화를 떠올려 보면서 의사소통이 잘 이루어졌던 상황을 이야기해 본다.

보조 노트

경청

상대방의 말에 적극적으로 귀 기울이고, 이야기 속의 사실과 감정을 잘 이해하고자 노력하는 것을 말한다.

작은 활동 [교과서 25쪽]

우리 가족은 평소에 어떻게 대화를 하는지 이야기해 보자.

예시 답안

우리 가족은 서로 칭찬을 많이 해 준다.

③ 효과적인 의사소통 방법

효과적인 의사소통을 위해서는 상대방의 이야기를 주의 깊게 들어야 한다. 또한, 긍정적인 표현을 사용하고 자신의 생각과 느낌을 솔직하게 표현하며, 언어적 의사소통과 비언어적 의사소통을 일치시켜 말해야 한다.

㉠ 적극적으로 잘 듣기(경청과 공감)

- 다른 사람과 좋은 관계를 맺기 위해서는 내 말을 잘하는 것보다 다른 사람의 말을 귀 기울여 들어 주는 것이 중요하다.
- 잘 듣기 위해서는 상대방의 말은 물론 상대방과 시선을 맞추고, 얼굴 표정, 몸짓에도 주의를 기울이며 듣는다.
- 상대방의 입장에서 감정을 이해하려고 노력하고, 상대방의 이야기에 적절한 반응을 보이며 경청해야 한다.
- 자세를 바르게 하고, 상대방의 이야기에 집중한다.
- 가능한 한 상대방 가까이에서 이야기를 듣는다.
- 상대방의 말을 중간에 가로막지 않고 끝까지 들은 후 자신의 의견을 말한다.
- 상대방의 이야기를 듣고 자신의 말로 정리하여 자신이 바르게 이해하였는지 확인한다.

㉡ 긍정적인 표현을 사용하여 말하기

- 다른 사람과 대화를 할 때에는 칭찬이나 격려, 지지, 공감과 같은 긍정적인 표현을 사용하는 것이 좋다.
- 긍정적인 표현을 사용하여 말하면 상대방은 기분이 좋아지며, 자신을 존중해 주고 인정해 준다는 신뢰를 형성하게 되어 대화를 나누는 상대방에게 쉽게 마음을 열게 된다.
- 명령, 지시, 비난 등 부정적인 표현은 상대방의 기분을 상하게 하여 자신이 상대방에게 전달하려고 한 의도가 제대로 전해지기 어렵다.
- 원활한 의사소통을 위해서는 긍정적인 표현을 사용하여 상대방을 존중하는 태도로 부드럽게 말해야 한다.

㉢ '나' 전달법으로 생각과 느낌 말하기

- '나' 전달법은 '나'를 주어로 하여 상대방의 행동으로 느낀 자신의 감정과 생각을 솔직하게 표현하는 대화 방법이다.
  - 상대방의 행동을 비난하지 않고 표현하기
  - 상대방의 행동이 나에게 끼치는 영향 말하기
  - 상대방의 행동으로 느낀 나의 감정 말하기
  - 상대방이 해 주기를 바라는 점 말하기
- '나' 전달법은 상대방의 기분을 상하지 않게 하면서 자신이 원하는 바를 전달할 수 있다.

㉣ 언어적 의사소통과 비언어적 의사소통 일치시켜 말하기

- 언어적 의사소통과 비언어적 의사소통을 동시에 사용하면 의사소통이 더 원활하게 이루어질 수 있다.

- 자신의 의사를 명확하고 효과적으로 전달하기 위해서는 언어적 의사소통과 비언어적 의사소통을 일치시켜야 한다.
- 언어적 의사소통과 비언어적 의사소통이 일치하지 않으면 상대방에게 혼란을 주게 되고, 오해와 갈등이 생길 수 있다.

3. 가족 갈등의 해결

때때로 가족은 가깝다는 생각에 말을 함부로 하여 기분을 상하게 하기도 하고, 서로 간에 대화가 잘 통하지 않아 갈등을 겪기도 한다. 갈등을 회피하거나 일방적으로 해결하려고 하면 오히려 더 큰 문제가 될 수 있다. 가족 갈등이 발생했을 때에는 가족 구성원들이 서로의 의견을 존중하고, 갈등 해결을 위해 자신의 생각을 솔직하고 자유롭게 이야기하여 갈등 상황을 적극적으로 해결하도록 노력해야 한다. 효과적인 의사소통을 통해 갈등을 해결하게 되면 가족 구성원 간의 결속력이 더욱 커지고, 다른 갈등이 발생했을 때 올바르게 대처하고 해결할 수 있는 능력을 길러 준다.

① 가족 갈등의 해결 방안

㉠ 갈등 상황을 인정하고, 있는 그대로 받아들인다.

㉡ 해결 방안을 모색할 때에는 갈등이 되고 있는 문제에만 초점을 맞춘다.

㉢ 상대방의 말을 비난하지 않고 공감하기 위해 노력하며, 서로의 생각을 자유롭게 말한다..

㉣ 솔직하고 진지한 대화를 통해 자신의 의견을 분명하게 표현하고, 상대방의 의견을 존중한다.

㉤ 다양한 해결 방안을 함께 찾은 후, 협의를 통해 최선의 해결 방안을 결정하고 실천한다.

② 원만한 의사소통을 통한 가족 갈등의 해결

㉠ 부모는 자녀를 인격적으로 존중하고 있다는 것을 느끼게 해 주고, 자녀는 부모의 처지를 이해하는 태도로 대화해야 한다.

㉡ 형제자매 간의 바람직한 의사소통은 서로에게 본보기를 제공할 뿐만 아니라 사회에서의 원만한 인간관계를 형성하는 데 기초가 된다.

핵심 용어 | 가족 갈등의 원인과 배경, 언어적 의사소통, 비언어적 의사소통, 의사소통의 구성 요소, 경청, '나' 전달법, 가족 갈등의 해결 방안

작은 활동 [교과서 26쪽]

나는 가족 간의 갈등 해결을 위해 어떤 노력을 하는지 이야기해 보자.

예시 답안

기분이 상하면 아무 말도 하지 않고 방에 들어가 있는데, 시간이 지난 후 나의 마음 상태가 좋지 않음을 솔직히 이야기하고, 다른 가족들의 마음이 어떠한지 물어보며 서로 대화를 통해 갈등을 해결하려고 노력한다.

스스로 정리하기

1 가족 구성원이 상호 작용하는 과정에서 의견이 일치하지 않을 때 일어나는 것은 무엇인가? 가족 갈등

2 의사소통을 할 때 정보를 받는 사람은 어떤 태도를 가져야 하는가? 경청하는 태도를 가져야 한다.

3 창의·인성 언어적 의사소통과 비언어적 의사소통이 일치하지 않으면 어떻게 되는지 이야기해 보자.
상대방에게 혼란을 주게 되고, 오해와 갈등이 생길 수 있다.

01 (   )은/는 칡과 등나무가 서로 얽히는 것과 같이, 사람들 간에 의견이나 이해관계가 달라 서로 화합하지 못하고 충돌하는 상태를 말한다.

02 다음이 설명하는 개념은 무엇인지 쓰시오.

> 자신의 생각이나 감정을 말이나 행동을 통해 상대방에게 전달하고 전달받는 과정

(   )

03 언어적 의사소통에 해당하는 것은?

① 몸짓 ② 편지
③ 표정 ④ 자세
⑤ 시선

04 빈칸에 들어갈 알맞은 말을 쓰시오.

> 의사소통의 구성 요소에는 보내는 사람, 받는 사람, (   ), (   ) 등이 있다.

(   )

05 다른 사람과 좋은 관계를 맺기 위해서는 다른 사람의 말을 귀 기울여 듣는 것보다 내 말을 잘하는 것이 중요하다.

(○ , ×)

06 긍정적인 표현을 사용하여 말하는 방법으로 옳지 않은 것은?

① 상대방을 칭찬한다.
② 격려하는 말을 한다.
③ 상대방의 말에 공감한다.
④ 상대방을 지지하는 표현을 사용한다.
⑤ 내가 원하는 바를 상대방에게 지시한다.

07 (   )은/는 '나'를 주어로 하여 상대방의 행동으로 느낀 자신의 감정과 생각을 솔직하게 표현하는 대화 방법이다.

08 자신의 의사를 명확하고 효과적으로 전달하기 위해서는 언어적 의사소통과 비언어적 의사소통을 일치시켜야 한다.

(○ , ×)

09 효과적인 의사소통을 통한 갈등 해결의 긍정적인 효과로 적절하지 않은 것은?

① 서로를 잘 이해하게 된다.
② 가족 간의 결속력이 커진다.
③ 갈등에 올바르게 대처할 수 있다.
④ 갈등을 일방적으로 해결할 수 있다.
⑤ 또 다른 갈등을 해결할 수 있는 능력을 길러 준다.

개념 활용하기

정답과 해설 2쪽

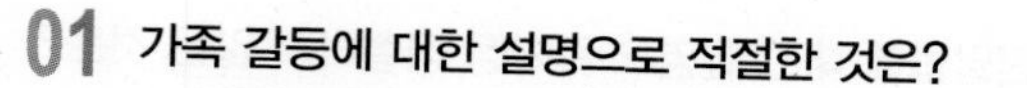

01 가족 갈등에 대한 설명으로 적절한 것은?

① 친밀한 가족은 갈등을 겪지 않는다.
② 가족 갈등은 언제든지 일어날 수 있다.
③ 가족 구성원의 의견이 일치될 때 일어난다.
④ 가족 간의 갈등은 구성원 일부에게만 영향을 준다.
⑤ 가족 갈등의 원인을 찾아 부부가 주도적으로 해결해야 한다.

02 다음과 같은 상황의 가족에게 생길 수 있는 갈등으로 가장 적절한 것은?

> (맞벌이 부부의 주말)
> • 아내: 쉬는 날에는 같이 집안일을 분담했으면 좋겠어요.
> • 남편: 집안일은 당신이 맡아서 했으면 해요.

① 세대 차이
② 가정 폭력
③ 가족의 건강 문제
④ 역할 기대의 차이
⑤ 자녀 교육 및 행동의 문제

03 의사소통에 대한 설명으로 적절하지 <u>않은</u> 것은?

① 자신의 생각을 정확하게 전달한다.
② 가족 구성원 간의 유대감을 높인다.
③ 가족 간의 갈등을 증대시키는 역할을 한다.
④ 서로를 이해하고 친밀한 관계를 맺도록 한다.
⑤ 건강한 가족 관계를 유지할 수 있는 수단이 된다.

04 비언어적 의사소통으로만 짝지어진 것은?

① 자세, 표정, 시선
② 몸짓, 전화, 자세
③ 표정, 옷차림, 편지
④ 전화, 편지, 전자 우편
⑤ 문자 메시지, 편지, 시선

05 언어적 의사소통의 예로 적절하지 <u>않은</u> 것은?

① 시골에 혼자 계신 할머니께 편지를 보냈다.
② 해외에 있는 사촌 누나에게 전자 우편을 발송했다.
③ 하교 후 친구에게 전화를 걸어 내일 만날 약속 장소를 정했다.
④ 만나기로 한 약속 시간에 늦은 친구를 화가 난 표정으로 째려보았다.
⑤ 친구에게 문자 메시지로 내일 있을 수행 평가가 무엇인지 물어보았다.

06 의사소통의 구성 요소에 대한 설명으로 옳지 <u>않은</u> 것은?

① 정보는 전달하고자 하는 내용이다.
② 보내는 사람을 수신자라고도 한다.
③ 보내는 사람은 정보를 정확하게 전달해야 한다.
④ 정보를 받는 사람은 경청하는 태도를 가져야 한다.
⑤ 받는 사람은 정보를 받고 이해했다는 반응을 표시한다.

07 효과적인 의사소통 방법으로 적절하지 않은 것은?

① '나' 전달법을 활용한다.
② 긍정적인 표현을 사용한다.
③ 상대방의 이야기를 주의 깊게 듣는다.
④ 자신의 생각과 느낌을 솔직하게 표현한다.
⑤ 언어적 의사소통은 줄이고 비언어적 의사소통을 주로 사용한다.

08 다음이 설명하는 효과적인 의사소통 방법에 해당하는 것은?

> 상대방의 입장에서 감정을 이해하려고 노력하고, 상대방의 이야기에 적절한 반응을 보인다.

① 정확하게 말하기
② 적극적으로 잘 듣기
③ 긍정적인 표현을 사용하여 말하기
④ '나' 전달법으로 생각과 느낌 말하기
⑤ 언어적 의사소통과 비언어적 의사소통 일치시키기

09 긍정적인 표현을 사용하여 말하기의 효과로 적절하지 않은 것은?

① 상대방에게 존중을 표한다.
② 대화 상대와 신뢰를 형성할 수 있다.
③ 명령, 지시, 비난의 의도를 나타낸다.
④ 칭찬이나 격려, 지지, 공감하는 모습을 보인다.
⑤ 긍정적인 표현은 상대방의 기분을 좋게 만드는 효과가 있다.

10 '나' 전달법에 대한 설명으로 가장 적절하지 않은 것은?

① '나'를 주어로 하는 대화 방법이다.
② 자신이 원하는 바를 전달할 수 있다.
③ 상대방의 행동을 비난하지 않고 표현한다.
④ 상대방의 기분이 상하지 않게 말할 수 있다.
⑤ 상대방의 행동에 대한 자신의 감정과 생각을 숨길 수 있다.

11 언어적 의사소통과 비언어적 의사소통이 일치하지 않을 때 생기는 결과로 적절한 것은?

① 상대방과 신뢰를 형성할 수 있다.
② 상대방의 오해와 갈등을 풀 수 있다.
③ 의사소통이 더 원활하게 이루어진다.
④ 대화 도중 상대방에게 혼란을 줄 수 있다.
⑤ 의사를 명확하고 효과적으로 전달할 수 있다.

12 가족 간의 갈등 해결에 대한 설명으로 옳지 않은 것은?

① 서로의 차이를 이해하며 갈등을 지혜롭게 해결해야 한다.
② 갈등 해결을 위해 자신의 생각을 솔직하고 자유롭게 이야기해야 한다.
③ 갈등을 원만하게 해결하게 되면 가족 구성원 간의 결속력이 더욱 커진다.
④ 갈등을 회피하거나 가족 구성원 일부가 주도적으로 해결하는 것이 바람직하다.
⑤ 효과적인 의사소통을 통한 갈등의 원만한 해결은 또 다른 갈등이 발생했을 때 올바르게 대처하고 해결할 수 있는 능력을 길러 준다.

/ 재 / 미 / 있 / 는 /

가 정 활 동

교과서 24쪽

이 섹션에서 할 수 있어야 하는 것!

다음에서 한 가지 대화를 선택하여 원활한 의사소통이 이루어지도록 대화 내용을 바꾸어 보자.

대화 1
- 엄마: 넌 게임만 하니? 공부 좀 해라.
- 딸: 아, 짜증 나. 맨날 공부하래.

대화 2
- 형: 야! 넌 이것도 몰라?
- 동생: 잘난 척하기는. 됐어!

대화 3
- 친구 1: 거울 좀 그만 봐. 안 예쁘거든.
- 친구 2: 넌 뭐 예쁜 줄 알아?

선택한 대화 내용	의사소통을 방해하는 요소	대화 내용 바꾸기
• 엄마: 넌 게임만 하니? 공부 좀 해라. • 딸: 아, 짜증 나. 맨날 공부하래.	• 부정적인 의사 표현 • 너 메시지를 사용함.	• 엄마: 게임이 참 재미있나 보구나. 게임하면서 휴식을 취하는 것도 좋지만 공부도 했으면 좋겠구나. • 딸: 제가 게임이 재미있어서 너무 오래 했나 봐요. 앞으로는 게임하는 시간을 줄이고 공부도 열심히 할게요.

선생님 생각 엿보기

· 이 활동의 목적

선생님은 이 활동을 통해 일상생활에서 흔히 사용하는 대화 방법의 문제점을 찾아 개선하여 효과적인 의사소통 능력을 기를 수 있기를 바랍니다.

· 선생님은 이 활동을 이렇게 평가합니다.

상	의사소통의 방해 요소를 알고, 효과적인 의사소통 방법으로 대화할 수 있다.
중	의사소통의 방해 요소를 알고 있으나, 효과적인 의사소통 방법으로 대화하는 데 미흡하였다.
하	의사소통의 방해 요소를 알지 못하고, 효과적인 의사소통 방법으로 대화하는 데 미흡하였다.

이와 관련된 활동은?

[관련 활동] '나' 전달법으로 바꾸어 보기 | '너' 전달법을 '나' 전달법으로 바꾸어 표현해 보고, 각각의 대화 방법을 사용했을 때 상대방의 반응이 어떠할지 예측해 보는 활동이다.

/ 재 / 미 / 있 / 는 /

가 정 활 동

가족 간에 발생할 수 있는 갈등 상황을 설정해 보고, 의사소통으로 해결해 나가는 과정을 역할극으로 표현해 보자.

역할극은 접하기 쉽지 않은 상황을 경험해 보도록 하거나 다른 사람의 역할을 체험해 보도록 함으로써 자신이나 타인의 행동을 이해하고, 문제가 되는 태도나 행동을 변화시키는 것이다. 미리 정해진 대본에 의한 진행보다는 참가자의 즉흥적인 대응으로 문제를 풀어 나간다.

[활동 순서]

1. 모둠별로 가족 관계에서 발생할 수 있는 갈등 사례를 한 가지씩 정한다.
2. 갈등의 원인과 해결 방안을 토의한다.
3. 모둠 구성원별로 갈등 상황 속 인물의 역할을 정해 참여 연극을 한다.
4. 역할극이 끝난 후 모둠별로 느낀 점을 나눈다.

모둠명	함께해요~
갈등이 발생한 가족 관계	아버지와 아들
등장인물과 역할 나누기	아버지 – 진수, 아들 – 현수, 어머니 – 미희, 동생 – 지민
갈등 상황 줄거리 (갈등 원인과 내용 중심)	서로 대화가 적은 아버지와 아들인데, 아버지가 휴대 전화 게임을 하는 아들의 모습을 보면서 못마땅해하고, 평상시 느낀 감정까지 표현하면서 갈등이 심화된 상황이다.
스토리보드 적기 (상황과 해결 과정이 드러나도록 쓰기)	(상황) • 아버지: 집에서 늘 휴대 전화를 잡고 있는 아들을 못마땅하게 생각한다. • 아들: 평상시 자신에게 관심이 없는 아버지가 휴대 전화만 들고 있으면 잔소리를 하신다고 생각한다. • 어머니: 남편과 아들이 서로에게 불만이 많으면서도 함께 풀어 나가려고 하지 않아 답답해한다. • 동생: 아버지, 오빠 모두에게 불만이 있다. 서로 불만이 많아 집안을 시끄럽게 할 때가 많다고 생각한다. (해결 과정) 서로 마음속에 있는 생각들을 솔직하게 이야기하면서 좀 더 서로를 이해하고 배려하는 마음을 갖도록 한다.
소품 및 준비물	휴대 전화, 아버지 옷, 어머니 옷
그 외	

역할극 후 느낀 점 부모님은 늘 우리의 나쁜 점만 보시고 잔소리를 하신다고 생각했는데, 아버지가 되어 역할극을 해 보니 평상시 부모님을 이해하려는 마음이 부족했음을 알게 되었다.

선생님 생각 엿보기

• 이 활동의 목적

선생님은 이 활동을 통해 가족 간에 발생할 수 있는 갈등을 효과적인 의사소통으로 원만히 해결할 수 있기를 바랍니다.

• 선생님은 이 활동을 이렇게 평가합니다.

상	역할극을 통해 가족 간의 갈등 상황을 인지하였고, 의사소통으로 원만하게 해결하였다.
중	역할극을 통해 가족 간의 갈등 상황을 인지하였으나, 의사소통을 통한 해결이 미흡하였다.
하	가족 간의 갈등 상황을 잘 인지하지 못하였고, 의사소통을 통한 해결이 미흡하였다.

이와 관련된 활동은?

[관련 활동] 가족 간의 갈등과 해결 과정을 싱킹맵으로 표현하기 | 갈등의 원인, 가족 갈등으로 인한 어려움, 해결 방법, 해결 과정, 해결 후 가정에 나타난 변화 등을 싱킹맵에 그림이나 짧은 글로 표현해 보는 활동이다.

학습 마무리

배운 내용 정리하기 >> 배운 내용을 정리하면서 알맞은 답을 찾아 □ 안에 해당하는 번호를 적어 보자.

01. 변화하는 가족과 건강 가정

1 가	2 공	3 축
4 형	5 결	6 족
7 동	8 소	9 기
10 성	11 정	12 체
13 적	14 서	15 혼

- [1][6]은/는 개인의 성장과 발달에 중요한 영향을 끼친다.
- 오늘날의 가족은 전체 가구 수는 증가하지만, 가족의 규모는 [3][8]되고 있다.
- [11][14][13] 안정 및 휴식의 기능은 현대 사회에서 그 중요성이 더 커지고 있다.
- 현대에는 개인주의 성향이 강해지면서 [5][15]와/과 자녀 출산은 개인의 선택의 문제가 되었다.
- 늦은 결혼으로 가정 [4][10][9] 시작이 늦어지고 있다.
- 혈연관계가 아닌 구성원이 모여 가족 의식을 공유하며 사는 가족의 형태를 [2][7][12] 가족이라고 한다.

02. 가족 관계

1 민	2 세	3 평
4 양	5 조	6 경
7 등	8 주	9 대
10 부	11 성	12 자
13 적	14 쟁	15 모

- 가족 내 다양한 관계 속에서 원만한 가족 관계를 형성하기 위해서는 양성평등하고 세대 간에 [1][8][13]인 관계가 유지될 수 있도록 노력해야 한다.
- 부부 관계에서는 [4][11][3][7]하고 민주적으로 역할을 분담한다.
- 부모 자녀 관계에서는 서로의 역할과 [2][9] 차이를 인정하고, 배려하는 마음을 가진다.
- 형제자매는 어릴 적부터 놀이 상대이면서 깊은 유대 관계를 맺어 편안한 감정을 공유하나, 때로는 선의의 [6][14][12]이/가 되기도 한다.
- [5][10][15]은/는 손자녀에게 삶의 지혜와 경험을 전달하고 정서적 지지를 보내며, 훈육자의 역할을 한다.

03. 가족 간의 갈등과 해결

1 긍	2 비	3 소
4 갈	5 경	6 언
7 통	8 정	9 등
10 어	11 사	12 적
13 의	14 나	15 청

- 가족은 친밀한 관계이지만 성별과 세대가 다르며, 다양한 개성과 서로 다른 욕구를 가진 구성원으로 이루어져 있기 때문에 크고 작은 [4][9]이/가 발생하기 쉽다.
- 자신의 생각이나 감정을 말이나 행동을 통해 상대방에게 전달하고 전달받는 과정을 [13][11][3][7](이)라고 말한다.
- 몸짓, 자세, 표정 등은 [2][6][10][12] 의사소통에 해당한다.
- 정보를 받는 사람은 [5][15]하는 태도를 가져야 한다.
- 다른 사람과 대화할 때에는 칭찬이나 격려, 지지, 공감과 같은 [1][8]적인 표현을 사용하는 것이 좋다.
- [14] 전달법을 사용하면 상대방의 기분을 상하지 않게 하면서 자신이 원하는 바를 전달할 수 있다.

문제로 정리하기 >> 문제를 풀면서 배운 내용을 정리해 보자.

1 현대 가족 구조의 변화를 설명한 것으로 적절한 것은?

① 초혼 연령이 낮아지고 있다.
② 가족의 규모가 확대되고 있다.
③ 세대 구성이 단순화되고 있다.
④ 핵가족의 형태가 감소하고 있다.
⑤ 출산율이 급격하게 증가하고 있다.

2 다음에서 설명하는 가족 형태는 무엇인지 쓰시오.

> 자녀에게 의지하지 않고 부부끼리 독립적인 노년의 삶을 살아가는 노인 가족

통크 가족

3 다음에서 설명하는 가족 관계는?

> 개인의 인성 발달과 사회화에 영향을 주고, 가족 밖 대인 관계의 기초가 된다.

① 부부 관계 ② 친인척 관계 ③ 형제자매 관계 ④ 부모 자녀 관계 ⑤ 조부모 손자녀 관계

4 비언어적 의사소통에 해당하지 않는 것은?

① 몸짓 ② 표정 ③ 시선 ④ 편지 ⑤ 옷차림

5 다음 대화 내용에서 의사소통을 방해하는 요인을 한 가지 찾고, '나' 전달법을 이용하여 고쳐 쓰시오.

> "너 왜 맨날 내 서랍을 마음대로 뒤지니?"

너 메시지를 사용하여 상대방의 행동을 비난하였다.
"내 서랍을 누군가 뒤진 것을 보면 기분이 많이 좋지 않아. 다음에 찾을 것이 있으면 미리 얘기를 해 줬으면 해."

6 가족 간의 갈등 해결 방안으로 적절한 것은?

① 사소한 갈등은 그냥 넘어간다.
② 갈등의 당사자들끼리 조용히 해결한다.
③ 상대방의 잘못이 무엇인지 정확히 말해 준다.
④ 가급적 감정 표현은 자제하고 상대의 의견에 따른다.
⑤ 다양한 해결 방안을 함께 찾은 후, 협의를 통해 최선의 해결 방안을 결정하고 실천한다.

재미있게 정리하기 >> 사다리 단계에 따라 질문에 O, X로 답하면서 최종 정답 숫자를 맞혀 보자.

① 초혼 연령은 과거에 비해 높아지고 있다. ○
② 가족이 담당하는 생산의 기능은 강화되고 있다. ×
③ 건강 가정은 가족 간에 문제가 없는 가정이다. ×
④ 친구에게 미소를 보내는 것은 언어적 의사소통 방법의 하나이다. ×

정답 및 해설

배운 내용 정리하기

01. 1/6(가족), 3/8(축소), 11/14/13(정서적), 5/15(결혼), 4/10/9(형성기), 2/7/12(공동체)

02. 1/8/13(민주적), 4/11/3/7(양성평등), 2/9(세대), 6/14/12(경쟁자), 5/10/15(조부모)

03. 4/9(갈등), 13/11/3/7(의사소통), 2/6/10/12(비언어적), 5/15(경청), 1/8(긍정), 14(나)

문제로 정리하기

1. ③ [해설] 부부와 자녀, 조부모로 구성된 세대는 줄어들고, 부부로만 구성된 핵가족과 1인 가구가 증가하고 있다.
2. 통크 가족
3. ③ [해설] 형제자매 관계는 서로에게 영향을 주고받으며 성장한다.
4. ④ [해설] 편지는 언어적 의사소통에 해당한다.
5. • 너 메시지를 사용하여 상대방의 행동을 비난하였다.
   • "내 서랍을 누군가 뒤진 것을 보면 기분이 많이 좋지 않아. 다음에 찾을 것이 있으면 미리 얘기를 해 줬으면 해."
6. ⑤ [해설] 가족 갈등이 발생하면 가족 구성원들이 서로의 의견을 존중하고, 자신의 생각을 솔직하고 자유롭게 이야기하여 갈등을 적극적으로 해결하도록 노력해야 한다.

재미있게 정리하기

① 초혼 연령은 과거에 비해 높아지고 있다. ○
② 가족이 담당하는 생산의 기능은 강화되고 있다. ×
③ 건강 가정은 가족 간에 문제가 없는 가정이다. ×
④ 친구에게 미소를 보내는 것은 언어적 의사소통 방법의 하나이다. ×

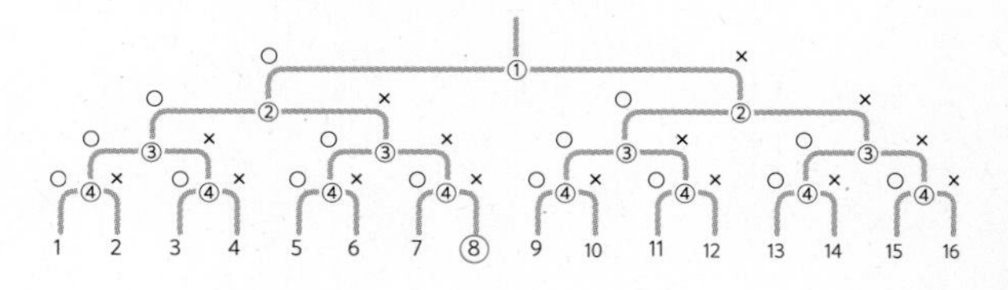

생활

핵심 개념

창의적인 생활 문화

1. 균형 잡힌 식사 계획과 선택
2. 주거 가치관과 주생활 문화
3. 효율적인 주거 공간 구성과 활용

이 단원의 성취 기준

1. 영양 섭취 기준과 식사 구성안을 고려하여 균형 잡힌 식사를 계획하고, 가족의 요구를 분석하여 식사를 선택한 후 평가한다.
2. 주거 가치관의 변화를 이해하고, 다양한 생활 양식을 고려하여 이웃과 더불어 살아가는 주생활 문화를 실천한다.
3. 효율적인 주거 공간 구성 방안을 탐색하여, 가족생활에 적합한 주거 공간 구성에 활용한다.

[01. 균형 잡힌 식사 계획과 선택]

영양 섭취 기준과 식사 구성안을 고려하여 균형 잡힌 식사를 계획하고, 가족의 요구를 분석하여 식사를 선택한 후 평가한다.

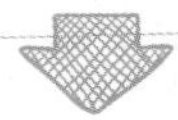

이 섹션에서 '알아야 할 것' (이해)	**균형 잡힌 식사 계획과 가족의 요구를 반영한 가족의 식사 선택을 이해한다.** 1. 균형 잡힌 식사 계획 2. 가족의 식사 선택

이 섹션에서 '할 수 있어야 하는 것' (능력)	**균형 잡힌 식사를 계획하고, 가족의 요구를 분석하여 식사를 선택한 후 평가할 수 있다.** [활동 1] · 균형 잡힌 1일 식사를 계획하고 평가해 보자. [활동 2] · 유나 가족의 사례에서 가족의 요구에 따라 어떤 식사 형태와 음식을 선정하는지 살펴보자.

이 섹션에서 알아야 할 것!

01 균형 잡힌 식사 계획과 선택

1. 균형 잡힌 식사 계획

① 영양소 섭취 기준

㉠ **의미:** 최적의 건강 상태를 유지하고, 질병을 예방하는 데 필요한 에너지와 영양소의 섭취량을 제시한 것을 말한다.

㉡ 과학적 근거를 바탕으로 몸에 필요한 영양소의 양을 연령과 성별에 따라 제시하였다.

㉢ 활용 시, 영양소를 너무 많이 섭취하거나 부족하게 섭취하는 것을 막아 균형 잡힌 식사를 계획할 수 있다.

㉣ **12~14세 청소년의 영양소 섭취 기준**

• 남자 평균: 키 162.1cm, 체중 52.7kg • 여자 평균: 키 156.6cm, 체중 48.7kg

성별	에너지 (kcal)	단백질 (g)	수분 (mL)	비타민A (㎍ RAE)	티아민 (mg)	리보플래빈 (mg)	비타민C (mg)	비타민D (㎍)	칼슘 (mg)	철 (mg)
남	2,500	60	2,400	750	1.1	1.5	90	10	1,000	14
여	2,000	55	2,000	650	1.1	1.2	95	10	900	16

• 에너지(kcal)는 필요 추정량으로 제시한다.
• 비타민 A(㎍ RAE)의 RAE는 레티놀 활성 당량(Retinol Activity Equivalent)의 약자로, 비타민 A의 효력을 나타내는 단위이다.

㉤ **영양소 섭취 기준 종류**

• 평균 필요량: 건강한 사람들의 절반에 해당되는 사람들의 1일 영양소 필요량
• 권장 섭취량: 약 97~98%에 해당하는 사람들이 필요로 하는 영양소 섭취량
• 충분 섭취량: 건강을 유지하는 데 충분한 영양소 섭취량
• 상한 섭취량: 신체에 유해한 영향이 나타나지 않는 최대 영양소 섭취 기준

② 식사 구성안

㉠ **의미:** 식품군별 대표 식품과 권장 식사 패턴을 이용하여 식사의 구성 개념을 설명한 것을 말한다.

㉡ 영양소 섭취 기준을 충족할 수 있도록 만든 1일 식단 작성법이다.

㉢ 일반인이 영양소 섭취 기준에 따라 식단을 구성하기는 매우 어렵기 때문에 참고용으로 만들게 되었다.

③ 식품군별 대표 식품의 1인 1회 분량

㉠ **의미:** 우리나라 사람들이 주로 섭취하는 식품을 보통 한 사람이 한 번에 먹는 분량으로 제시한 것을 말한다.

㉡ 식품군은 식품의 종류와 영양소 함량에 따라 구분한다.

㉢ **식품군 종류:** 곡류, 고기 · 생선 · 달걀 · 콩류, 채소류, 과일류, 우유 · 유제품류, 유지 · 당류

동기 유발 [교과서 34쪽]

나는 하루에 무엇을, 얼마나 먹는지 동그라미에 표시해 보고, 내가 많이 먹는 식품과 적게 먹는 식품을 이야기해 보자.

예시 답안

• 라면, 빵 등 곡류를 주로 먹는다.
• 과일, 채소류는 적게 먹는다.

보조 노트

필요 추정량

• 개인의 에너지 필요량을 측정하는 것에는 기술적인 문제 등 어려움이 있으므로 에너지 필요량은 에너지 소비량을 통해 추정한다.
• 영양소 섭취 기준의 에너지는 연령, 신장, 체중 및 신체 활동 수준을 고려한 추정 공식을 이용하여 산출하였다.

레티놀(Retinol)

비타민 A_1으로, 주름을 감소시키고, 피부의 노화를 예방하는 역할을 한다.

㎍ (마이크로그램)

1000000㎍ = 1g

작은 활동 [교과서 35쪽]

청소년기의 철 섭취량이 여자가 남자보다 많은 이유를 이야기해 보자.

예시 답안

여자는 월경에 의한 혈액의 손실로 철의 섭취량이 남자에 비해 많다.

㉣ 각 식품군의 1인 1회 분량

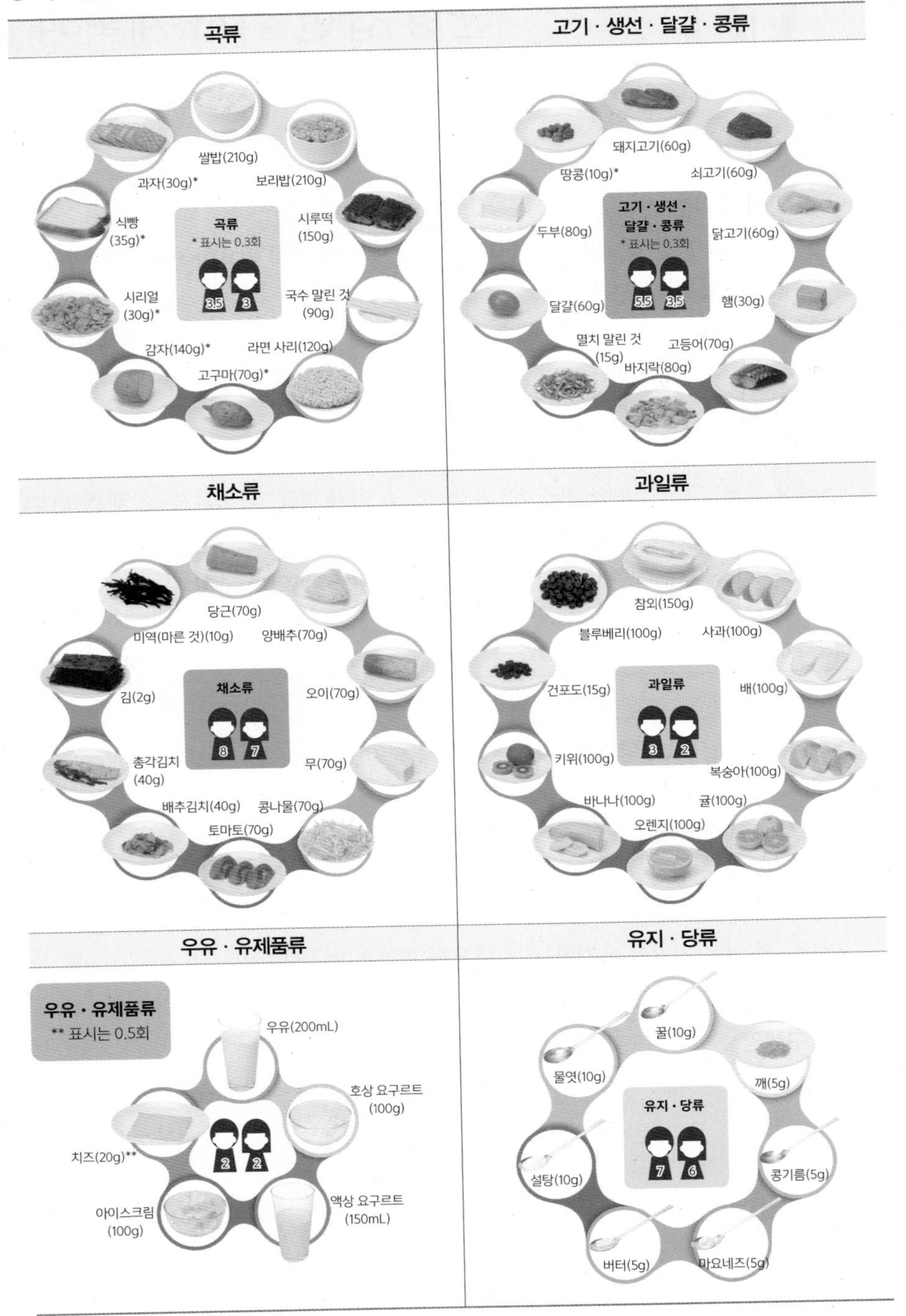

• * 표시의 의미
- 식품군에 * 표시가 붙은 음식은 0.3회로, ** 표시가 붙은 음식은 0.5회로 측정한다.
- 예 곡류의 시리얼(30g)*을 1회 분량으로 먹기 위해서는 100g을 섭취해야 한다.
- 예 고기 · 생선 · 달걀 · 콩류의 땅콩(10g)*을 1회 분량으로 먹기 위해서는 약 33.4g을 섭취해야 한다.

④ 권장 식사 패턴

㉠ **의미:** 개인의 1일 에너지 필요량에 따라 식품의 1인 1회 분량을 기준으로 식품군별 섭취 횟수를 제시한 것을 말한다.

㉡ 권장 식사 패턴에 맞춰 식단을 구성하여 식사를 하면 하루에 필요한 영양소 섭취량을 충족할 수 있다.

㉢ **식사 계획 시 활용 방안:** 식품군별 권장 섭취 횟수를 하루 세끼 식사와 간식에 균형 있게 배분하고, 각 식품군에 포함된 식품의 종류를 생각하며 식단을 구성한다.

㉣ **12~14세 식품군별 1일 권장 섭취 횟수**

식품군 / 적용 대상	곡류	고기 · 생선 · 달걀 · 콩류	채소류	과일류	우유 · 유제품류	유지 · 당류
남 2,500kcal	3.5	5.5	8	3	2	7
여 2,000kcal	3	3.5	7	2	2	6

㉤ **권장 섭취 횟수 설명**

- 곡류 3.5, 3의 의미
  - 숫자는 청소년(12~14세) 남녀의 곡류 1일 권장 섭취 횟수를 나타낸다.
  - 예 남학생의 1일 곡류 권장 섭취 횟수는 3.5회이므로, 아침, 점심, 저녁, 간식에 곡류를 골고루 배분하여 3.5회를 섭취한다.
  - 예 여학생의 곡류 권장 섭취 횟수가 3회이므로 아침, 점심, 저녁에 곡류를 각 1회씩 섭취하면 된다.
- 우유 · 유제품류
  - 청소년(12~14세) 남녀의 우유 · 유제품류 1일 권장 섭취 횟수는 청소년기가 성장기임을 감안하여 2회로 제시하였다.

⑤ 식사 구성안을 활용한 식사 계획

[식사 구성안의 권장 식사 패턴을 이용한 식사 계획 방법]

1단계	자신의 성별과 연령에 따른 에너지 필요량 알기
2단계	식품군별 1일 권장 섭취 횟수 알기
3단계	식품군별 1일 권장 섭취 횟수를 세끼 식사와 간식에 배분하기
4단계	식품의 1인 1회 분량을 고려하여 식사 계획하기

보조 노트

곡류의 식단 구성

쌀밥, 국수, 부침 가루, 잡곡밥, 당면의 괄호 안의 숫자를 합치면 곡류의 권장 섭취인 3.5회를 만족한다. 1일 권장 섭취 횟수인 3.5회가 아침, 점심, 저녁에 골고루 배분되어 있다.

㉠ 청소년(남자)의 권장 식단(2,500kcal)의 예

• 12~14세 남자의 에너지 필요량은 1일 2,500kcal, 각 식품군별 1일 권장 섭취 횟수는 곡류 3.5회, 고기 · 생선 · 달걀 · 콩류 5.5회, 채소류 8회, 과일류 3회, 우유 · 유제품류 2회, 유지 · 당류 7회이다.

식품군 및 1일 권장 섭취 횟수 \ 식단		아침	점심	저녁	간식
		현미밥 참치김치국 돼지고기완자 숙주나물 오이소박이	우동 멸치견과류주먹밥 단호박튀김 토마토케일샐러드 배추김치 파인애플	잡곡밥 소고기무국 낙지볶음 표고버섯잡채 상추사과무침 백김치	포도 호상요구르트 우유
곡류	3.5	현미밥 210g (1)	우동면 200g (1) 쌀밥 63g (0.3)	잡곡밥 189g (0.9) 당면 30g (0.3)	
고기 · 생선 · 달걀 · 콩류	5.5	참치통조림 30g (0.5) 돼지고기 42g (0.7) 두부 24g (0.3)	어묵 30g (1) 멸치 15g (1) 아몬드 10g (0.3)	소고기 60g (1) 낙지 56g (0.7)	
채소류	8	배추김치 40g (1) 숙주나물 35g (0.5) 오이소박이 40g (1)	단호박 35g (0.5) 토마토 35g (0.5) 케일 35g (0.5) 배추김치 40g (1)	무 56g (0.8) 표고버섯 15g (0.5) 당근, 양파, 시금치 21g (0.3) 상추 28g (0.4) 백김치 40g (1)	
과일류	3		파인애플 100g (1)	사과 100g (1)	포도 100g(1)
우유 · 유제품류	2				호상요구르트 100g (1) 우유 200mL (1)

㉡ 청소년(여자)의 권장 식단(2,000kcal)의 예

• 12~14세 여자의 에너지 필요량은 1일 2,000kcal로, 각 식품군별 1일 권장 섭취 횟수는 곡류 3회, 고기 · 생선 · 달걀 · 콩류 3.5회, 채소류 7회, 과일류 2회, 우유 · 유제품류 2회, 유지 · 당류 6회이다.

식품군 및 1일 권장 섭취 횟수 \ 식단		아침	점심	저녁	간식
		쌀밥 호박된장국 갈치조림 새송이버섯구이 콩나물무침 배추김치	현미밥 미역국 소불고기 부추치커리무침 배추김치	잡곡밥 순두부국 달걀장조림 마늘종볶음 오이소박이	블루베리 사과 호상요구르트
곡류	3	쌀밥 210g (1)	현미밥 210g (1)	잡곡밥 210g (1)	
고기 · 생선 · 달걀 · 콩류	3.5	갈치 70g (1)	소고기 60g (1)	순두부 100g (0.5) 달걀 60g (1)	
채소류	7	애호박 21g (0.3) 새송이버섯 30g (1) 콩나물 35g (0.5) 배추김치 40g (1)	미역(마른 것) 5g (0.5) 부추 28g (0.4) 치커리 35g (0.5) 배추김치 40g (1)	양파 21g (0.3) 마늘종 35g (0.5) 오이소박이 40g (1)	
과일류	2				블루베리 100g (1) 사과 100g (1)
우유 · 유제품류	2				호상요구르트 100g (1) 우유 200mL (1)

– 유지 · 당류는 조리 시 소량씩 사용하여 필요량을 충족시키므로 별도로 먹지 않아도 된다.

⑥ 식품 구성 자전거

㉠ 권장 식사 패턴을 반영한 균형 잡힌 식단, 적당한 수분의 섭취, 규칙적인 운동이 건강을 유지하는 데에 중요함을 전달하고자 제작하였다.

㉡ 식품 구성 자전거의 요소의 상징

- 앞바퀴 물: 적당한 수분 섭취
- 뒷바퀴 식품군: 균형 잡힌 식단
- 전체 자전거 그림: 규칙적인 운동

㉢ 식품 구성 자전거의 여섯 가지 식품군: 곡류, 고기 · 생선 · 달걀 · 콩류, 채소류, 과일류, 우유 · 유제품류, 유지 · 당류

- 곡류: 탄수화물이 많이 들어 있는 식품들이다. 우리나라 사람들에게는 주식이 되는 식품이다.
- 고기 · 생선 · 달걀 · 콩류: 단백질이 많이 들어 있는 식품들이다.
- 채소류와 과일류: 비타민 C, 비타민 A, 각종 무기질이 많이 들어 있는 식품들이다.
- 우유 · 유제품류: 칼슘이 많이 들어 있는 식품들이며, 양질의 단백질 또한 들어 있다.

㉣ 식품 구성 자전거 권장 섭취 방법

곡류	고기 · 생선 · 달걀 · 콩류	채소류	과일류	우유 · 유제품류
• 매일 2~4회 정도 • 혼합 잡곡 섭취 권장	• 매일 3~4회 정도 • 동물성 지방이 적은 살코기 위주로 섭취 권장	• 매 끼니 2가지 이상 (나물, 생채, 쌈 등) • 다양한 색의 채소 섭취 권장	• 매일 1~2개 • 제철 과일 섭취 권장	• 매일 1~2잔 • 저지방 · 저당류 유제품 섭취 권장

▲ 식품 구성 자전거

㉤ 식품에 따른 식품군의 분류

- 당면: 고구마 전분으로 만들어졌기 때문에 곡류에 해당한다.
- 견과류: 양질의 단백질이 많이 들어 있어서, 고기 · 생선 · 달걀 · 콩류에 해당한다.
- 아이스크림: 우유를 기본 베이스로 하기 때문에 우유 · 유제품류에 해당한다.

보조 노트

유지 · 당류

유지 · 당류는 지방, 당분을 주로 공급하는 식품군으로, 조리 시에 첨가되는 양으로 필요량을 충분히 충족시키며, 조금만 섭취하는 것이 좋다.

식품 구성 자전거의 뒷바퀴 식품군

뒷바퀴 식품군들의 면적은 섭취해야 하는 양에 비례하여 나타낸 것이다.

작은 활동 [교과서 42쪽]

최근에 인상 깊었던 식사 경험을 이야기해 보자.

예시 답안

내 생일에 내가 좋아하는 샤부샤부를 먹으러 가서 가족과 즐겁게 식사를 하였다.

2. 가족의 식사 선택

① 가족 식사 선택 시 고려 사항

㉠ 가족 구성원의 수

㉡ 생활 양식

㉢ 건강 상태

㉣ 기호도

㉤ 경제적인 면

㉥ 시간적 여건

② 다양한 식사 형태

㉠ 종류

- 가정 내에서 직접 조리 · 가공하여 가정 내에서 식사하는 형태
- 가정 밖에서 완제품이나 반제품을 구입하여 가정 내에서 식사하는 형태
- 가정 내에서 조리하지 않고, 가정 밖에서 음식을 구입하여 식사하는 형태

㉡ 가정 내 식사는 우리나라의 전통적인 식사 형태이며, 가정 외 식사는 요즘 많이 선호되는 식사 형태이다.

③ 조리된 음식 구입이나 외식이 늘어나는 이유

㉠ 인구의 고령화, 1인 가구의 증가 등으로 조리된 음식을 사서 먹는 편이 더 경제적이다.

㉡ 경제 활동 증가로 식사 준비에 드는 시간과 노력의 절약을 추구한다.

㉢ 여가 시간을 즐기는 문화가 확산되면서 가정 밖에서 식사할 기회가 늘어났다.

㉣ 생활 수준이 향상됨에 따라 다양한 요리를 먹고 싶다는 욕구가 증가하고 있다.

④ 외식을 선택할 때 고려할 점

㉠ 다양한 식재료를 사용하여 여섯 가지 식품군이 골고루 들어간 음식을 선택한다.

㉡ 지방과 열량, 나트륨이 많은 음식을 피한다.

㉢ 위생적으로 안전한 음식을 선택한다.

㉣ 외식비 예산 범위에서 선택하도록 한다.

핵심 용어 | 균형 잡힌 식사, 영양소 섭취 기준, 식사 구성안, 식품군별 대표 식품의 1인 1회 분량, 권장 식사 패턴, 식품 구성 자전거, 가족의 식사

스스로 정리하기

1 최적의 건강 상태를 유지하고, 질병을 예방하는 데 필요한 에너지와 영양소의 섭취량을 제시한 것을 무엇이라고 하는가? 영양소 섭취 기준

2 창의·인성 다양한 식사 형태 중 조리된 음식 구입이나 외식이 늘어나는 이유를 이야기해 보자.
- 인구의 고령화, 1인 가구의 증가 등으로 조리된 음식을 사서 먹는 편이 더 경제적이다.
- 경제 활동 증가로 식사 준비에 드는 시간과 노력의 절약을 추구한다.
- 여가 시간을 즐기는 문화가 확산되면서 가정 밖에서 식사할 기회가 늘어났다.
- 생활 수준이 향상됨에 따라 다양한 요리를 먹고 싶다는 욕구가 증가하고 있다.

01 최적의 건강 상태를 유지하고, 질병을 예방하는 데 필요한 에너지와 영양소의 섭취량을 제시한 것을 무엇이라고 하는지 쓰시오.

( )

02 식사 구성안은 일반인이 영양소 섭취 기준을 충족할 수 있도록 만든 7일 식단 작성법이다.

(○ , ×)

03 식사 구성안은 영양소 섭취 기준을 충족할 수 있도록 식품군별 대표 식품과 ( )을/를 이용하여 식사의 구성 개념을 설명한 것이다.

04 식품군별 대표 식품의 1인 1회 분량에 포함되지 않는 식품군은?

① 곡류
② 채소류
③ 과일류
④ 우유 · 요구르트류
⑤ 고기 · 생선 · 달걀 · 콩류

05 빈칸에 공통으로 들어갈 숫자를 쓰시오.

> 권장 식사 패턴은 개인의 ( )일 에너지 필요량에 따라 식품의 ( )인 ( )회 분량을 기준으로 식품군별 섭취 횟수를 제시한 것이다.

( )

06 12세~14세 식품군별 1일 권장 섭취 횟수에서 남자는 하루에 2,500kcal를, 여자는 하루에 2,200kcal를 섭취하는 것을 권장한다.

(○ , ×)

07 다음이 설명하는 개념은 무엇인지 쓰시오.

> 권장 식사 패턴을 반영한 균형 잡힌 식단, 적당한 수분의 섭취, 규칙적인 운동이 건강을 유지하는 데에 중요함을 전달하고자 만든 도식이다.

( )

08 식품 구성 자전거에 대한 설명으로 적절하지 않은 것은?

① 규칙적인 운동을 중요시한다.
② 균형 잡힌 식단을 중요시한다.
③ 적당한 수분 섭취를 중요시한다.
④ 권장 식사 패턴을 반영한 것이다.
⑤ 다섯 가지 식품군으로 구성되어 있다.

09 가족의 식사는 가족 구성원의 수, 생활 양식, 건강 상태 등 가족의 요구를 반영하여 선택한다.

(○ , ×)

10 식사 형태에는 크게 두 가지의 식사 패턴이 있다. 하나는 가정 외 식사이고, 다른 하나는 ( )이다.

01 영양소 섭취 기준에 대한 설명으로 적절하지 <u>않은</u> 것은?

① 활용 시 균형 잡힌 식사를 계획할 수 있다.
② 최적의 건강 상태를 유지하고, 질병을 예방한다.
③ 영양소 섭취 기준의 에너지는 필요 추정량으로 제시한다.
④ 영양소 섭취 기준을 활용하면 영양소를 과잉으로 섭취하게 된다.
⑤ 영양소 섭취 기준의 RAE는 비타민 A의 효력을 나타내는 단위이다.

02 다음이 설명하는 개념은?

> 일반인이 영양소 섭취 기준을 충족할 수 있도록 식품군별 대표 식품과 권장 식사 패턴을 이용하여 식사의 구성 개념을 설명한 것이다.

① 식사 구성안 ② 1인 1회 분량
③ 권장 식사 패턴 ④ 영양소 섭취 기준
⑤ 식품 구성 자전거

03 고기 · 생선 · 달걀 · 콩류 식품군의 대표 식품에 해당하는 음식을 바르게 짝지은 것은?

① 햄, 무 ② 땅콩, 바지락
③ 두부, 배추김치 ④ 보리밥, 돼지고기
⑤ 과일 주스, 콩기름

04 다음은 12~14세 식품군별 1일 권장 섭취 횟수를 나타낸 것이다. 남자와 여자의 섭취 횟수가 동일한 식품군은?

대상 \ 식품군					㉮	
남	3.5	5.5	8	3	2	7
여	3	3.5	7	2	2	6

① 곡류 ② 채소류
③ 유지 · 당류 ④ 우유 · 유제품류
⑤ 고기 · 생선 · 달걀 · 콩류

05 〈보기〉의 식사 구성안의 권장 식사 패턴을 이용한 식사 계획 방법의 순서를 바르게 나열한 학생은?

> 보기
> ㄱ. 식품군별 1일 권장 섭취 횟수 알기
> ㄴ. 식품의 1인 1회 분량을 고려하여 식사 계획하기
> ㄷ. 자신의 성별과 연령에 따른 에너지 필요량 알기
> ㄹ. 식품군별 1일 권장 섭취 횟수를 세끼 식사와 간식에 배분하기

① 지원: ㄱ – ㄷ – ㄹ – ㄴ
② 진환: ㄴ – ㄹ – ㄱ – ㄷ
③ 윤형: ㄷ – ㄱ – ㄹ – ㄴ
④ 준회: ㄹ – ㄷ – ㄴ – ㄱ
⑤ 준혁: ㄹ – ㄱ – ㄷ – ㄴ

06 식품 구성 자전거에 포함되지 <u>않는</u> 식품군은?

① 곡류
② 과일류
③ 가공식품류
④ 우유 · 유제품류
⑤ 고기 · 생선 · 달걀 · 콩류

07 다양한 식사 형태에 대한 설명으로 적절하지 <u>않은</u> 것은?

① 우리나라의 전통적인 식사 형태는 가정 밖에서 식사하는 것이다.
② 가정 밖에서 음식을 구입하여 가정 밖에서 식사하는 형태가 있다.
③ 가정 밖에서 반제품을 구입하여 가정 내에서 식사하는 형태가 있다.
④ 가정 밖에서 완제품을 구입하여 가정 내에서 식사하는 형태가 있다.
⑤ 가정 내에서 직접 조리 · 가공하여 가정 내에서 식사하는 형태가 있다.

/ 재 / 미 / 있 / 는 /

교과서 40~41쪽

가 정 활 동 균형 잡힌 1일 식사를 계획하고 평가해 보자.

① 나의 성별과 연령에 따른 에너지 필요량과 식품군별 1일 권장 섭취 횟수를 알아보자.

식품군 / 에너지 필요량	곡류	고기·생선·달걀·콩류	채소류	과일류	우유·유제품류
남자(2,500kcal)	3.5	5.5	8	3	2
여자(2,000kcal)	3	3.5	7	2	2

② 식품군별 1일 권장 섭취 횟수를 적고, 세끼 식사와 간식에 배분해 보자. 예시: 12~14세 여자

식품군	섭취 횟수	아침	점심	저녁	간식
곡류	3	1	1	1	
고기·생선·달걀·콩류	3.5	1	1.5	1	
채소류	7	2	3	2	
과일류	2	0.5		0.5	1
우유·유제품류	2			1	1

* 유지·당류는 조리 시 소량씩 사용함.

③ 식품군별 대표 식품의 1인 1회 분량을 교과서 36~37쪽을 보고 적어 보자.

식품군	대표 식품의 1인 1회 분량		
곡류	현미밥 210g	쌀밥 210g	보리밥 210 g
고기·생선·달걀·콩류	쇠고기 60 g	두부 80g	고등어 70 g
채소류	미역 마른 것 10 g 배추김치 40 g	시금치 70g 콩나물 70 g	무 70g 깍두기 40g
과일류	사과 100g	바나나 100 g	참외 150g
우유·유제품류	우유 200 mL	아이스크림 100g	

④ ②의 섭취 횟수와 ③의 재료를 이용하여 하루 식단을 작성하고, 평가해 보자.

식품군 \ 식단 / 섭취 횟수		아침	점심	저녁	간식
식단		현미밥 미역국 쇠고기 장조림 배추김치 사과	쌀밥 무채국 두부구이 콩나물무침 배추김치	보리밥 시금치 된장국 고등어구이 깍두기 바나나 우유	참외 아이스크림
곡류	3	현미밥 210g (1)	쌀밥 210g (1)	보리밥 210g (1)	
고기·생선·달걀·콩류	3.5	쇠고기 60g (1)	두부 120g (1.5)	고등어 70g (1)	
채소류	7	미역 마른 것 10g (1) 배추김치 40g (1)	무 70g (1) 콩나물 70g (1) 배추김치 40g (1)	시금치 70g (1) 깍두기 40g (1)	
과일류	2	사과 50g (0.5)		바나나 50g (0.5)	참외 150g (1)
우유·유제품류	2			우유 200mL (1)	아이스크림 100g (1)

선생님 생각 엿보기

· 이 활동의 목적

선생님은 이 활동을 통해 청소년기 식사 구성안을 활용하여 자신의 균형 잡힌 1일 식사를 계획할 수 있기를 바랍니다.

· 선생님은 이 활동을 이렇게 평가합니다.

상	식품군별 1일 권장 섭취 횟수를 세끼 식사와 간식에 잘 배분하였고, 균형 잡힌 식단을 계획하였다.
중	식품군별 1일 권장 섭취 횟수를 세끼 식사와 간식에 잘 배분하였으나, 균형 잡힌 식단을 계획하지 못하였다.
하	식품군별 1일 권장 섭취 횟수를 세끼 식사와 간식에 잘 배분하지 못하였고, 균형 잡힌 식단을 계획하지 못하였다.

이와 관련된 활동은?

[관련 활동] 나의 하루 식사 구성 평가하기 | 하루 동안 자신이 섭취한 세끼 식사와 간식을 작성한 후 12~14세 식품군별 권장 섭취 횟수를 참고하여 자신의 1일 식사 구성을 평가해 보고, 문제점을 개선해 보는 활동이다.

/ 재 / 미 / 있 / 는 /

가 정 활 동 유나 가족의 사례에서 가족의 요구에 따라 어떤 식사 형태와 음식을 선정하는지 살펴보자.

1 가족생활에 있어서 다양한 상황을 가정하고, 가족의 요구에 맞는 식사를 선택해 보자.

예시

▲ 평상시 저녁 ▲ 축하할 일이 생겼을 때

▲ 친척들이 방문했을 때

가족의 식사는 가족 구성원의 수, 생활 양식, 건강 상태, 기호도, 경제적인 면, 시간적 여건 등 가족의 요구를 고려하여 선택해야 합니다.

- 상황: 어머니 생신
- 식사 형태: 가정 내에서 직접 조리 · 가공하여 가정 내에서 식사하는 형태
- 메뉴: 한식 □, 중식 □, 양식 ☑, 뷔페 □

파스타

- 선택한 이유: 우리 가족은 부모님과 나, 동생 이렇게 4명인데 서로 바빠서 함께 식사할 기회가 부족하다. 매일 우리 가족을 위해 식사를 준비해 주시는 어머니의 생신을 축하한다는 의미로 어머니가 좋아하시는 파스타를 동생과 함께 만들어 드리면 좋을 것 같다. 재료도 우리가 모아 둔 돈으로 구입하고, 가리는 음식 없이 모두 잘 먹는 건강한 우리 가족이 모두 모일 수 있는 주말 점심에 식사를 계획하면 여유롭게 식사를 준비하고 먹을 수 있을 것이다.

2 **1**의 결과를 평가 요소에 따라 평가해 보자.

평가 요소 가족 구성원의 수, 생활 양식, 건강 상태, 기호도, 경제적인 면, 시간적 여건

가족 구성원의 수, 생활 양식, 건강 상태, 기호도, 경제적인 면, 시간적 여건 등을 고려한 식사를 선택하였다.

선생님 생각 엿보기

· 이 활동의 목적

선생님은 이 활동을 통해 가족의 요구에 맞는 식사를 선택하고 평가할 수 있기를 바랍니다.

· 선생님은 이 활동을 이렇게 평가합니다.

상	식사 선택 시 고려해야 할 평가 요소를 5~6가지 반영하여 상황에 맞는 식사를 선택하였다.
중	식사 선택 시 고려해야 할 평가 요소를 3~4가지 반영하여 식사를 선택하였다.
하	식사 선택 시 고려해야 할 평가 요소를 1~2가지 반영하여 식사를 선택하였다.

이와 관련된 활동은?

[관련 활동] 하울과 소피의 식사를 부탁해 | '하울의 움직이는 성' 영화의 하울과 소피의 식사 장면을 시청한 후 하울과 소피가 자신들의 요구에 맞는 적절한 식사를 선정하였는지를 평가해 보고, 이들의 상황을 고려하여 내가 직접 하울과 소피의 점심 식사를 선정해 보는 활동이다.

[02. 주거 가치관과 주생활 문화]

주거 가치관의 변화를 이해하고, 다양한 생활 양식을 고려하여 이웃과 더불어 살아가는 주생활 문화를 실천한다.

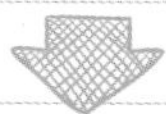

이 섹션에서 '알아야 할 것' (이해)	**주거 가치관의 변화 및 이웃과 더불어 살아가는 주생활 문화와 지속 가능한 삶을 위한 주거를 이해한다.** 1. 주거 가치관의 변화 2. 이웃과 더불어 살아가는 주생활 문화 3. 지속 가능한 삶을 위한 주거

이 섹션에서 '할 수 있어야 하는 것' (능력)	**다양한 생활 양식을 고려하여 이웃과 더불어 살아가는 주생활 문화를 실천할 수 있다.** [활동 1] · 나의 가족생활 주기에 따른 주거 가치관의 변화를 추측해 보고, 이를 반영한 주거의 모습을 표현해 보자. [활동 2] · 공익 광고를 보고, 이웃과 더불어 살아가는 주생활 문화를 실천하기 위한 방법을 찾아보자.

이 섹션에서
알아야 할 것!

02 주거 가치관과 주생활 문화

1. 주거 가치관의 변화

① 주거와 주택

㉠ **주택:** 건축물 그 자체이다.

㉡ **주거:** 주택이라는 건축물뿐만 아니라 그 안에서 이루어지는 개인이나 가족의 생활, 거주 환경까지를 포함한 개념이다.

- 거주 환경: 공공 기관, 의료 기관, 교통 시설, 상업 시설, 공원, 운동 시설 등 물리적 생활 환경과 이웃의 특성, 지역 사회 문화 등과 같은 사회적 생활 환경이 있다.

㉢ **과거의 주거와 현재의 주거**

- 과거: 비, 바람, 짐승 등과 같은 외부의 위험으로부터 자신을 보호하기 위한 공간
- 현재
  - 보호의 공간
  - 행복한 가정생활을 꾸려 나가는 곳
  - 이웃과 더불어 살아가는 공간

② 주거의 선택 기준

사람마다 집을 선택하는 기준은 모두 다르며, 주거를 선택하는 기준은 가족의 환경이나 상황에 따라 변하기도 한다.

㉠ **안락**

- 가족의 사생활이 보호되어야 한다.
- 휴식과 취미 활동이 가능해야 한다.

㉡ **안전**

- 실내 공기 환경, 빛 환경, 열 환경 등이 건강에 도움이 되어야 한다.
- 자연재해나 도난, 화재 등 외부의 위험으로부터 안전해야 한다.

㉢ **아름다움**

- 주거 내 · 외부가 아름다워야 한다.
- 실내의 색상이나 디자인이 조화로워야 한다.

㉣ **편리함**

- 자녀의 학교 통학 거리가 가까워야 한다.
- 대중교통이나 편의 시설 이용이 잘 갖추어져야 한다.
- 주거의 내부 시설이 편리해야 한다.

㉤ **이웃과 친밀한 관계 유지**

- 이웃과 더불어 살아갈 수 있어야 한다.

㉥ **경제적**

- 주택의 가격과 관리비 부담이 크지 않아야 한다.

동기 유발 [교과서 44쪽]

위의 집에 살고 있는 사람들은 어떤 기준으로 집을 선택하였을지 이야기해 보자.

예시 답안

- 〈우물가〉: 우물과 같이 물을 얻기 쉬운 곳이 집 근처에 있어야 한다.
- 〈피레네의 성〉: 집 밖의 경치가 좋아야 한다.
- 〈추성부도〉: 자연 속의 조용한 환경이어야 한다.
- 〈아테제 호수의 캄머 성 II〉: 넓은 주거 공간이 있고 정원이 아름다워야 한다.
- 〈노란 집〉: 기차역과 같은 교통 시설이 있어 편리해야 한다.

작은 활동 [교과서 44쪽]

내가 집을 고를 때, 중요하게 생각하는 조건의 순위를 매겨 보고, 그 이유를 이야기해 보자.

예시 답안

안락해야 한다가 1위인 이유는 집은 편안하게 쉬는 곳이라고 생각하기 때문이다.

보조 노트

좌식

좌식 생활 양식은 주거 공간에 이불을 깔면 취침 공간이 되고, 밥상을 놓으면 식사 공간이 되므로 공간의 융통성이 크다.

입식

입식 생활 양식은 주거 공간에 침대가 놓여 있으면 취침 공간이고, 식탁이 놓여 있으면 식사 공간이므로 공간의 독립성이 크다.

작은 활동 [교과서 45쪽]

우리 가족의 생활 양식 유형은 무엇인지 이야기해 보자.

예시 답안

바닥에서 자고 식탁에 차려 식사를 하는 생활 양식이므로 절충식이다.

③ 주거 가치관

㉠ **의미:** 주거를 선택할 때 판단의 기준이 되는 것을 말한다.

㉡ **영향:** 가족생활 주기, 가족의 생활 양식 등 가족의 특성에 따라 주거에 관한 요구가 달라진다.

㉢ **가족생활 주기에 따른 주거 가치관의 변화**

- 주거는 가족생활의 터전으로, 가족생활 주기에 따라 가족 구성원의 수, 성별, 연령, 주거 내의 생활 내용이 달라진다.
- 단계별로 변화된 주거 가치관을 인식하여 가족에게 알맞은 주거를 선택해야 한다.

가정 형성기	가정 확대기		가정 축소기
	자녀가 어릴 때	자녀가 성장하였을 때	
결혼하여 첫 자녀를 출산하기 전까지의 시기	자녀를 출산하고, 자녀가 성장하여 독립하기 전까지의 시기		자녀의 독립으로 노부부만 생활하는 시기
• 주거 공간 규모: 가족 수가 적어 규모가 크지 않다. • 공간을 다목적으로 사용할 수 있도록 계획한다. • 선호: 직장과 가깝고, 편의 시설이 많은 도심지	• 주거 공간 규모: 가족 수의 증가로 규모가 확대된다. • 필요: 안전한 놀이 공간, 수납공간	• 필요 – 학습 공간, 성별에 따른 취침 공간 – 독립성 확보를 위한 부모와 자녀의 공간 분리 – 친밀감 유지를 위한 공간 • 선호: 좋은 교육 환경	• 주거 공간 규모: 가족 수가 줄어 규모가 축소된다. • 필요 – 노화로 신체 조건에 맞는 설비 – 자녀의 방문에 대비한 여분의 공간 • 선호: 쾌적한 주거 환경을 가진 교외 지역

㉣ **가족의 생활 양식에 따른 주거 가치관의 변화**

- 가족 구성원이 주거 공간에서 추구하는 생활 양식에 따라 주거 공간의 구성 방식이나 공간 활용 방법이 달라진다.

좌식	절충식	입식
• 우리나라의 전통적인 생활 양식으로, 바닥에 앉아서 생활하는 방식이다. • 공간을 융통성 있게 활용할 수 있어 소규모 주거 공간에 적합하지만, 공간의 독립성이 낮다. • 앉고 서는 데 불편함이 있어 비활동적이다.	• 좌식과 입식의 특성을 혼합한 형태이다. • 일반적으로 안방, 노인방은 좌식으로, 거실, 식당, 부엌, 욕실 등은 입식으로 구성할 수 있다.	• 서구형 생활 양식으로, 침대, 소파, 식탁 등 가구를 사용하여 생활하는 방식이다. • 각 공간의 구분이 뚜렷하여 공간의 독립성이 높지만, 좌식보다 넓은 주거 공간이 필요하다. • 에너지 소모가 적고 활동적이다.

- 자녀 교육과 가족의 단란함 중시
  – 교육 환경이 좋은 곳이나 자녀 교육과 관련된 정보를 교환할 수 있는 이웃이 있는 주택을 선택한다.

- 가족이 모여 대화를 나눌 수 있도록 거실이나 식사실 등 공동 공간을 마련한다.

• 직업 생활 중시
- 주거 공간에 직업 생활 공간을 따로 마련한다.
- 가족생활 공간과 직업 생활 공간을 구분한다.
- 업무를 위한 설비를 마련한다.

• 친환경적인 삶 중시
- 자연환경이 좋은 교외나 농촌, 산촌 등에 있는 주택을 선택하거나 주택을 짓는다.
- 자급자족으로 생활한다.

• 휴식 중시
- 휴식처로서의 기능을 할 수 있도록 주거 공간을 계획한다.
- 개인 침실, 욕실 등을 아늑하게 꾸미고, 휴식용 가구를 배치한다.

• 손님 접대와 사교 중시
- 부엌이나 식사실에 중점을 두어 주거 공간을 계획한다.
- 응접실을 따로 마련하거나 부엌을 거실로 개방하여 배치한다.

• 취미 생활 중시
- 취미 생활을 할 수 있는 공간을 따로 마련한다.
- 취미 생활에 필요한 용품을 마련한다.

2. 이웃과 더불어 살아가는 주생활 문화

① 과거와 현재

㉠ **과거:** 공동체 의식을 중요하게 여겨 이웃의 일을 서로서로 도와주며 이웃과 더불어 살았다.

㉡ **현재:** 개인주의가 강해지면서 이웃 간의 교류가 단절되고 있다.

② 이웃과 더불어 살아가면 좋은 점과 노력할 점

㉠ 이웃 간의 친밀감과 유대감을 느낄 수 있다.

㉡ 공동체 의식이 높아질 수 있다.

㉢ 서로를 이해하고 존중하며, 다양한 생활 양식을 인정해야 한다.

③ 이웃을 위한 배려

㉠ **배경:** 아파트와 연립 주택 등 공동 주거가 증가하였다.

㉡ **이웃 간의 갈등 유발 요인:** 과거에 비해 이웃 간의 소통 부족, 층간 소음, 주차, 쓰레기 분리수거 등의 생활 문제

㉢ **해결 방법:** 이웃과 교류하고 소통하는 일상생활의 작은 실천을 통해 서로 이해하고 협조하는 공동체 문화를 형성해 나가야 한다.

㉣ **실천 방법**
• 이웃과 인사하기: 이웃사촌이라는 마음으로 서로 인사하며 친하게 지낸다.
• 공공질서 지키기: 층간 소음에 주의하고, 계단, 엘리베이터 등에서 질서를 잘 지킨다.

보조 노트

현대 주거 문화의 특징

• 주거의 서구화
- 한옥 형태의 구조가 사라지고 서구식 주택이 보편화되었다.
- 좌식에서 입식 생활로 변화되었다.
- 거실과 부엌이 가족 화합의 공간으로 변화되었다.

• 공동 주거의 증가
- 도시의 인구 집중과 주택난 해결을 위해 아파트가 대량 공급되었다.
- 주택의 구조가 비슷하여 가족 구성원의 요구를 반영하기 힘들다.
- 이웃 간의 소통이 부족하다.

보조 노트

공동체

공통의 생활 공간에서 상호 작용하며, 유대감을 공유하는 집단을 의미한다.

코하우징

공동 식당, 부엌, 세탁실, 회의실, 어린이 놀이방 등 공동생활 시설을 배치하여 개별 주택의 기능을 보완하고, 이웃 간에 유대감을 형성할 수 있다.

- 공공시설 소중히 다루기: 놀이터, 경로당, 공원 등의 시설을 다 같이 사용한다는 마음으로 소중히 사용한다.

④ 지역 사회 참여

㉠ **배경**
- 지역 사회의 경제적, 사회적, 정서적 문제 등이 발생한다.
- 맞벌이 가족의 육아 문제, 노인들의 일거리 문제, 이웃 또는 동호인 간의 공동체 활동, 주거 환경 개선 등과 관련된 요구가 갈수록 커지고 있다.

㉡ **해결 방법:** 이웃들의 자발적인 참여를 통해 해결한다.

㉢ **결과**
- 삶의 질이 향상된다.
- 이웃 간의 공동체 의식을 높일 수 있다.
- 더불어 살아가는 지역 사회를 만드는 데 기여할 수 있다.

㉣ **실천 방법**
- 함께 만드는 공동체: 공동 육아, 자녀 돌봄 센터 등 주민이 원하는 공동체를 운영한다.
- 이웃 돌봄: 고령자 및 취약 계층에 일거리를 제공하거나 돌본다.
- 주거 환경 개선: 집수리, 벽화 그리기, 거리 청소 활동 등을 통해 주거 환경을 개선한다.

⑤ 공동체 주거의 활용

㉠ **배경**
- 현대 사회에서 개인이나 가족의 문제가 발생한다.
- 단절된 이웃과의 소통 문제가 발생한다.

㉡ **해결 방법:** 공동체 주거를 활용한다.

㉢ **결과:** 이웃과의 친밀한 교류에 도움을 주며, 다양한 문제들을 해결할 수 있다.

㉣ **예시:** 코하우징, 셰어하우스

㉤ **코하우징**
- 개별 가족이 독립된 주거 공간을 가지면서 부분적으로 이웃과 함께 사용하는 시설을 만들어 공동생활을 하는 주거 단지이다.
- 맞벌이 부부의 육아와 가사의 어려움, 독거노인의 소외 문제 등을 해결하기 위해 이용되기도 한다.
- 한국 코하우징 예시
  - 성미산 마을의 소행주(소통이 있어 행복한 주택)
  - 파주 도시 농부 타운하우스

㉥ **셰어하우스**
- 침실은 독립적인 공간으로 확보하여 사생활을 보장하고, 거실, 부엌 등은 다른 입주자와 함께 쓰는 공동 공간으로 생활하도록 고안된 주거 형태이다.
- 주거비를 절약할 수 있다.

- 1인 가구의 증가, 공유 경제의 확산, 비싼 집값으로 셰어하우스가 점점 늘고 있는 추세이다.
- 한국 셰어하우스 예시
  - 셰어하우스 우주(WOOZOO): 다양한 콘셉트로 집을 꾸몄다.
  - 보더리스 하우스(borderless house): 국경 없는 집이라는 뜻으로, 입주자 국적 비율을 별도로 설정하여 외국인과 함께 생활하며 다양한 언어와 문화를 접할 수 있도록 하였다.

보조 노트

패시브 하우스

열이 밖으로 나가지 않도록 차단하여 실내 온도를 따뜻하게 유지한다. 집을 남향으로 짓고, 유리창을 남쪽 방향으로 내고, 두꺼운 단열재를 사용하여 열 손실을 최소화하면서 실내 공기와 실외 공기를 교환한다.

3. 지속 가능한 삶을 위한 주거

① 지속 가능한 주거

㉠ **배경:** 주생활과 관련하여 인간과 인간, 인간과 자연, 현재와 미래 세대가 공존하는 지속 가능한 삶에 관심이 높아지고 있다.

㉡ **종류**

- 유니버설 주거: 모든 사람들이 편리하고 안전하게 산다.
- 친환경 주거: 자연 및 주변 환경과 조화를 이루며 산다.

② 유니버설 주거

㉠ **의미:** 연령과 성별, 건강 상태, 장애 여부와 관계없이 모든 사람이 편리하고 안전하게 생활할 수 있는 주거를 말한다.

㉡ **예시**

- 안전 손잡이와 미끄럼 방지 타일을 설치한 욕실
- 높이 조절이 가능한 세면대
- 휠체어가 자유롭게 이동할 수 있도록 문턱을 없애고 폭을 넓힌 출입문

③ 친환경 주거

㉠ **의미:** 친환경적인 건축 재료를 사용하고, 에너지와 자원을 환경친화적으로 이용하여 주변 환경과 조화를 이루는 주거를 말한다.

㉡ **종류**

- 태양열 주택: 지붕 위에 설치된 집열판을 통해 받아들인 태양열로 난방 또는 냉방을 한다.
- 한옥: 나무, 흙 등 자연에서 쉽게 구할 수 있는 건축 재료를 사용하고, 에너지 손실을 방지하기 위해 남향으로 건물을 배치한다.

그림으로 보는 가정 이야기

[교과서 47쪽]
지속 가능한 삶을 위한 주거의 모습을 창의적으로 구상해 보자.

예시 답안

▶친환경 주거 아이디어
담쟁이넝쿨을 심어 녹색 담장을 만들 거야.

핵심 용어 | 주거, 주거 선택 기준, 주거 가치관, 이웃을 위한 배려, 지역 사회 참여, 공동체 주거, 지속 가능한 삶을 위한 주거

스스로 정리하기

1 주거를 선택할 때 판단의 기준이 되는 것을 무엇이라고 하는가? 주거 가치관

2 창의·인성 이웃과 더불어 살아갈 때의 좋은 점을 이야기해 보자. 이웃 간의 친밀감과 유대감을 느낄 수 있으며, 공동체 의식이 높아질 수 있다.

01 (　　　　　)은/는 주택이라는 건축물뿐만 아니라 그 안에서 이루어지는 개인이나 가족의 생활, 거주 환경까지를 포함한 개념이다.

02 다음에서 설명하는 주거 선택 기준은?

> 주택의 가격과 관리비 부담이 크지 않아야 한다.

① 안락해야 한다.
② 편리해야 한다.
③ 아름다워야 한다.
④ 경제적이어야 한다.
⑤ 이웃과 친밀한 관계를 유지해야 한다.

03 주거를 선택할 때 판단의 기준이 되는 것을 무엇이라고 하는지 쓰시오.

(　　　　　　　　)

04 주거 가치관의 변화에 영향을 끼치는 요인을 바르게 짝지은 것은?

① 주거, 주거 선택 기준
② 주거, 가족의 생활 양식
③ 주거 선택 기준, 가족생활 주기
④ 가족생활 주기, 가족의 생활 양식
⑤ 가족생활 주기, 지속 가능한 주거

05 주거 가치관은 가정 형성기, 가정 확대기, 가정 축소기에 따라서 변화한다.

(○ , ×)

06 가족의 생활 양식에는 좌식, 입식, (　　　　　)이/가 있다.

07 이웃을 위한 배려를 실천하는 방법에는 공공질서 지키기, 주거 환경 개선, 함께 만드는 공동체 등이 있다.

(○ , ×)

08 공동체 주거의 종류에 해당하는 것은?

① 한옥
② 코하우징
③ 친환경 주거
④ 태양열 주택
⑤ 유니버설 주거

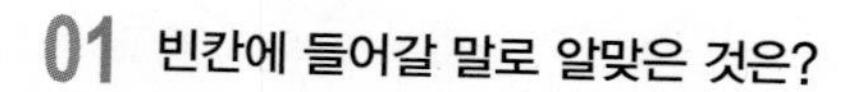

개념 활용하기

정답과 해설 3쪽

01 빈칸에 들어갈 말로 알맞은 것은?

> 주거는 (   )이라는 건축물뿐만 아니라 그 안에서 이루어지는 개인이나 가족의 생활, 거주 환경까지를 포함한 개념이다.

① 주택 ② 공간 ③ 좌식
④ 입식 ⑤ 환경

02 〈보기〉의 주거 선택 기준 중 안전성에 해당되는 내용을 모두 고른 것은?

> 보기
> ㄱ. 학교 통학 거리가 가깝다.
> ㄴ. 가족의 사생활이 보호된다.
> ㄷ. 실내 열 환경이 건강에 도움이 된다.
> ㄹ. 자연재해의 위험으로부터 보호받는다.

① ㄱ, ㄴ ② ㄱ, ㄹ ③ ㄴ, ㄷ
④ ㄴ, ㄹ ⑤ ㄷ, ㄹ

03 가족생활 주기에 따른 주거 가치관의 변화에 대한 설명으로 적절하지 않은 것은?

① 가정 축소기 때는 주거 공간 규모가 축소된다.
② 가정 형성기 때는 주거 공간 규모가 크지 않다.
③ 가정 확대기는 자녀가 어릴 때와 자녀가 성장하였을 때로 분류된다.
④ 가족생활 주기는 가정 형성기, 가정 팽창기, 가정 축소기로 구분한다.
⑤ 가족생활 주기에 따라 가족 구성원의 수, 성별, 연령, 주거 내의 생활 내용이 달라진다.

04 〈사례〉와 같은 고민을 하는 동민이에게 가장 적절한 조언은?

> 사례
> 동민: 바닥에 앉아서 생활하는데 허리가 많이 아파서 걱정이야. 그리고 나랑 내 동생이 청소년기라 공간이 조금 독립적이었으면 좋겠어. 나는 어떤 주거를 선택해야 할까?

① 조금 더 좁은 집으로 이사하는 건 어때?
② 공간을 융통성 있게 활용하는 곳은 어때?
③ 앉아서 생활하기 좋게 방석을 사는 건 어때?
④ 침대, 소파, 식탁 등 가구를 구입하는 건 어때?
⑤ 우리나라의 전통적인 생활 양식을 적용하는 건 어때?

05 이웃과 더불어 살아가는 주생활 문화의 실천 방법과 그 예시를 연결한 것으로 적절하지 않은 것은?

① 지역 사회 참여 – 코하우징
② 지역 사회 참여 – 주거 환경 개선
③ 공동체 주거의 활용 – 셰어하우스
④ 이웃을 위한 배려 – 이웃과 인사하기
⑤ 이웃을 위한 배려 – 공공시설 소중히 다루기

06 〈보기〉에서 지속 가능한 삶을 위한 주거의 예시에 해당되는 주거를 모두 고른 것은?

> 보기
> ㄱ. 코하우징
> ㄴ. 친환경 주거
> ㄷ. 유니버설 주거
> ㄹ. 이웃을 배려하는 주거

① ㄱ, ㄴ ② ㄱ, ㄷ ③ ㄴ, ㄷ
④ ㄴ, ㄹ ⑤ ㄷ, ㄹ

이 섹션에서 할 수 있어야 하는 것!

/ 재 / 미 / 있 / 는 /

가 정 활 동

교과서 48쪽

나의 가족생활 주기에 따른 주거 가치관의 변화를 추측해 보고, 이를 반영한 주거의 모습을 표현해 보자.

■ 내가 원하는 주거의 모습
- 주거 공간 규모가 크지 않다.
- 공간을 다목적으로 사용할 수 있도록 한다.

■ 이유

가족의 수가 적기 때문이다.

■ 내가 원하는 주거의 모습
- 부모와 자녀의 공간을 분리한다.
- 친밀감 유지를 위한 공간을 마련한다.

■ 이유

사생활이 보장되면서 가족과 단란하게 지낼 수 있기 때문이다.

■ 내가 원하는 주거의 모습
- 주거 공간의 규모가 크지 않다.
- 방 옆에 화장실과 욕실을 배치한다.

■ 이유

가족의 수가 감소하고, 노화로 인한 안전사고를 예방해야 하기 때문이다.

선생님 생각 엿보기

· 이 활동의 목적

선생님은 이 활동을 통해 주거 가치관의 변화를 이해하고, 가족생활 주기를 고려하여 자신의 주거를 선택할 수 있기를 바랍니다.

· 선생님은 이 활동을 이렇게 평가합니다.

상	가족생활 주기에 맞는 주거 가치관이 반영된 주거의 모습을 제시하였고, 이를 그림으로 잘 표현하였다.
중	가족생활 주기에 맞는 주거 가치관이 반영된 주거의 모습을 제시하였으나, 이를 그림으로 표현한 것이 미흡하였다.
하	가족생활 주기에 맞는 주거 가치관이 반영된 주거의 모습을 제시하지 못하였고, 이를 그림으로 표현한 것이 미흡하였다.

이와 관련된 활동은?

[관련 활동] 나의 주거 가치관 알아보기 | 기사를 읽고 현재 살고 있는 집에 대한 분석을 한 후, 앞으로 살 집을 선택할 때 고려할 점을 생각해 보며 나의 주거 가치관을 알아보는 활동이다.

교과서 49쪽

공익 광고를 보고, 이웃과 더불어 살아가는 주생활 문화를 실천하기 위한 방법을 찾아보자.

1 이웃과 더불어 살아가는 주생활 문화를 위해 내가 실천할 수 있는 것을 세 가지 적어 보자.

① 이웃과 마주쳤을 때에는 먼저 인사한다.

② 복도에 쓰레기가 떨어져 있을 때에는 바로 치운다.

③ 밤늦게 걸을 때에는 조심조심 걷는다.

이웃 간에 발생할 수 있는 문제들과 이를 예방할 수 있는 방법을 생각해 보며 작성합니다.

2 더불어 살아가는 주생활 문화를 캘리그래피로 표현해 보자.

더불어 살아가는 주생활 문화와 관련된 가치나 마음의 자세 등을 이미지로 표현해 봅니다.

선생님 생각 엿보기

· 이 활동의 목적

선생님은 이 활동을 통해 이웃과 더불어 살아가는 주생활 문화를 실천하기 위한 방법을 제시할 수 있기를 바랍니다.

· 선생님은 이 활동을 이렇게 평가합니다.

상	이웃과 더불어 살아가는 주생활 문화를 위한 실천 방법을 세 가지 제시하였고, 더불어 살아가는 주생활 문화를 캘리그래피로 잘 표현하였다.
중	이웃과 더불어 살아가는 주생활 문화를 위한 실천 방법을 세 가지 제시하였거나 더불어 살아가는 주생활 문화를 캘리그래피로 잘 표현하였다.
하	이웃과 더불어 살아가는 주생활 문화를 위한 실천 방법을 제시하지 못하였고, 더불어 살아가는 주생활 문화를 캘리그래피로 표현한 것이 미흡하였다.

이와 관련된 활동은?

[관련 활동] 코하우징, 셰어하우스와 친해지기 | 파주의 도시 농부 마을(코하우징)과 보더리스(셰어하우스)에 대해 읽어 보고 내가 만약 코하우징 마을이나 셰어하우스를 만든다면, 어떤 콘셉트로 만들 것인지 그림으로 표현해 보는 활동이다.

[03. 효율적인 주거 공간 구성과 활용]

효율적인 주거 공간 구성 방안을 탐색하여, 가족생활에 적합한 주거 공간 구성에 활용한다.

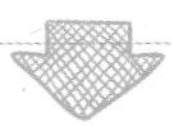

이 섹션에서 '알아야 할 것' (이해)	**효율적인 주거 공간 구성 방안과 가족생활에 적합한 주거 공간을 구성하는 방법을 이해한다.** 1. 효율적인 주거 공간 구성 2. 가족생활에 적합한 주거 공간 구성

이 섹션에서 '할 수 있어야 하는 것' (능력)	**효율적인 주거 공간 구성 방안을 적용하여 가족생활에 적합한 주거 공간 구성에 활용할 수 있다.** [활동] · 주거 공간의 효율적 사용과 가족생활에 적합한 창의적인 주거 공간을 구성해 보자.

이 섹션에서
알아야 할 것!

03 효율적인 주거 공간 구성과 활용

1. 효율적인 주거 공간 구성

동일한 크기의 방과 가구도 배치를 어떻게 하느냐에 따라 공간의 분위기와 활용도가 달라지므로, 주거 공간을 효율적으로 구성해야 한다.

① 주거 공간의 구역화(조닝, zoning)

㉠ **의미:** 주거 내에서 비슷한 성격을 가진 공간들을 하나의 영역으로 묶어 배치하는 것을 말한다.

㉡ **효과**

- 동선을 절약할 수 있다.
- 공간별 독립성이 유지된다.
- 유지 비용을 절약할 수 있다.

㉢ 주거 공간의 영역은 생활 내용에 따라 구분한다.

- 공동생활 공간
- 개인 생활 공간
- 가사 작업 공간
- 생리위생 공간
- 기타 공간

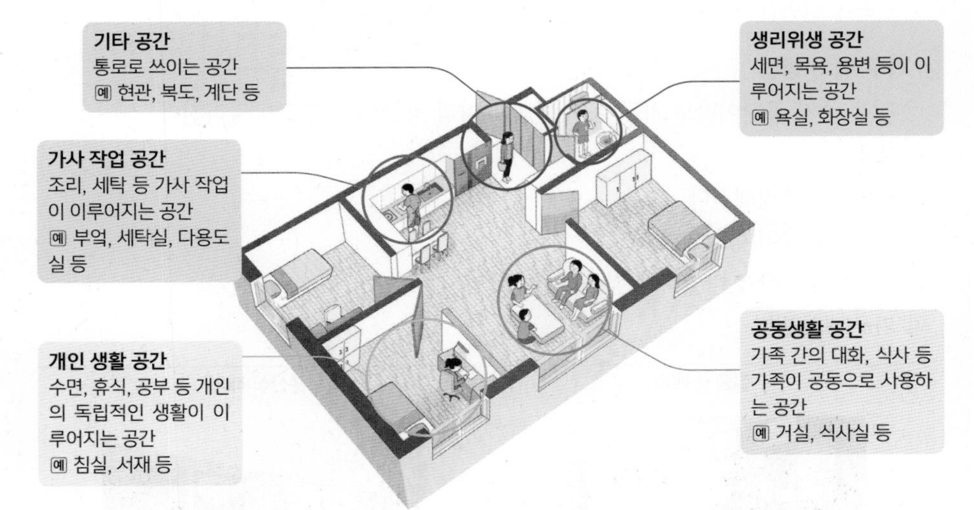

㉣ **주거 공간의 영역별 특징**

- 공동생활 공간: 사회적인 생활 공간으로 가족들이 항상 모이는 곳이므로, 다른 방과의 연결성이 좋게 구성한다. 손님 방문 시 개방되는 공간이므로, 가족의 개성을 충분히 표현하면 좋다.
- 개인 생활 공간: 가족 개개인이 사적으로 사용하므로, 개인의 취미, 개성, 취향이 반영되도록 구성한다. 다른 사람으로부터 방해를 받지 않는 공간이라는 점이 가장 중요하다.
- 가사 작업 공간: 능률적이고 편리한 작업이 이루어질 수 있도록 구성한다.

동기 유발 [교과서 50쪽]

요즘 방이 좁고, 답답하게 느껴져 고민하고 있는 친구에게 추천해 주고 싶은 방과 그 이유를 이야기해 보자.

예시 답안

4번, 빛이 들어오는 창문 방향으로 책상을 놓으면 환하고, 답답하다는 느낌이 들지 않아서 기분이 좋아질 것이다.

보조 노트

주거 공간의 구역화

생활 공간의 성격이 유사한 것을 가까이 배치한다.

개인 생활 공간과 공동생활 공간

개인 생활 공간은 독립성을, 공동생활 공간은 개방성을 필요로 한다.

2층 주택의 배치

2층 주택은 개인 생활 공간인 가족의 침실을 2층에 배치하고 공동생활 공간인 거실을 1층에 배치하여 손님이 방문했을 때 개인의 사생활이 유지될 수 있도록 한다.

보조 노트

집중식 배치

- 한쪽 벽면에 가구를 배치하는 집중식 배치는 방 벽면에 가구를 붙여 배치함으로써 가구와 건축물이 일체화된다.
- 넓은 활동 면적이 필요할 때 적합하나 대부분의 가정에서는 맞은편 벽면에 텔레비전을 배치시켜 가족 간의 대화를 어렵게 할 때가 많다.

분산식 배치

- 실내 중앙에 소파를 배치하는 분산식 배치는 실내가 정돈되어 보이나, 공간이 좁아 보이고 다용도로 활용하기 어렵다.
- 가족 간에 마주 보게 되어 대화를 이끌어 낼 수 있다는 장점이 있다.

거실의 가구 배치 방법

- 공간의 크기를 고려해야 한다.
- ㅡ자형: 좁은 공간에 적합한 배치 방식이다.
- ㄱ자형: 비교적 넓은 공간에 적합한 방식이다.
- ㄷ자형: 넓은 공간에 적합한 배치 방식으로, 여러 사람이 대화하기에 적합하다.

② 동선의 절약

㉠ **동선의 의미:** 주거 공간 내에서 사람들의 움직임을 선으로 표현한 것을 말한다.

㉡ **적용 방법**

- 짧고 단순할수록 좋다.
- 동선을 절약하기 위해서 기능적으로 관련이 있는 공간을 가까이 배치한다.

㉢ **효과**

- 다른 공간으로의 이동이 쉽다.
- 작업을 효율적으로 할 수 있어 일의 능률을 높인다.
- 주거 공간의 독립성을 유지할 수 있다.

㉣ **예시:** 침실과 욕실, 식사실과 부엌처럼 생활 내용이 관련된 공간은 가까이 배치하여 동선을 절약한다.

③ 공간의 입체적 활용

㉠ **의미:** 주거 공간 내에서 잘 사용하지 않는 공간이나 벽 등을 이용하는 것을 말한다.

㉡ **효과:** 주거 공간을 효율적으로 활용할 수 있다.

㉢ **예시**

- 계단 밑을 수납공간으로 활용한다.
- 침대 밑을 수납공간으로 활용한다.
- 벽에 선반을 설치하여 수납공간으로 활용한다.

④ 가구 배치 방법

㉠ 같은 주거 공간이라도 가구 배치 방법에 따라 공간의 활용도가 달라진다.

㉡ **효과**

- 동선이 편리해진다.
- 작업 능률이 향상된다.
- 주어진 공간을 다양하게 활용할 수 있다.

㉢ **가구 배치 방법**

집중식 배치	분산식 배치
비교적 좁거나 생활 내용이 분명한 공간에 적당하다. 예 공부방	비교적 넓거나 휴식을 위한 공간에 적당하다. 예 거실

㉣ **가구를 배치할 때 고려할 점**

- 큰 가구를 배치한 다음, 작은 가구를 배치한다.
- 문의 여닫기와 출입에 지장이 없도록 배치한다.

• 스위치나 콘센트를 가리지 않도록 배치한다.
• 가능한 한 벽면에 붙여 배치한다.
• 채광, 통풍에 방해되지 않도록 배치한다.
• 가구를 사용하는 데 필요한 여유 공간을 두고 배치한다.
• 가구의 폭과 높이를 맞추어 가능한 한 울퉁불퉁한 부분이 생기지 않도록 배치한다.

⑤ 생활용품의 정리 및 수납

㉠ 개인 물건과 가족 공용 물건을 적절하게 정리하고 수납한다.

㉡ 효과

• 생활이 편리해진다.
• 주거 공간을 효율적으로 활용할 수 있다.

㉢ 효율적인 생활용품의 정리 및 수납 방법

• 1단계: 주거 공간별 용도에 따라 관련된 물건을 분류한다.
• 2단계: 물건의 용도, 사용 빈도, 사용자의 동작 범위, 물건의 특성 등을 고려하여 수납한다.
  – 물건을 사용하는 공간 가까이에 수납한다.
  – 물건의 사용 빈도와 사용자의 동작 범위를 고려하여 수납한다.
  – 물건의 종류와 특성(크기, 모양, 무게, 재질 등)을 고려하여 수납한다.
  – 개인 물건과 가족 공용 물건을 구분하여 수납한다.
  – 수납 물품 목록을 작성하여 잘 보이는 곳에 붙인다.
• 3단계: 물건을 사용한 후에는 제자리에 갖다 놓는다.

㉣ 사용 빈도와 동작 범위를 고려한 수납 방법

• 물건의 사용 빈도에 따라 분류한 후, 자주 사용하는 것일수록 가까운 곳에 수납한다.
• 무거운 것은 아래쪽에, 작은 것은 칸막이로 구분하여 수납한다.

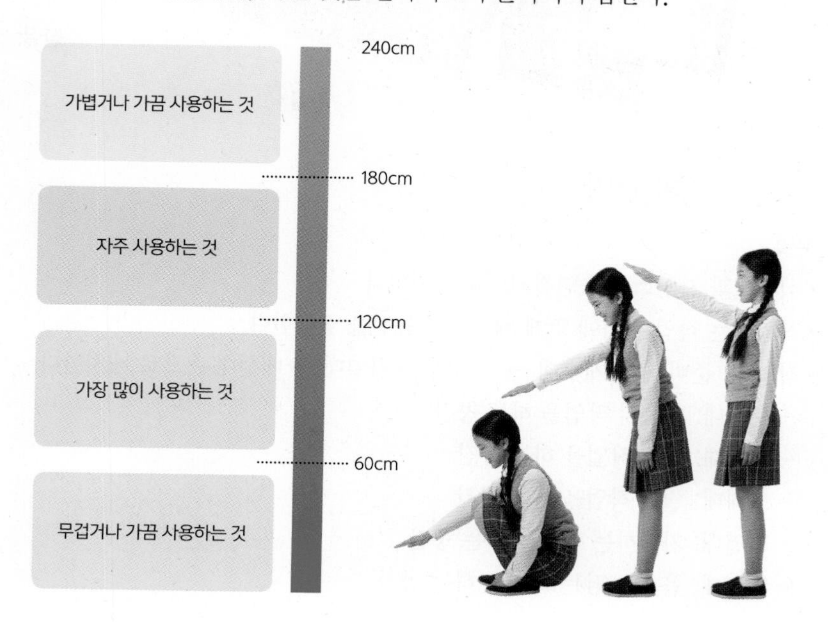

보조 노트

정리 및 수납

수납공간은 한정되어 있으므로 불필요한 것은 적절한 방법으로 처분한다.

사용 빈도와 동작 범위를 고려한 수납 물품 예시

240cm 가볍거나 가끔 사용하는 것	말린 식품, 큰 바구니 등
180cm 자주 사용하는 것	식기, 조미료 등
120cm 가장 많이 사용하는 것	조리 기구 등
60cm 무겁거나 가끔 사용하는 것	저장 식품, 큰 냄비 등

주거 공간별 수납 방법

침실 거실

욕실 부엌

작업대의 형태

- 직선형(일렬형): 작업대가 일직선으로 배치된 형태
- ㄱ자형(ㄴ자형): 작업대가 ㄱ 혹은 ㄴ자형으로 배치된 형태
- ㄷ자형: 작업대가 ㄷ자형으로 배치된 형태
- 병렬형: 작업대가 마주 보도록 배치한 형태
- 아일랜드형(섬형): 작업대 공간을 중앙 공간에 배치한 형태

㉤ 주거 공간별 수납 방법

침실	거실	욕실	부엌
개인 침구, 의류 등 개인적인 물건을 사용 빈도, 물건의 특성에 따라 분류하여 수납한다.	가족 공용 물건은 수납 약속을 정하고, 자주 사용하는 것은 쉽게 찾을 수 있게 보이도록 수납한다.	욕실에서 사용하는 물건은 청결을 생각하여 가족 공용 물건과 개인 물건을 용도별로 분류하여 수납한다.	식기와 조리 도구는 사용 빈도, 용도에 따라 분류하고, 편리성을 위해 가능하면 보이도록 수납한다.

2. 가족생활에 적합한 주거 공간 구성

주거는 가족의 삶을 담고 있는 그릇으로, 그 안에서 살아가는 모습은 가족마다 다르다.

① 주거 공간 구성 시 고려할 것: 가족생활 주기, 가족의 생활 양식, 가족 구성원의 요구

② 가족생활에 적합한 주거 공간 구성

㉠ 부엌

- 식사실과 자연스럽게 연결되도록 배치한다.
- 작업대는 작업 순서에 맞게 배치하여 동선을 절약한다.
- 작업대: 준비대 → 개수대 → 조리대 → 가열대 → 배선대 순으로 배치한다.
  - 준비대: 다듬기 작업을 하는 공간
  - 개수대: 씻기 작업을 하는 공간
  - 조리대: 썰기 작업을 하는 공간
  - 가열대: 가열하는 작업을 하는 공간
  - 배선대: 음식을 담는 작업을 하는 공간

ⓛ **식사실**

- 부엌과 가까이 배치하여 동선을 절약한다.
- 식사실과 거실을 한 공간에 배치하고 부엌을 분리하면 안정된 분위기에서 식사를 할 수 있다.
- 식사실과 부엌을 한 공간에 배치하고 거실과 구분하면 작업 동선을 절약할 수 있다.
- 거실, 식사실, 부엌을 한 공간에 배치하면 좁은 공간을 활용할 수 있지만, 거실 분위기가 산만해질 수 있다.

ⓒ **서재**

- 독립성이 있는 조용한 공간에 배치한다.
- 책을 넣을 수 있는 수납 가구를 배치한다.

ⓔ **침실**

- 독립성이 있는 조용한 공간에 배치한다.
- 욕실 및 화장실이 가까운 곳에 배치한다.
- 공간이 좁을 때에는 침대보다는 바닥에 이불과 요를 깔고 취침한다.

ⓜ **거실**

- 다른 방과 연결이 잘 되도록 배치한다.
- 수납과 장식적 역할을 하는 가구를 배치한다.
- 공간이 좁을 때에는 소파보다는 바닥에 방석을 깔고 생활한다.
- 공간의 넓이를 고려하여 가구의 배치 방법을 선택한다.

ⓑ **자녀 침실**

- 자녀의 성장 발달에 맞추어 융통성 있게 계획한다.
- 학령기에 들어서면 학습을 위한 책상, 의자, 조명 기구 등을 마련하고, 가능한 한 자녀의 개성을 표현할 수 있도록 한다.

ⓢ **욕실 및 화장실**

- 침실과 가까운 곳에 배치한다.
- 벽에 선반이나 수납장을 설치하여 수납공간을 확보한다.

핵심 용어 | 주거 공간의 구역화(조닝), 동선의 절약, 공간의 입체적 활용, 가구 배치 방법, 생활용품의 정리 및 수납, 가족생활에 적합한 주거 공간 구성

보조 노트

식사실 공간의 활용

- LDK형, 리빙 다이닝 키친: 거실, 식사실, 부엌의 기능을 한 공간에 배치한 형태
- L/DK형, 다이닝 키친: 거실을 독립시키고, 식사실과 부엌을 한 공간에 배치한 형태
- LD/K형, 리빙 다이닝: 부엌을 독립시키고, 식사실과 거실을 한 공간에 배치한 형태

[교과서 55쪽]

종이접기로 수납의 달인 되기!

활동 TIP

수납 상자를 만드는 순서에 따라 정확하게 만든다. 수납하는 물건의 종류에 따라 정사각형의 크기를 조절하면 생활용품을 더욱더 효율적으로 정리할 수 있다.

스스로 정리하기

1 주거 내에서 비슷한 성격을 가진 공간들을 하나의 영역으로 묶어 배치하는 것을 무엇이라고 하는가?
주거 공간의 구역화(조닝)

2 창의·인성 가족생활에 적합한 거실의 공간 구성 계획은 어떻게 해야 하는지 이야기해 보자.

- 다른 방과 연결이 잘 되도록 배치한다.
- 수납과 장식적 역할을 하는 가구를 배치한다.
- 공간이 좁을 때에는 소파보다는 바닥에 방석을 깔고 생활한다.
- 공간의 넓이를 고려하여 가구의 배치 방법을 선택한다.

01 (　　　　　)은/는 주거 내에서 비슷한 성격을 가진 공간들을 하나의 영역으로 묶어 배치하는 것을 말한다.

02 다음에서 설명하는 것은?

> 주거 공간 내에서 사람들의 움직임을 선으로 표현한 것으로, 짧고 단순할수록 좋다.

① 조닝　② 동선　③ 공간
④ 가구 배치　⑤ 수납 방법

03 공간의 입체적 활용은 주거 공간 내에서 잘 사용하지 않는 공간이나 벽 등을 이용하는 것을 말한다.
(○ , ×)

04 가구 배치 방법에 대한 설명으로 적절하지 않은 것은?

① 적절히 배치하면 동선이 편리해진다.
② 적절히 배치하면 작업 능률이 향상된다.
③ 집중식 배치, 분산식 배치, 절충식 배치가 있다.
④ 적절히 배치하면 주거 공간을 다양하게 활용할 수 있다.
⑤ 같은 주거 공간이라도 가구 배치 방법에 따라 공간의 활용도가 달라진다.

05 (　　　　　)와/과 (　　　　　)을/를 적절하게 정리 및 수납을 하면 주거 공간을 효율적으로 활용할 수 있으며, 생활이 편리해진다.

06 가볍거나 가끔 사용하는 것은 아래쪽에 수납한다.
(○ , ×)

07 주거 공간 중 청결을 생각하여 가족 공용 물건과 개인 물건을 용도별로 분류하여 수납해야 하는 곳은 (　　　　　)이다.

08 가족생활에 적합한 주거 공간을 구성하는 방법으로 적절하지 않은 것은?

① 침실은 독립성이 있는 공간에 배치한다.
② 욕실 및 화장실은 침실과 먼 곳에 배치한다.
③ 거실은 다른 방과 연결이 잘 되도록 배치한다.
④ 식사실과 부엌을 가깝게 배치시켜 동선을 짧게 한다.
⑤ 가족생활 주기와 가족 생활 양식 등을 반영해야 한다.

개념 활용하기

정답과 해설 4쪽

01 **주거 공간의 구역화의 종류로 적절하지 <u>않은</u> 것은?**

① 기타 공간
② 생리위생 공간
③ 공동생활 공간
④ 개인 생활 공간
⑤ 부엌 다용도 공간

02 **㉠과 ㉡에 들어갈 말을 바르게 짝지은 것은?**

> 동선을 절약하기 위해서는 기능적으로 관련이 있는 공간을 (㉠) 배치하도록 한다. 동선을 고려하여 공간을 배치하면 다른 공간으로의 이동이 (㉡).

	㉠	㉡
①	멀리	쉽다
②	멀리	어렵다
③	멀리	복잡하다
④	가까이	쉽다
⑤	가까이	복잡하다

03 **<보기>에서 공간의 입체적 활용을 적용할 수 있는 공간을 모두 고른 것은?**

> 보기
> ㄱ. 냉장고
> ㄴ. 화장실
> ㄷ. 침대 밑
> ㄹ. 계단 밑

① ㄱ, ㄴ　② ㄱ, ㄷ　③ ㄴ, ㄷ
④ ㄴ, ㄹ　⑤ ㄷ, ㄹ

04 **㉠에 들어갈 말로 알맞은 것은?**

> 가구 배치 방법 중 (㉠) 배치는 공부방처럼 비교적 좁거나 생활 내용이 분명한 공간에 적당하다.

① 입식　② 랜덤식　③ 절충식
④ 집중식　⑤ 분산식

05 **생활용품의 정리 및 수납에 대한 설명으로 적절한 것은?**

① 주거 공간별 용도에 따라 물건을 분류한다.
② 개인 물건과 공용 물건을 따로 분류하지 않는다.
③ 수납 물품 목록을 작성하여 책상 서랍에 보관한다.
④ 자주 사용하는 물건은 가장 아래에 수납하는 것이 좋다.
⑤ 생활용품을 적절하게 정리하고 수납하는 것은 시간이 오래 걸리므로 비효율적이다.

06 **침실과 서재의 공통적인 공간 구성 방법으로 가장 적절한 것은?**

① 다른 방과 연결이 잘 되도록 배치한다.
② 독립성이 있는 조용한 공간에 배치한다.
③ 욕실 및 화장실이 가까운 곳에 배치한다.
④ 책을 넣을 수 있는 수납 가구를 배치한다.
⑤ 식사실과 자연스럽게 연결되도록 배치한다.

교과서 54쪽

이 섹션에서 **할 수 있어야 하는 것!**

주거 공간의 효율적 사용과 가족생활에 적합한 창의적인 주거 공간을 구성해 보자.

1 우리 가족이 생활하는 주거 공간에서 효율적인 주거 공간 구성이 필요한 곳을 찾아보자.

- 내가 선택한 주거 공간: 내 방
- 이유:
  - 좁은 공간을 넓게 사용하고 싶기 때문이다.
  - 생활용품이 잘 정리, 정돈되었으면 하기 때문이다.

2 1에서 선택한 주거 공간을 사용하는 가족 구성원의 요구 사항을 반영하여 그림으로 표현해 보자.

요구 사항을 반영한 주거 공간 구성 방안

- 가구를 집중식 배치로 바꾸고 공간을 입체적으로 활용한다.
- 불필요한 물건은 버리고, 물품을 용도에 따라 분류하여 수납한다.

그리기

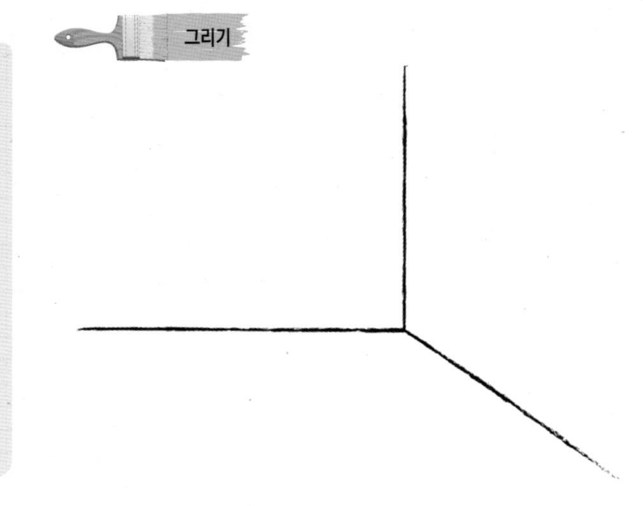

가족이 생활하는 주거 공간이 꼭 넓을수록 좋은 것만은 아니에요. 가족 구성원의 요구 사항을 반영한 효율적인 주거 공간을 그림으로 표현해 보고, 이를 바탕으로 주거 공간 모형을 만들어 봅니다.

3 2에서 구상한 주거 공간을 다양한 재료를 이용하여 모형으로 만들어 보자.

선생님 생각 엿보기

· 이 활동의 목적

선생님은 이 활동을 통해 효율적인 주거 공간 구성 방안들을 활용할 수 있기를 바랍니다.

· 선생님은 이 활동을 이렇게 평가합니다.

상	효율적인 주거 공간 구성 방안을 제시하였고, 이를 적용하여 주거 공간 모형을 잘 만들었다.
중	효율적인 주거 공간 구성 방안을 제시하였으나, 주거 공간 모형 제작이 미흡하였다.
하	효율적인 주거 공간 구성 방안을 제시하지 못하였고, 주거 공간 모형 제작이 미흡하였다.

이와 관련된 활동은?

[관련 활동] 가족에게 맞는 주거 공간 구성하기 프로젝트 | 제시된 가족의 문제 상황들 중 하나를 선택한 후 효율적인 주거 공간 구성 방법을 적용하여 주거 공간을 구성해 보는 활동이다.

이 섹션에서 알아야 할 것!

01 성폭력과 성폭력의 예방 및 대처 방안

1. 성적 의사 결정의 중요성

- **성적 의사 결정**
  - ㉠ **의미:** 성적인 행동을 스스로 판단하여 결정하고 선택하는 것을 말한다.
  - ㉡ **성적 의사 결정의 주체:** 성적 의사 결정의 주체는 나 자신이어야 하며, 성적 의사 결정은 누구에게도 강요받을 수 없다.
  - ㉢ **청소년기 성적 의사 결정의 중요성:** 청소년기의 잘못된 성 행동은 자신과 다른 사람의 몸과 마음에 돌이킬 수 없는 고통과 상처를 주므로, 성적 의사 결정은 매우 중요하다.
  - ㉣ **올바른 성적 의사 결정**
    - 자신이 원하지 않는 성 행동일 때에는 단호하게 거부 의사를 표현해야 한다.
    - 책임 있는 성 태도를 통해 성숙한 성 가치관을 형성해야 한다.

2. 성폭력의 원인과 영향

① **성폭력의 의미:** 상대방의 동의 없이 일방적으로 성 욕구를 충족하기 위해 강제로 행해지는 모든 언어적, 육체적, 정신적인 강요 및 위압적인 행동을 말한다.

② **성폭력의 유형**

성폭행	성추행	성희롱
폭행 또는 협박 등을 통해 억지로 성관계를 하거나 시도하는 행위	성적 만족을 얻기 위하여 상대방에게 일방적으로 신체 접촉을 함으로써 상대방에게 성적 수치, 혐오의 감정을 불러일으키는 행위	성과 관계된 말과 행동으로 상대방에게 불쾌감, 굴욕감 등을 주어 피해를 입히는 행위

③ **성폭력의 원인**

㉠ **개인적 원인**
- 자신이나 타인의 성을 소중하게 생각하지 않고, 성 행동을 쾌락의 도구로만 생각하는 성 의식
- 자신보다 힘이 약한 사람을 함부로 대해도 된다는 생각
- 남녀의 성 심리 차이를 이해하지 못한 일방적인 성 행동
- 어린 시절의 성적 학대, 음란물 중독 등에 의한 왜곡된 성 가치관 형성

㉡ **사회적 원인**
- 음성적으로 다뤄지는 왜곡된 성 문화
- 인간관계에서의 기본적인 배려 부족과 남녀의 성에 관한 의사소통 불일치
- 성 윤리 의식의 부족과 성 상품화
- 성폭력에 관한 사회의 인식 부족
- 현실과 동떨어진 성교육

동기 유발 [교과서 62쪽]

춘향이가 자신의 성적 의사 표현을 하지 않았다면 어떤 이야기가 펼쳐졌을까?

예시 답안

사또는 춘향이가 성적 의사를 제대로 표현하지 않았으므로 자신의 뜻을 받아들인 것이라고 착각하고, 춘향이는 괴롭게 지내다가 돌아온 이몽룡과 곤란한 상황에 처할 것이다.

보조 노트

헌법 제10조 행복 추구권

내 몸과 마음의 주인은 나라는 의미에서 성적 의사 결정은 행복 추구권과 의미가 통한다.

작은 활동 [교과서 62쪽]

각각의 상황에 처했을 때, 자신은 어떻게 할 것인지 성적 의사 결정을 해 보자.

예시 답안

- 음란물을 보자는 유혹을 받았을 때: 야한 내용의 동영상이라면 보고 싶지 않아.
- 이성 친구가 성 접촉을 원할 때: 둘만 있는 곳은 나는 마음이 불편하니까 집 말고 다른 곳이 좋겠어.
- 불쾌한 성적인 표현을 들었을 때: 지금 네가 하는 말은 성희롱이라는 거 알고 있니?

보조 노트

성 상품화

인간의 성을 상업적인 목적으로 이용하는 것을 말하며, 생명에 대한 존중 없이 인간을 단지 성적인 도구로만 여기게 하여 성폭력이나 성매매와 같은 왜곡된 성 문화를 조장할 수 있다.

성범죄자 알림e

학교 및 집 근처 성범죄자 신상 정보 확인하기
www.sexoffender.go.kr

성폭력 피해자에 대한 사회적 통념

편견, 낙인, 남녀의 성차별적인 성 인식, 성희롱을 사소한 일로 보는 시선, 성폭력을 부추기는 대중문화 등이 성폭력 피해자에게 문제가 되고 있다.

성적 욕구 조절하기

- 음란물을 멀리하고, 성 지식은 성교육 전문가에게 교육 받기
- 학업에 집중하여 성취감 얻기
- 이성을 호기심의 대상으로만 생각하지 말고, 인격적으로 존중하는 마음 갖기
- 취미, 봉사, 예술 활동 등으로 정서적 기쁨 얻기
- 자신의 미래, 성공에 관해 자주 상상하고 준비하기

④ 성폭력의 영향

㉠ 피해자

신체적 후유증	심리적 후유증	사회적 후유증
신체적 손상, 임신, 낙태, 불임, 성매개 감염병, 두통, 복통, 근육통 등	불안, 우울, 좌절, 신경질, 의욕 상실, 수면 장애, 식욕 상실, 두려움, 죄의식, 낮은 자아 존중감, 부정적인 자기 인식 등	주의 집중 곤란 및 학업 부진, 대인 관계에서의 두려움, 학교생활 부적응 등

㉡ **피해자의 가족:** 가해자를 향한 분노와 보복 심리, 무기력감, 통제감 상실, 불안, 죄의식 및 죄책감, 성적 혐오감, 피해자를 향한 비난 또는 피해자를 과잉보호함으로써 부자연스러운 가족 관계 형성

3. 성폭력의 예방 및 대처 방안

① 예방

가해자 예방	피해자 예방
• 성적인 욕구는 스스로 조절하고 자제할 수 있다는 것을 명심한다. • 내가 성 행동을 원한다고 상대방도 이를 원할 것이라고 생각하지 않는다. • 친구끼리 모르고 한 행동이라도 잘못했다면 반드시 사과한다. • 내 감정과 느낌이 소중한 만큼 상대방의 감정과 느낌을 존중하여 상대방이 원하지 않는 성 행동을 강요하지 않는다. • 성 행동에 상대방이 침묵한다고 해서 이를 동의로 받아들이지 않는다. • 성적 행동이나 말장난 등을 친구들이 한다고 해서 따라 하지 않는다.	• 성적 행동을 원하지 않으면 주저하지 말고 단호하게 "안 돼!"라고 분명히 말한다. • 버스나 지하철 등에서 불쾌한 성적 접촉이나 상황에 직면했을 때에는 강력하게 거부 의사를 표시하고, 112에 신고한다. • 늦은 밤에 혼자 다니지 않고, 골목길이 아닌 큰길로 다닌다. • 늦은 시간 이어폰을 꽂고 음악을 들으며 걷는 것에 주의한다. 누가 와도 알아차리지 못해 범죄의 대상이 될 수 있다.

② 대처 방안

㉠ 부모님께 알린다. 학교에서는 담임 선생님, 보건실, 상담실 등을 찾아가 이야기한다.

㉡ 경찰(112), 여성긴급전화(1366), 청소년상담전화(1388), 안전Dream(117) 등에 신고한다.

㉢ 증거물을 확보해야 하므로 씻거나 속옷을 빨지 않는다. 경찰서에서 조사를 받을 때에는 보호자와 함께 진술할 수 있는 권리를 행사하여 법을 통해 문제를 해결한다.

㉣ 부모님과 병원에 방문하여 진찰을 받고, 치료와 상담을 통해 안정을 취한다.

핵심 용어 | 성적 의사 결정, 성폭력, 성폭행, 성추행, 성희롱, 후유증, 성 상품화, 성적 욕구 조절

스스로 정리하기

1 성적인 행동을 스스로 판단하여 결정하고 선택하는 것을 무엇이라고 하는가? 성적 의사 결정

2 창의·인성 성폭력 가해자가 되는 것을 예방하기 위해서는 어떤 태도가 필요한지 이야기해 보자.

- 성적인 욕구는 스스로 조절하고 자제할 수 있다는 것을 명심한다.
- 내가 성 행동을 원한다고 상대방도 이를 원할 것이라고 생각하지 않는다.
- 친구끼리 모르고 한 행동이라도 잘못했다면 반드시 사과한다.
- 내 감정과 느낌이 소중한 만큼 상대방의 감정과 느낌을 존중하여 상대방이 원하지 않는 성 행동을 강요하지 않는다.
- 성 행동에 상대방이 침묵한다고 해서 이를 동의로 받아들이지 않는다.
- 성적 행동이나 말장난 등을 친구들이 한다고 해서 따라 하지 않는다.

01 성적인 행동을 스스로 판단하여 결정하고 선택하는 것을 무엇이라고 하는지 쓰시오.

( )

02 다음과 같은 상황에 처했을 때 성적 의사 결정의 주체는 누구인가?

- 이성 친구가 성 접촉을 원할 때
- 불쾌한 성적인 표현을 들었을 때
- 음란물을 보자는 유혹을 받았을 때

① 부모님 ② 선생님
③ 나 자신 ④ 형제자매
⑤ 또래 친구

03 자신이 원하지 않는 성 행동일 때의 바람직한 성적 의사 결정 행동은?

① 불편한 마음을 참고 견딘다.
② 단호하게 거부 의사를 표현한다.
③ 상대의 입장에서 먼저 생각한다.
④ 침묵으로써 거절 의사를 표현한다.
⑤ 거절하면 상대방이 기분 나빠할 수 있음을 생각한다.

04 상대방의 동의 없이 일방적으로 성 욕구를 충족하기 위해 강제로 행해지는 모든 언어적, 육체적, 정신적인 강요 및 위압적인 행동을 무엇이라고 하는지 쓰시오.

( )

05 다음에 해당하는 성폭력의 유형은?

> 성적 만족을 얻기 위하여 상대방에게 일방적으로 신체 접촉을 함으로써 상대방에게 성적 수치, 혐오의 감정을 불러일으키는 행위

① 강간 ② 성추행
③ 성폭행 ④ 성희롱
⑤ 스토킹

06 어린 시절의 성적 학대, 음란물 중독 등에 의한 왜곡된 성 가치관은 성폭력의 원인이 될 수 있다.

(○ , ×)

07 인간의 성을 상업적인 목적으로 이용하는 것을 ( )(이)라고 말한다. 생명에 대한 존중 없이 인간을 단지 성적인 도구로만 여기게 하여 성폭력이나 성매매와 같은 왜곡된 성 문화를 조장할 수 있다.

08 음성적으로 다뤄지는 왜곡된 성 문화와 성폭력에 관한 사회의 인식 부족으로 성폭력이 발생할 수 있다.

(○ , ×)

09 성폭력의 후유증이 아닌 것은?

① 우울감
② 죄의식
③ 성매개 감염병
④ 높은 자아 존중감
⑤ 대인 관계에서의 두려움

10 성폭력은 피해자 가족에게는 영향을 끼치지 않는다.

(○ , ×)

11 청소년기의 성적 욕구나 호기심은 스스로 조절하고 자제할 수 있다.

(○ , ×)

12 내가 성 행동을 원한다면 상대방도 이를 원할 것이라고 생각한다.

(○ , ×)

13 성적 행동이나 말장난 등을 친구들이 하면 모방한다.

(○ , ×)

14 성폭력을 예방하기 위해서는 피해자의 예방만이 해결책이다.

(○ , ×)

15 다음 중 성폭력이 발생했을 때 신고할 수 있는 곳으로 적절하지 않은 것은?

① 경찰(112)
② 안전Dream(117)
③ 여성긴급전화(1366)
④ 청소년상담전화(1388)
⑤ 우정사업본부(1588-1300)

16 성폭력을 당했을 때 즉시 찾아가 이야기할 대상으로 적절하지 않은 것은?

① 부모님
② 담임 선생님
③ 보건 선생님
④ 전문 상담가
⑤ SNS를 통해 처음 알게 된 친구

01 <보기>에서 성적 의사 결정을 내려야 하는 상황을 모두 고른 것은?

보기

ㄱ. 이성 친구가 성 접촉을 원할 때
ㄴ. 불쾌한 성적인 표현을 들었을 때
ㄷ. 친구가 음란물을 보자고 유혹할 때
ㄹ. 성폭력 등 성 문제에 대해 교육을 받을 때

① ㄱ, ㄴ ② ㄱ, ㄴ, ㄷ ③ ㄱ, ㄴ, ㄹ
④ ㄱ, ㄷ, ㄹ ⑤ ㄴ, ㄷ, ㄹ

02 다음 사례에 대한 예방법과 대처 방안으로 알맞지 <u>않은</u> 것은?

사례

친구를 놀리기 위해서 체육복 바지를 내리는 행동

① 친구에게 단호하게 '하지 말 것'을 요구한다.
② 친구 사이에서도 행동을 조심해야 함을 항상 인식한다.
③ 겉으로는 장난인 것 같지만 실제로는 심각한 성폭력일 수 있다고 인식한다.
④ 수치스러움을 느낄 경우 도움을 요청하기보다는 혼자 해결하기 위해 노력한다.
⑤ 상대방이 불쾌하게 여길 수 있는 행동으로 인해 성폭력 가해자가 될 수 있음을 이해한다.

03 성폭력의 개인적 원인으로 적절하지 <u>않은</u> 것은?

① 성 행동을 쾌락의 도구로만 생각하는 성 의식
② 자신이나 타인의 성을 소중하게 생각하지 않는 것
③ 어린 시절 성적 학대에 의한 왜곡된 성 가치관 형성
④ 자신보다 힘이 약한 사람을 함부로 대해도 된다는 생각
⑤ 대중매체를 통해 인간의 성을 상업적인 목적으로 이용하는 성 상품화

04 다음과 같은 증상은 성폭력의 영향 중 무엇인가?

임신, 낙태, 불임, 성매개 감염병,
두통, 복통, 근육통

① 성병 ② 임신의 증상
③ 사회적 후유증 ④ 신체적 후유증
⑤ 심리적 후유증

05 <보기>에서 성폭력 가해자가 발생하지 않도록 예방하는 방법을 모두 고른 것은?

보기

ㄱ. 성적인 욕구는 스스로 조절하고 자제할 수 있다는 것을 명심한다.
ㄴ. 친구끼리 모르고 한 장난의 경우 그냥 넘어갈 수 있다고 생각한다.
ㄷ. 내가 성 행동을 원하는 경우 상대방도 이를 원할 것이라고 생각한다.
ㄹ. 성 행동에 상대방이 침묵한다고 해서 이를 동의한 것으로 받아들이지 않는다.

① ㄱ, ㄴ ② ㄱ, ㄹ ③ ㄴ, ㄷ
④ ㄴ, ㄹ ⑤ ㄷ, ㄹ

06 <보기>에서 성폭력 피해자가 되지 않기 위한 노력으로 적절한 것을 모두 고른 것은?

보기

ㄱ. 늦은 밤에 혼자 다니지 않는다.
ㄴ. 이성에 대한 호기심을 해소하기 위해 가능한 한 많이 사귄다.
ㄷ. 잘 아는 사람이 성적인 요구를 할 때에는 믿고 'Yes'로 반응한다.
ㄹ. 상대방의 부적절한 신체 접촉에 대해서는 주저하지 않고 'No'라고 분명하게 말한다.

① ㄱ, ㄴ ② ㄱ, ㄹ ③ ㄴ, ㄷ
④ ㄴ, ㄹ ⑤ ㄷ, ㄹ

/ 재 / 미 / 있 / 는 / 교과서 65쪽

이 섹션에서 할 수 있어야 하는 것!

가 정 활 동

성적 의사 결정 능력 정도를 알아보고, 성폭력 상황에서의 대처 방안을 적어 보자.

1 **성적 의사 결정 능력 측정하기** 각 문항을 읽고, 나와 일치한다고 생각하는 칸에 ∨표를 해 보고, 결과를 알아보자.

내용	전혀 그렇지 않다. (1점)	약간 그렇지 않다. (2점)	보통이다. (3점)	약간 그렇다. (4점)	매우 그렇다. (5점)
• 나는 기쁨, 슬픔, 분노, 불안 등 내가 느끼는 감정을 잘 알 수 있다.					
• 나를 좋아하다가 싫어하는 감정이 생길 수 있음을 인정하고 받아들인다.					
• 나는 나의 성적 욕구를 잘 알고 있다.					
• 나는 성적인 감정과 욕구를 말로 표현할 수 있다.					
• 나는 좋아하는 사람이 생겼을 때 좋아한다고 표현할 수 있다.					
• 나는 원하지 않는 신체적 접촉은 싫다고 말할 수 있다.					
• 나는 상대방의 일방적인 요구에 부당함을 이야기할 수 있다.					
• 나는 상대방의 말 속에서 감정을 더 잘 느낄 수 있다.					
• 나는 내 감정과 느낌이 소중한 만큼 상대방의 감정과 느낌을 존중한다.					
• 나는 상대방이 무엇을 원하는지 알기 위해 구체적으로 묻고 듣는다.					
• 나는 임신, 피임 등 성에 관한 정보를 잘 알고 있다.					
합계					

자신의 성적 의사 결정 능력 정도를 파악한 후, 4명이 1개의 모둠을 만들어 문제 상황별 대처 방안을 토의하고 발표하여 성숙한 성 가치관을 기르도록 합니다.

2 **다음과 같은 상황에서 어떻게 대처하면 좋을지 모둠을 만들어 친구들과 의견을 나누고 적어 보자.**

상황 1 시험이 끝나고 친구들과 어울려 노래방에 갔는데, 한 여학생이 자꾸만 내 몸을 만지려고 한다. 어떻게 해야 할까?

대처 방안 기분이 나쁘니까 그러지 말라고 분명히 말한다.

상황 2 어떤 남자와 인터넷으로 채팅을 하다가 내 몸을 보고 싶다고 해서 호기심에 조금 보여 주었다. 그런데 더 야한 포즈를 시켜서 못한다고 했더니, 내 사진을 인터넷에 올리겠다고 협박한다. 어떻게 해야 할까?

대처 방안 성폭력에 해당함을 말하고, 더 요구한다면 신고한다.

상황 3 나는 남자인데 화장실에서 소변을 볼 때마다 우리 반 힘이 센 남자애들이 내 생식기를 보고 놀린다. 요즘 나는 화장실 가는 것도 두렵다. 어떻게 해야 할까?

대처 방안 동성 친구 사이에서 벌어진 일이라도 성폭력이라고 할 수 있으며, 선생님, 가족 등에게 도움을 청한다.

선생님 생각 엿보기

• 이 활동의 목적

선생님은 이 활동을 통해 자신의 성적 의사 결정 능력을 점검해 보고, 성폭력 상황에서 대처 방안을 실천할 수 있기를 바랍니다.

• 선생님은 이 활동을 이렇게 평가합니다.

상	자신의 성적 의사 결정 능력을 판단하였고, 상황에 따른 대처 방안을 적절하게 모두 제시하였다.
중	자신의 성적 의사 결정 능력은 판단하였으나, 상황에 따른 대처 방안을 1~2가지는 제시하지 못하였다.
하	자신의 성적 의사 결정 능력을 판단하지 못하였고, 상황에 따른 대처 방안도 제시하지 못하였다.

이와 관련된 활동은?

[관련 활동] 현명한 선택, 성적 의사 결정 | 성적 의사 결정의 의미를 글로 써 보고, 사례의 친구에게 조언해 줄 말을 적어 보는 활동이다.

[02. 가정 폭력과 가정 폭력의 대처 및 지원 방안]

가정 폭력의 사회·구조적인 원인과 영향을 분석하고, 가정 폭력과 관련된 다양한 문제 상황을 중심으로 대처 및 지원 방안을 탐색한다.

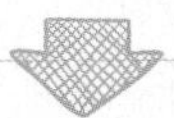

이 섹션에서 '알아야 할 것' (이해)	**가정 폭력의 원인과 영향, 가정 폭력의 대처 및 지원 방안을 이해한다.** 1. 가정 폭력의 원인과 영향 2. 가정 폭력의 대처 및 지원 방안

이 섹션에서 '할 수 있어야 하는 것' (능력)	**가정 폭력과 관련된 다양한 문제 상황을 중심으로 대처 및 지원 방안을 탐색할 수 있다.** [활동] · 가정 폭력과 관련된 활동을 해 보자.

이 섹션에서 알아야 할 것!

02 가정 폭력과 가정 폭력의 대처 및 지원 방안

1. 가정 폭력의 원인과 영향

① 가정 폭력

㉠ **의미:** 가족 구성원이 다른 구성원에게 신체적 · 정신적 또는 재산상의 피해를 주는 모든 행위를 말한다.

㉡ **가정 폭력의 유형**

- 신체적, 물리적 폭력: 폭행, 감금, 신체적 억압, 자유를 구속하거나 기물을 파손하는 등의 폭력 행위
- 통제적 폭력: 학교생활, 친구 관계를 통제하거나 관계를 의심하는 행동
- 정서적 폭력: 폭언, 무시, 모욕과 같은 언어적 학대, 정신적 학대
- 방임적 폭력: 무관심, 냉담, 위험 상황에서 방치하는 행동
- 경제적 폭력: 경제 활동을 통제하는 행위
- 성적 폭력: 지속적인 성적 학대

② 가정 폭력의 원인

㉠ **개인 · 가정적 원인**

- 자존감이 낮고, 지나치게 의존적인 성격
- 어린 시절의 폭력과 학대 경험
- 우울증과 같은 정신 장애나 성격 장애
- 사회적 고립이나 경제적 문제
- 부모 역할에 관한 지식 부족
- 자녀를 향한 비현실적 기대
- 술, 약물 등의 중독

㉡ **사회 · 문화적 원인**

- 가부장제하에서 아내와 자녀를 내 마음대로 할 수 있다는 소유 의식
- 남의 집 일에 끼어들면 안 된다는 잘못된 사회적 인식
- 사회의 폭력 허용 분위기
- 피해자를 위한 법적 보호의 미비

③ 가정 폭력의 영향

㉠ **피해자**

- 멍, 골절 등의 신체적 피해를 입는다.
- 자살을 시도할 수 있다.
- 두려움, 불안감, 증오심 등을 느낀다.
- 공격적이거나 의기소침해져 문제 행동을 보인다.

동기 유발 [교과서 66쪽]

위 그림을 보고, 느낀 점을 이야기해 보자.

예시 답안

가정 폭력을 당한 아이가 자라서 자신의 아이를 똑같이 대할 것 같다.

보조 노트

가정 폭력의 특성

- 은폐되는 폭력: 가정 내에서 묵인되고, 사회적으로 허용된다.
- 지속되는 폭력: 장기간 지속된다.
- 중복되는 폭력: 배우자, 자녀, 부모, 동물 등에 중복된다.
- 순환되는 폭력: 세대 간 전이된다.

가정 폭력의 유형 3단계

- 1단계 위기 가정: 최초 가정 폭력 신고나 사안이 경미(물리력 없이 단순 의견 차이, 언쟁, 욕설 등)하여 상담만으로도 갈등을 해소할 수 있는 경우 → 필요시 대면 상담, 전문 상담 권유
- 2단계 위험 가정: 폭력을 행사하는 등 사안이 중하지만 피해자가 가정을 지키려는 의도 또는 혼인 관계를 유지하려는 가정 → 부부 교정 치료 프로그램 이수 권유, 갈등 원인 교정, 가정 회복
- 3단계 해체 가정: 폭력을 행사하는 등 사안이 중하여 피해자가 이혼 등 혼인 관계를 해소하려는 의사가 분명한 가정 → 법률 상담, 쉼터 등 보호 시설 인계, 피해자 보호 및 심리적 안정 지원

작은 활동 [교과서 66쪽]

내가 가정 폭력이라고 생각했던 것에 체크해 보자.

예시 답안

- [V] 신체적, 물리적 폭력
- [V] 정서적 폭력

• 가해자의 감시와 통제로 고립될 수 있다.
• 폭력이 대물림될 수 있다.

ⓛ **가해자**
• 피해자로부터 사랑과 존경을 잃게 된다.
• 가족 전체를 잃을 수 있다.
• 피해자로부터 보복을 당할 수 있다.

ⓒ **가정**
• 가해자에게 느끼는 두려움으로 안정된 가정생활을 유지하기 어렵다.
• 가족 간의 갈등으로 가족 해체의 가능성이 높다.

ⓔ **사회**
• 가족 해체로 사회 불안정을 일으킨다.
• 가정 폭력에 의한 신체적, 정신적 피해로 여러 가지 사회 문제를 일으킬 수 있다.

2. 가정 폭력의 대처 및 지원 방안

① 가정 폭력 대처 방법

ⓖ 안전을 위해 일단 피한다.
ⓛ 112에 신고하거나 여성긴급전화 1366에 전화하여 도움을 받는다.
ⓒ 즉시 치료를 받는다.
ⓔ 피해 사실을 믿을 만한 사람에게 알린다.
ⓜ 증거 자료를 보존한다(진료 기록, 사진 자료 등).
ⓗ 가정 폭력 전문 상담 기관에 상담하고, 법적 대응을 준비한다.

② 가정 폭력의 지원 방안

ⓖ 신고 시, 경찰관의 현장 출동 및 조사를 통해 긴급히 임시 조치를 할 수 있다. 임시 조치란 피해자 보호를 위해 임시적으로 피해자와 가해자를 분리시키는 것을 말한다.
ⓛ 폭행 가해자를 24시간 임시로 분리시킬 수 있다.
ⓒ 경찰관 출동이 의무화되고, 전문 상담가가 동행할 수 있다.
ⓔ 부부간의 폭행일 때에는 부부 상담을 실시하고, 자녀를 볼 수 있는 권한을 제한할 수 있다.
ⓜ 보호 시설이 멀리 떨어진 곳은 임시 보호소를 마련해 준다.
ⓗ 피해자의 직업 훈련비를 지원하여 자립할 수 있도록 도와준다.

핵심 용어 | 신체적·물리적·통제적·정서적·방임적·경제적·성적 폭력, 임시 조치

보조 노트

가정 폭력 예방을 위한 지침
• 어떤 상황에서도 폭력은 사용하지 않기(화 조절, 스트레스 관리, 대화)
• 자녀들에게 매를 들기 전 다시 한번 생각하기
• 평소 폭력적인 언행 삼가고, 칭찬하기
• 남이 폭력을 사용하는 것을 보면 제지하기
• 가까운 경찰서, 가정 폭력 상담 기관 전화번호 메모해 두기
• 심각한 폭력이 일어나는 위기 상황인 경우 바로 112에 신고하기
• 가정 내 폭력을 호소하는 친구에게 상담 기관 안내하기
• 가족 간의 대화를 통해 서로 존중하고 이해하도록 노력하기

[교과서 70쪽]

보라데이 열쇠고리 만들기!

활동 TIP
보라데이와 ∞ 모양의 의미를 떠올리며, ∞ 모양의 열쇠고리가 깔끔하게 만들어지도록 한다.
만들기 과정에서 바늘 사용에 주의한다.

[교과서 71쪽]

손바닥의 검은 점 외에 어떠한 방법으로 가정 폭력의 피해 사실을 알리고 도움을 요청할 수 있을지 이야기해 보자.

예시 답안
SOS라고 쓰거나 도와달라고 써서 보여줄 수 있다.

스스로 정리하기

1 가족 구성원이 다른 구성원에게 신체적·정신적 또는 재산상의 피해를 주는 모든 행위를 무엇이라고 하는가? 가정 폭력

2 창의·인성 가정 폭력이 발생하였을 때의 대처 방법을 이야기해 보자. • 안전을 위해 일단 피한다.
• 112에 신고하거나 여성긴급전화 1366에 전화하여 도움을 받는다.
• 즉시 치료를 받는다.
• 피해 사실을 믿을 만한 사람에게 알린다.
• 증거 자료를 보존한다(진료 기록, 사진 자료 등).
• 가정 폭력 전문 상담 기관에 상담하고, 법적 대응을 준비한다.

개념 익히기

01 가족 구성원이 다른 구성원에게 신체적 · 정신적 또는 재산상의 피해를 주는 모든 행위를 무엇이라고 하는지 쓰시오.

(   )

02 가정 폭력은 가정 내에서 숨겨져 외부로 노출되지 않고, 외부에서도 가정 폭력에 개입을 꺼림으로써 (   )되는 특성이 있다.

03 가정 폭력은 '때리는 것', 즉 신체적 폭력만을 의미한다.
(○ , ×)

04 가정 폭력에 대한 설명으로 적절한 것은?

① 맞을 짓을 했으면 맞아야 한다.
② 말이 안 통하면 때릴 수도 있다.
③ 내 자녀이므로 내 마음대로 때려도 된다.
④ 학대받은 아동은 성장하여 모두 학대자가 된다.
⑤ 가정 폭력은 이웃이나 사회에서도 개입하여 적극적으로 해결해야 한다.

05 다음 사례에서 나타나는 가정 폭력의 유형은?

> "난 아들 내외에게 투명인간, 쓸모없는 노인네라네."

① 신체적 폭력
② 통제적 폭력
③ 정서적 폭력
④ 방임적 폭력
⑤ 경제적 폭력

06 가정 폭력의 사회 · 문화적 원인으로 적절한 것은?

① 낮은 자존감
② 술, 약물 등의 중독
③ 어린 시절의 학대 경험
④ 우울증과 같은 정신 장애
⑤ 피해자를 위한 법적 보호의 미비

07 가정 폭력으로 인해 피해자가 겪을 수 있는 영향으로 적절하지 않은 것은?

① 폭력이 대물림될 수 있다.
② 가족의 정신적 피해로 끝난다.
③ 가해자의 감시와 통제로 고립될 수 있다.
④ 두려움, 불안감이나 증오심 등을 느낀다.
⑤ 공격적이거나 의기소침해져 문제 행동을 보인다.

08 가정 폭력이 있는 가정은 가해자에게 느끼는 두려움으로 안정된 (　　　　　　)을/를 유지하기 어렵다.

09 가정 폭력에 의한 신체적, 정신적 피해로 여러 가지 사회 문제를 일으킬 수 있다.
(○ , ×)

10 가정 폭력의 대처 방법으로 적절하지 않은 것은?
① 즉시 치료를 받는다.
② 피해 사실을 숨긴다.
③ 증거 자료를 보존한다.
④ 안전을 위해 일단 피한다.
⑤ 전문 상담 기관에 상담한다.

11 가정 폭력이 발생하였을 때에는 112 또는 여성긴급전화 (　　　　　　)에 전화하여 도움을 받는다.

12 가정 폭력의 피해자 보호를 위해 임시적으로 피해자와 가해자를 분리시키는 것을 무엇이라고 하는지 쓰시오.
(　　　　　　　　)

13 부부간의 폭행일 때에는 부부 상담을 실시하고, 자녀를 볼 수 있는 권한을 제한할 수 있다.
(○ , ×)

14 가정 폭력의 피해자를 위한 보호 시설이 멀리 떨어진 곳은 (　　　　　　)을/를 마련해 준다.

15 가정 폭력의 피해자를 위해 피해자의 (　　　　　　)을/를 지원하여 자립할 수 있도록 도와준다.

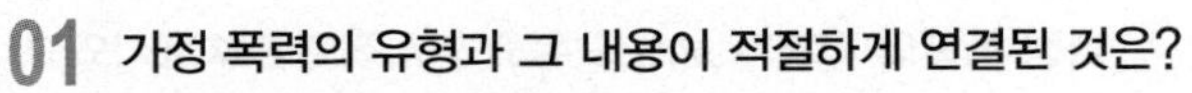

개념 활용하기

정답과 해설 5쪽

01 가정 폭력의 유형과 그 내용이 적절하게 연결된 것은?

① 성적 폭력 – 경제 활동 통제
② 신체적 폭력 – 폭언, 무시, 모욕
③ 방임적 폭력 – 무관심, 냉담, 방치
④ 경제적 폭력 – 지속적인 성적 학대
⑤ 정서적 폭력 – 폭행, 감금, 신체적 억압

02 〈보기〉에서 가정 폭력의 개인 · 가정적 원인을 모두 고른 것은?

보기
ㄱ. 술, 약물 등의 중독
ㄴ. 사회의 폭력 허용 분위기
ㄷ. 어린 시절의 폭력과 학대 경험
ㄹ. 피해자를 위한 법적 보호의 미비
ㅁ. 낮은 자존감과 지나치게 의존적인 성격

① ㄱ, ㄴ, ㄷ ② ㄱ, ㄷ, ㅁ
③ ㄴ, ㄷ, ㄹ ④ ㄴ, ㄹ, ㅁ
⑤ ㄷ, ㄹ, ㅁ

03 가정 폭력의 영향으로 적절하지 않은 것은?

① 폭력이 대물림될 수 있다.
② 멍, 골절 등의 신체적 피해를 입는다.
③ 안정적인 가정생활을 유지할 수 있다.
④ 두려움, 불안감, 증오심 등을 느끼게 된다.
⑤ 가정 폭력에 의한 신체적, 정신적 피해로 여러 가지 사회 문제를 일으킬 수 있다.

04 〈보기〉에서 가정 폭력의 대처 방법으로 적절한 것을 모두 고른 것은?

보기
ㄱ. 피해 사실을 주변 사람들에게 알리지 않는다.
ㄴ. 현장에서 도망치지 않고 끝까지 문제를 해결하기 위해 애쓴다.
ㄷ. 112에 신고하거나 여성긴급전화 1366에 전화하여 도움을 받는다.
ㄹ. 즉시 치료를 받고 진료 기록, 사진 자료 등을 증거 자료로 보존한다.

① ㄱ, ㄴ ② ㄱ, ㄷ ③ ㄴ, ㄷ
④ ㄴ, ㄹ ⑤ ㄷ, ㄹ

05 가정 폭력의 지원 방안으로 적절하지 않은 것은?

① 폭행 가해자를 24시간 임시로 분리시킬 수 있다.
② 피해 사실을 언론이나 신문에 공개적으로 알린다.
③ 보호 시설이 멀리 떨어진 곳은 임시 보호소를 마련해 준다.
④ 경찰관 출동이 의무화되고, 전문 상담가가 동행할 수 있다.
⑤ 피해자의 직업 훈련비를 지원하여 자립할 수 있도록 도와준다.

06 가정 폭력을 예방하기 위한 방법으로 적절하지 않은 것은?

① 평소 스트레스를 관리한다.
② 화를 조절하는 연습을 한다.
③ 남이 폭력을 사용하는 것을 보면 제지한다.
④ 가족 간의 대화를 통해 서로 이해하려고 노력한다.
⑤ 평소 칭찬이나 격려보다는 직설적으로 감정을 표현한다.

/ 재 / 미 / 있 / 는 /

교과서 69쪽

이 섹션에서 **할 수 있어야 하는 것!**

가 정 활 동 　가정 폭력과 관련된 활동을 해 보자.

1 다음 글을 읽고, 어떻게 해야 할지 적어 보자.

• **이야기 속의 어린아이가 나라면?**

엄마가 아빠에게 폭력을 당하는 모습도 무섭고, 엄마가 자신을 때리는 것과 발가벗겨진 채 복도로 쫓겨나는 것도 고통스러울 것이다. 가족을 믿고 의지하기보다는 두려움의 대상일 것 같다.

• **이야기와 같은 상황이 이웃에게 벌어지고 있다면?**

가정 폭력은 주변 사람들의 관심과 도움이 절대적으로 필요하므로, 112나 1366으로 신고한다. 모른 척 외면한다면 먼 훗날, 가정 폭력 피해자는 또 다른 가해자로 사회에 폭력을 확산시켜 누구라도 범죄의 피해자가 될 수 있다고 생각한다. 그러므로 '보라데이'처럼 가까운 사람들을 잘 지켜보고 도움을 줄 것이다.

사례를 통해 가정 폭력을 목격하게 되었을 때, 남의 일이라고 모른 척 하지 말고 가정 폭력 피해자에게 도움을 줄 수 있는 방법을 찾아 적극적으로 실천할 수 있는 방안을 제시합니다.

2 가정 폭력과 관련된 아래의 대사에 반박해 보자.

사회 통념	반박 내용
아이가 생기면 남편의 폭력성은 줄어들겠지?	아이가 생겨도 폭력은 줄어들지 않는다.
애들을 봐서라도 내가 참고 살아야지!	폭력은 대물림되어 또 다른 폭력을 만들어 낼 수 있다.
가정 폭력 가해자는 성격 이상자이거나 알코올 중독자일 거야.	가정 폭력 가해자는 특별한 사람이 아니라 누구라도 될 수 있다.
맞고 사는 사람에게 문제가 있겠지!	피해자에게 책임을 떠넘겨서는 안 된다.
남자는 남자답게, 여자는 여자답게 커야 한다.	남녀는 남자와 여자이기 전에 인간으로서 존중하고 서로 협력하며, 배려하는 관계이다.

3 내가 부모가 되었을 때, 행복한 가정을 위해 실천할 사항을 작성해 보자.

예시 : 언제나 따뜻한 마음으로 자녀를 안아 주겠다.

① 일주일에 2~3번은 온 가족이 함께 식사하겠다.

② 가족 행사는 자녀들과 함께 의논해서 결정하겠다.

③ 계절에 한 번씩 가족 여행을 가서 행복한 추억을 만들겠다.

④ 일요일은 '가족의 날'로 정하고, 집안일을 온 가족이 나누어 하겠다.

⑤ 매일 한 번씩 가족 간에 돌아가며 안아 주기를 하겠다.

선생님 생각 엿보기

• 이 활동의 목적

선생님은 이 활동을 통해 가정 폭력 상황을 보았을 때 적극적으로 신고하고 잘못된 사회 통념을 바로잡을 수 있으며, 나와 다른 사람의 폭력 없는 행복한 가정을 설계할 수 있기를 바랍니다.

• 선생님은 이 활동을 이렇게 평가합니다.

상	가정 폭력 상황의 이웃을 돕는 방법, 잘못된 사회 통념의 반박, 행복한 가정을 위한 실천 사항을 빠짐없이 모두 제시하였다.
중	가정 폭력 상황의 이웃을 돕는 방법, 잘못된 사회 통념의 반박, 행복한 가정을 위한 실천 사항 중 1~2가지만 제시하였다.
하	가정 폭력 상황의 이웃을 돕는 방법, 잘못된 사회 통념의 반박, 행복한 가정을 위한 실천 사항의 내용이 맞지 않거나 1가지도 제시하지 못하였다.

이와 관련된 활동은?

[관련 활동] '가정 폭력의 사례' 소셜 리딩 짝 토론 활동 | 인터넷, 스마트폰, 신문, 뉴스 등에서 가정 폭력 관련 내용을 찾아보고, 가정 폭력의 원인을 찾을 수 있는 질문을 만들어 짝과 토의한 후 대처 및 지원 방안을 적어 보는 활동이다.

[03. 안전한 식품의 선택과 관리 및 보관]

가족의 건강과 환경을 고려한 식품 선택의 중요성을 이해하고, 식품을 안전하게 관리하고 보관하는 방법을 탐색하여 실생활에 활용한다.

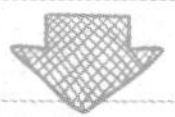

이 섹션에서 '알아야 할 것' (이해)	**가족의 건강과 환경을 고려한 식품 선택의 중요성과 현명한 장보기 방법 및 식품의 안전한 관리와 보관 방법을 이해한다.** 1. 가족의 건강과 환경을 고려한 식품 선택의 중요성 2. 똑 부러지는 현명한 장보기 3. 식품의 안전한 관리와 보관 방법

이 섹션에서 '할 수 있어야 하는 것' (능력)	**식품을 안전하게 관리하고 보관하는 방법을 탐색하여 실생활에 활용할 수 있다.** [활동 1] • 건강과 환경을 고려한 식품을 선택하기 위한 활동을 해 보자. [활동 2] • 냉장고 사용 방법에 관한 글을 읽고, 우리 집 냉장고의 식품 보관 상태를 확인해 보자.

이 섹션에서
알아야 할 것!

03 안전한 식품의 선택과 관리 및 보관

1. 가족의 건강과 환경을 고려한 식품 선택의 중요성

신선하고 품질이 우수한 식품을 선택하면 영양소를 골고루 섭취할 수 있고, 위생적인 식품을 섭취하게 되어 건강한 식생활을 할 수 있다. 따라서 식품을 선택할 때에는 가족의 건강과 환경을 고려하여 식품 성분 표시, 식품 인증 마크 등을 확인하고, 로컬 푸드를 선택하도록 한다.

① 식품 성분 표시

㉠ **의미:** 소비자들이 자신에게 적합한 식품을 선택할 수 있도록 식품의 원재료명 및 함량, 제조 연월일 및 유통 기한, 영양 정보, 내용량, 보관 및 취급 방법 등에 관한 정보를 제품의 포장이나 용기에 표시한 것을 말한다.

㉡ **유통 기한:** 제조일로부터 소비자에게 판매가 허용되는 기한을 말한다.

- 설탕과 소금 등은 미생물 번식 우려가 거의 없기 때문에 제조 일자만 표시한다.
- 편의점에서 판매하는 김밥, 샌드위치 등은 상하기 쉬우므로 유통 기한뿐만 아니라 제조 일자, 제조 시간까지 표기한다.

㉢ **영양 정보:** 소비자가 자신의 건강에 도움이 되는 제품을 선택할 수 있도록 가공식품의 영양적 특성을 표시한 것을 말한다.

영양정보	총 내용량 00g 000kcal
총 내용량당	1일 영양성분 기준치에 대한 비율
나트륨 00mg	00%
탄수화물 00g	00%
당류 00g	
지방 00g	00%
트랜스지방 00g	
포화지방 00g	00%
콜레스테롤 00mg	00%
단백질 00g	00%

1일 영양성분 기준치에 대한 비율(%)은 2,000kcal 기준이므로 개인의 필요 열량에 따라 다를 수 있습니다.

- 하루에 섭취해야 할 영양 성분 양의 몇 %를 식품이 함유하는지 알 수 있다.

  예 지방의 비율이 16%이면 1일 영양 성분 기준치의 16%에 해당한다. 따라서 건강을 위해서는 그날 다른 식품을 통해 나머지 84%를 확보하는 것이 바람직하다.
- 소비자 관심도가 높은 영양 성분순으로 표시한다.

  예 나트륨 → 탄수화물 → 지방 → 콜레스테롤 → 단백질 순

② 식품 인증 마크

㉠ **의미:** 식품의 품질을 일정한 기준으로 검사하여 그 우수성과 안전성을 인증하는 표시 제도를 말한다.

㉡ 식품 인증 마크는 식품이 안전하게 재배되고 위생적으로 가공되었는지 알아볼 수 있도록 정보를 제공해 주므로, 식품을 선택할 때 식품 인증 마크를 확인하도록 한다.

㉢ **식품 인증 마크의 종류**

유기 농산물 마크	유기 가공식품 마크	전통 식품 인증 마크
유기농 (ORGANIC) 농림축산식품부 합성 농약과 화학 비료를 사용하지 않고 재배한 농산물에 부여한다.	유기가공식품 (ORGANIC) 농림축산식품부 유기 농축산물을 95% 이상 이용하되, 모든 제조 과정이 철저히 인증된 가공식품에 부여한다.	전통식품 (TRADITIONAL FOOD) 농림축산식품부 우리 농산물로 만들어 안전하고, 전통의 맛과 향이 살아 있는 우수한 제품에 부여한다.

동기 유발 [교과서 72쪽]

나는 식품을 선택할 때 어떤 점을 더 중시하여 선택하는지 표시해 보자.

예시 답안

You are what you eat!(당신이 먹는 것이 곧 당신이다.) 어떤 것을 먹느냐에 따라 그 사람을 알 수 있다는 의미를 담고 있다.

보조 노트

소비 기한

소비자가 식품을 먹어도 건강상에 이상이 없을 것으로 판단되는, 식품 소비의 최종 시한을 말한다.

품질 유지 기한

식품의 특성에 맞게 적절히 보관할 경우 해당 식품 고유의 품질이 유지될 수 있는 기한으로, 부패 변질 우려가 적은 잼류나 장류 등에 표기한다.

무농약 농산물 인증 마크	농산물 우수 관리 인증 마크	HACCP
 합성 농약은 사용하지 않고, 화학 비료는 권장량의 1/3 이하로 사용하여 재배한 농산물에 부여한다.	 농산물 생산에서 제품화 단계까지 농약, 중금속, 미생물 등 위해 요소 관리가 우수한 농산물에 부여한다.	 식품의 원재료에서부터 제조, 가공, 보존, 조리, 유통 등 모든 과정에서 위해 요소를 규명하고 위생적으로 관리된 식품에 부여한다.

③ 로컬 푸드(local food)

㉠ **의미:** 지역에서 재배되고 생산 · 가공된 먹을거리를 말한다.

㉡ **장점**

- 채소와 과일류를 지역 내에서 소비함으로써 생산지에서 소비자에게 오는 단계를 줄일 수 있어서 신선도가 높고 맛이 좋다.
- 식품의 운송 거리가 짧은 지역 농산물을 이용하면 에너지 소비가 적고, 이산화탄소 발생량이 줄어들게 된다.
- 소비자는 신선하고 저렴한 식품을 살 수 있다.

㉢ **푸드 마일리지:** 먹을거리가 이동하는 거리로, 먹을거리의 이동 거리가 멀수록 운반과 포장, 폐기 과정에서 이산화탄소 배출량이 늘어난다. 따라서 푸드 마일리지를 줄이면 이산화탄소의 발생이 줄어들어 지구 온난화 속도를 늦출 수 있다.

2. 똑 부러지는 현명한 장보기

① 식품 구매

㉠ **구매 순서 및 방법**

- 생활 잡화를 먼저 구매하고, 식품은 나중에 구매한다.
- 식품의 구매는 1시간 이내로 한다.
- 장보기를 마치면 시간을 지체하지 말고 바로 귀가하여 냉장고에 보관한다.
- 샌드위치, 김밥, 떡볶이와 같은 즉석식품은 구매 후 바로 먹는다.

㉡ **식품 구매 순서:** 냉장이 필요 없는 식품 → 과일, 채소류 → 냉장이 필요한 가공식품 → 육류 → 어패류

㉢ **식품 구입 장소:** 재래시장, 대형 마트, 식품 전문점, 직거래 장터 등의 가격 차이, 편리성과 같은 장단점을 비교하여 구입하는 것이 좋다.

② 식품별 확인 사항

㉠ **곡류:** 낟알이 고르고 반투명한 것, 잘 건조되어 광택이 나는 것

㉡ **감자류**

- 알이 굵고 고르며, 단단하고 상처가 없는 것
- 감자의 싹에는 솔라닌이라는 독소가 있으므로, 싹이 나지 않고 녹색을 띠지 않는 것

㉢ **콩류:** 벌레 먹지 않은 것, 크기가 고르고 통통한 것, 단단하고 광택이 나는 것

㉣ **채소류:** 제철에 생산된 것, 빛깔이 선명하고 싱싱한 것, 상처가 없고 단단한 것

㉤ **알류**

- 껍데기가 까슬까슬하고 광택이 없는 것

보조 노트

해썹(HACCP)

우리나라는 1995년 식품위생법에 안전 관리 인증 기준(HACCP)을 도입하여 어육 가공품, 냉동 수산 식품, 냉동식품, 빙과류, 비가열 음료, 레토르트 식품, 배추김치 등 7개 식품에 대하여 의무적으로 적용하고 있다.

로컬 푸드(local food) 운동

로컬 푸드는 반경 50km 이내에서 생산된 식품으로, 이산화탄소의 발생 감소와 에너지 소비 절감을 위하여 지역의 농식품 사용을 권장하는 운동이다.

식품 구입 장소의 선택

- 재래시장: 제철에 나는 신선한 채소와 과일, 수산물을 구매하기에 좋다.
- 대형 마트: 가공식품의 가격이 저렴하며, 다양한 식품을 한 번에 구입할 수 있어 편리하다.
- 식품 전문점: 유기농 식품, 전문 식육점, 조리된 반찬 등 특정 식품을 전문적으로 판매하는 곳이다.
- 직거래 장터: 중간 유통 과정을 거치지 않아 신선하고 저렴한 지역 농산물을 구입할 수 있다.

계절 식품

- 봄: 채소류(냉이, 쑥, 돌나물, 두릅 등), 과일류(딸기, 살구, 앵두 등), 어패류(조기, 우럭, 바지락 등)
- 여름: 채소류(상추, 가지, 오이, 깻잎 등), 과일류(수박, 참외, 복숭아 등), 어패류(농어, 민어, 장어 등)
- 가을: 채소류(무, 배추, 토란, 고구마 등), 과일류(사과, 배, 감 등), 어패류(갈치, 고등어, 전어 등)
- 겨울: 채소류(우엉, 연근, 김, 미역 등), 과일류(귤, 곶감 등), 어패류(명태, 광어, 대구, 굴 등)

• 흔들어 보았을 때 소리가 나지 않는 것
• 깨뜨렸을 때 흰자와 노른자가 넓게 퍼지지 않고 모두 볼록하며, 탄력이 있는 것

ⓑ **육류**
• 쇠고기와 돼지고기는 숙성된 것
• 쇠고기는 선명한 붉은색을 띠고 탄력이 있는 것
• 돼지고기는 살코기가 연분홍색을 띠고 지방이 희며, 탄력과 윤기가 있는 것
• 닭고기는 껍질이 크림색이고 탄력이 있으며, 광택이 있는 것

ⓢ **과일류**
• 제철에 생산된 것으로 알맞게 익은 것, 고유의 색과 향이 있고, 윤기가 나는 것
• 모양이 고르고 상처가 없는 것, 꼭지 부분이 신선한 것

ⓞ **어패류**
• 살이 단단하고 탄력이 있는 것, 눈알이 맑고 튀어나온 것
• 아가미가 선홍색을 띠는 것, 비린내가 나지 않는 것
• 조개는 껍데기를 만졌을 때 즉시 오므리는 것

ⓙ **가공식품:** 식품 성분 표시 내용 확인, 식품의 포장에 표시된 기준대로 보관된 것, 용기나 포장 상태가 좋은 것

안전한 식품을 구매하려면!
• 상점 내부가 청결하고 정리가 잘 되어 있어 신뢰가 가는 곳에서 구입한다.
• 유통 기한을 확인하여 날짜가 많이 남아 있는 식품을 고른다.
• 캔, 용기 등의 포장이 파손되거나 움푹 들어간 것, 오염되어 있는 것은 피한다.
• 곰팡이가 있거나 변색되는 등 상한 것으로 보이는 식품은 피한다.
• 따뜻한 식품이 식어 있으면 구입하지 않는다.
• 카운터 위에 뚜껑 없이 판매하는 조리된 식품은 사지 않는다.

3. 식품의 안전한 관리와 보관 방법

① 식품 변질

㉠ **의미:** 식품을 그대로 두었을 때, 식품의 특성과 외관, 품질이 점점 변하여 먹기에 적당하지 않은 상태로 나쁘게 변하는 것을 말한다.

㉡ **종류:** 산패, 부패, 변패 등

㉢ **식품에 따른 식품 변질**

종류	식품 변질 내용	원인
우유 및 유제품	산패, 냉장 중 쓴맛, 가스 발생	미생물, 효소, 수분 손실 등에 의한 화학 반응
육류, 알류 및 육가공품	부패, 변색, 악취	
어패류	비린내(부패취)	
채소 및 과일류 가공품	김치의 악취, 잼의 변패	

㉣ **식품 변질을 방지하는 방법**
• 수분 조절: 탈수, 건조, 염장, 당장법
• 온도 조절: 냉장 · 냉동 보관
• pH 조절: 초절임

그림으로 보는

[교과서 74~75쪽]
어제, 오늘 먹은 급식을 떠올리며, 급식의 재료를 구매하려고 할 때 살펴봐야 할 점을 적어 보자.

예시 답안
• 급식 메뉴: 미역국, 치킨 탕수육, 달걀 국, 삼치 무조림, 배추김치
• 급식 재료: 미역, 닭고기, 밀가루, 달걀, 삼치, 무, 배추
• 살펴봐야 할 점: 식품의 유통 기한, 신선도, 고유의 빛깔이나 냄새, 탄력성 등을 살펴본다.

보조 노트

식품 변질 요인
• 부패: 단백질 식품이 미생물에 의해 분해되어 악취를 내거나 인체에 유해한 물질이 만들어져 먹을 수 없게 되는 현상
• 변패: 단백질 이외의 식품, 즉 탄수화물 식품이 미생물에 의해 분해되는 현상
• 산패: 지방 식품이 공기 중의 산소, 일광, 금속 등에 의해 분해되는 현상
• 발효: 탄수화물 식품이 미생물의 분해 작용으로 유기산, 알코올을 생성하는 현상

식품의 보존 방법
• 탈수 및 건조: 미생물 발육에 필요한 수분을 15% 이하로 감소시켜 미생물이 번식할 수 없게 하는 방법(곡류 등)
• 훈연법: 살균력이 있는 연기를 쐬어 미생물의 번식을 억제하는 방법(소시지, 베이컨 등)
• 저온 살균법: 60~65℃의 저온에서 30분간 가열하여 미생물을 살균하는 방법(우유, 주스 등)
• 고온 살균법: 70~75℃의 온도에서 15초 동안 가열 살균한 후 급속히 냉각 처리하는 방법(과즙, 우유 등)
• 염장 · 당장법: 소금이나 설탕을 고농도로 식품에 첨가하여 미생물의 생육을 억제해 식품을 보존하는 방법(젓갈류, 장아찌류, 잼류, 마멀레이드, 정과류 등)
• 초절임(산저장법): 식품에 산을 첨가하여 pH를 4.5 이하로 낮추어 미생물 번식을 막아 식품의 보존 기간을 늘리는 방법(피클류 등)

• 가열 살균: 통조림, 병조림, 레토르트 식품
• 기타: 자외선 조사, 방사선 조사, 산소 제거(진공 포장, 가스 치환), 훈연법, 식품 첨가물 사용

② 식품 위해 요소

㉠ **의미:** 식품의 안전과 인체의 건강을 해할 우려가 있는 요소를 말한다.
㉡ **종류:** 식중독균, 곰팡이, 농약, 항생 물질, 유해 화학 물질, 방사능 물질, 중금속 등

③ 식중독

㉠ **의미:** 인체에 유해한 미생물 또는 유독 물질이 들어 있는 식품 섭취에 의해 발생하는 질환을 말한다.
㉡ **식중독이 발생하기 쉬운 식품:** 도시락, 샐러드, 어패류, 육류 등
㉢ **식중독을 예방하는 세 가지 습관**
• 손 씻기: 손을 비누로 깨끗이 씻는다.
• 익혀 먹기: 음식물을 익혀 먹는다.
• 끓여 먹기: 물을 끓여 마신다.
㉣ **식중독을 예방하는 3원칙**
• 청결: 식품을 청결하게 취급하여 조리하고 가공한다.
• 신속: 조리된 식품은 빠른 시간 안에 섭취한다.
• 보관: 저장이 어려울 때에는 냉각 또는 가열해야 한다.
㉤ **식중독 발생 시 대처 방법**
• 구토, 설사, 복통 등의 증상이 나타나면 즉시 의사의 진료를 받는다.
• 설사 환자는 탈수 방지를 위해 수분을 섭취한다.
• 구토가 심한 환자는 고개를 옆으로 눕혀 기도가 막히지 않도록 주의한다.
• 지사제 등 설사약을 함부로 복용하지 말고, 반드시 의사의 지시에 따른다.

핵심 용어 | 식품 성분 표시, 유통 기한, 영양 정보, 식품 인증 마크, 로컬 푸드, 푸드 마일리지, 식품 변질, 식품 위해 요소, 식중독

보조 노트

식품 첨가물의 섭취를 줄이는 방법
• 라면: 면을 살짝 삶아 국물을 따라 버린 후 다시 삶고, 수프의 양을 줄인다.
• 소시지: 칼집을 많이 낸 상태로 끓는 물에 데치면 식품 첨가물과 소금, 기름기도 제거된다.
• 어묵: 뜨거운 물에 담갔다가 조리하고, 자른 후 뜨거운 물을 붓는다.
• 햄 · 통조림: 노란 기름 덩어리는 따라 내고, 통조림 안의 국물도 따라 내고 조리한다.

작은 활동 [교과서 76쪽]

나는 위와 같은 식품을 어떻게 보관하는지 이야기해 보자.

예시 답안
• 우유와 유제품은 항상 냉장 보관한다.
• 육류는 바로 먹을 것은 냉장실에 넣고, 며칠 후에 먹을 것은 냉동실에 넣어 변질되지 않도록 한다.
• 햄 · 소시지 등의 육가공품은 냉장고에 보관한다.

스스로 정리하기

1 인체에 유해한 미생물 또는 유독 물질이 들어 있는 식품 섭취에 의해 발생하는 질환을 무엇이라고 하는가? 식중독

2 창의·인성 식품의 운송 거리가 짧은 로컬 푸드를 이용하면 좋은 점을 이야기해 보자.
• 에너지 소비가 적고, 이산화탄소 발생량이 줄어들게 된다.
• 소비자는 신선하고 저렴한 식품을 살 수 있다.

개념 익히기

정답과 해설 5쪽

01 식품을 선택할 때에는 가족의 (　　　　　)와/과 (　　　　　)을/를 고려하여 식품 성분 표시, 식품 인증 마크 등을 확인하고, 로컬 푸드를 선택하도록 한다.

02 (　　　　　)은/는 제조일로부터 소비자에게 판매가 허용되는 기한을 말한다.

03 유기 가공식품 마크는 유기 농축산물을 95% 이상 이용하되, 모든 제조 과정이 철저히 인증된 가공식품에 부여한다.
(○ , ×)

04 지역에서 재배되고 생산 · 가공된 먹을거리를 무엇이라고 하는지 쓰시오.
(　　　　　　　　)

05 푸드 마일리지가 클수록 신선하고, 이산화탄소 배출량이 적은 것이다.
(○ , ×)

06 감자의 싹에는 (　　　　　)(이)라는 독소가 있으므로, 싹이 나지 않고 녹색을 띠지 않는 것을 선택한다.

07 다음 중 식품 위해 요소에 해당하지 않는 것은?
① 농약　② 중금속　③ 곰팡이
④ 나트륨　⑤ 항생 물질

08 식중독 예방 원칙 3가지를 쓰시오.
(　　　　　　　　)

01 건강과 환경을 고려한 식생활 실천 방법으로 적절하지 <u>않은</u> 것은?

① 음식물 쓰레기 배출량을 줄인다.
② 개인 접시를 이용해서 덜어 먹는다.
③ 따뜻한 식품이 식어 있으면 구입하지 않는다.
④ 카운터 위에 뚜껑 없이 판매하는 조리된 식품을 구입한다.
⑤ 유통 기한을 확인하여 날짜가 많이 남아 있는 식품을 고른다.

02 다음 중 식품 성분 표시를 통해 확인할 수 <u>없는</u> 것은?

① 내용량
② 보관 방법
③ 취급 방법
④ 식품 제조 과정
⑤ 원재료명 및 함량

03 유통 기한에 대한 설명으로 적절한 것은?

① 유통 기한은 모든 식품에 동일하게 표기된다.
② 소금은 제조 일자와 제조 시간까지 표기한다.
③ 제조일로부터 소비자에게 판매가 허용되는 기한이다.
④ 편의점에서 판매하는 샌드위치는 유통 기한만 표기한다.
⑤ 편의점에서 판매하는 김밥은 품질 유지 기한을 표기한다.

04 다음 중 식품의 원재료에서부터 제조, 가공, 보존, 조리, 유통 등 모든 과정에서 위해 요소를 규명하고 위생적으로 관리된 식품에 부여되는 인증 마크는?

① 

② 

③ 

④ 

⑤ 

05 푸드 마일리지에 대한 설명으로 적절하지 <u>않은</u> 것은?

① 먹을거리가 이동하는 거리를 말한다.
② 푸드 마일리지를 줄이면 지구 온난화 속도를 늦출 수 있다.
③ 제주산 한라봉과 미국산 오렌지 중 제주산 한라봉을 선택하는 것이 친환경적이다.
④ 이동 거리가 짧을수록 운반과 포장, 폐기 과정에서 이산화탄소 배출량이 늘어난다.
⑤ 국내산 밀가루와 호주산 밀가루 중 국내산 밀가루가 더 신선하고 푸드 마일리지가 적다.

06 〈보기〉에서 신선하고 안전한 식품을 선택한 것을 모두 고른 것은?

보기

ㄱ. 채소류는 상처가 없고 빛깔이 선명한 것을 고른다.
ㄴ. 생선은 눈알이 들어가고 살이 물컹한 것을 고른다.
ㄷ. 달걀은 껍데기가 매끈하고 광택이 나는 것을 고른다.
ㄹ. 콩은 크기가 고르고 통통하며 광택이 나는 것을 고른다.

① ㄱ, ㄴ　② ㄱ, ㄹ　③ ㄴ, ㄷ
④ ㄴ, ㄹ　⑤ ㄷ, ㄹ

07 〈보기〉에서 육류의 선택으로 적절한 것을 모두 고른 것은?

보기
ㄱ. 쇠고기는 탄력이 있는 것을 고른다.
ㄴ. 돼지고기는 선명한 붉은색을 띤 것이 좋다.
ㄷ. 쇠고기와 돼지고기는 도축된 직후에 구입한다.
ㄹ. 닭고기는 껍질이 크림색이고 광택이 있는 것을 고른다.

① ㄱ, ㄴ ② ㄱ, ㄹ ③ ㄴ, ㄷ
④ ㄴ, ㄹ ⑤ ㄷ, ㄹ

08 다음과 같은 식품을 선택하는 방법으로 적절한 것은?

훈제, 연제, 인스턴트, 레토르트, 통조림, 냉동식품

① 캔이 움푹 들어간 것을 구입한다.
② 뚜껑이 살짝 열려 있는 조리 식품을 구입한다.
③ 얼음 알갱이가 많이 붙어 있는 냉동식품을 구입한다.
④ 식품 성분 표시의 유통 기한과 제조 일자를 확인한다.
⑤ 식품 포장에 냉장 보관이라고 적혀 있지만, 상온에서 판매되는 제품을 구입한다.

09 다음 중 가을철의 계절 식품끼리 묶인 것은?

① 두릅, 배, 김
② 우엉, 귤, 명태
③ 무, 사과, 갈치
④ 상추, 수박, 장어
⑤ 냉이, 딸기, 바지락

10 식품 첨가물의 섭취를 줄이는 방법으로 적절하지 않은 것은?

① 라면 수프의 양을 적게 넣어 끓인다.
② 통조림 안의 국물까지 넣어 조리한다.
③ 햄은 노란 기름 덩어리를 제거하여 조리한다.
④ 소시지는 칼집을 많이 낸 상태로 끓는 물에 데친다.
⑤ 라면의 면은 살짝 삶아 국물을 따라 버리고 다시 삶는다.

11 (가)와 (나)에 들어갈 말을 알맞게 짝지은 것은?

지방 식품이 공기 중의 산소, 일광, 금속 등에 의해 분해되는 현상을 ((가))라고 하고, 탄수화물 식품이 미생물의 분해 작용으로 유기산, 알코올을 생성하는 현상을 ((나))라고 한다.

	(가)	(나)		(가)	(나)
①	산패	발효	②	산패	변패
③	변패	산패	④	변패	발효
⑤	부패	변패			

12 냉장고의 식품 보관에 대한 설명으로 적절하지 않은 것은?

① 과일은 신문지에 싸서 청결하게 보관한다.
② 금방 먹을 육류, 어패류는 신선실에 보관한다.
③ 문 쪽은 온도 변화가 크므로 금방 먹을 달걀을 보관한다.
④ 채소는 흙, 이물질 등을 제거한 후 씻어서 밀폐 용기에 담아 보관한다.
⑤ 생선은 내장을 제거하고, 생선 핏물은 생선을 빨리 상하게 하므로 씻어서 보관한다.

이 섹션에서 할 수 있어야 하는 것!

/ 재 / 미 / 있 / 는 / 　　　　교과서 73쪽

가 정 활 동 　건강과 환경을 고려한 식품을 선택하기 위한 활동을 해 보자.

① 4명이 모둠이 되어 각자 자신이 좋아하는 과자를 가져와 영양 성분을 조사하여 비교해 보자.

영양 성분 \ 제품명	A 과자	B 과자	C 과자	D 과자
총 내용량	60g			
나트륨	200mg(10%)			
탄수화물	30g(9%)			
지방	24g(47%)			
콜레스테롤	0mg(0%)			
단백질	2g(4%)			
그 외	당류 2g, 포화 지방 8g(53%)			

종류가 다른 과자 봉지에 표시된 영양 성분 내용을 찾아 성분과 함량을 적어 보고, 식품별 푸드 마일리지를 계산하여 신선도를 비교해 봅니다.

② 다음 식품들의 푸드 마일리지를 살펴보고, 식품의 신선도를 생각해 보자.

푸드 마일리지(food mileage)란 먹을거리가 이동하는 거리를 말한다. 먹을거리의 이동 거리가 멀수록 운반과 포장, 폐기 과정에서 이산화탄소 배출량이 늘어난다. 따라서 푸드 마일리지를 줄이면 이산화탄소의 발생이 줄어들어 지구 온난화 속도를 늦출 수 있다.

푸드 마일리지(t·km) = 운송량(t) × 운송 거리(km)

 미국산 오렌지 5kg, 1,127km 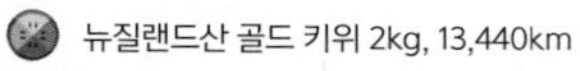 뉴질랜드산 골드 키위 2kg, 13,440km 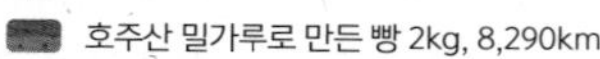 호주산 밀가루로 만든 빵 2kg, 8,290km  필리핀산 자몽 2kg, 1,389km	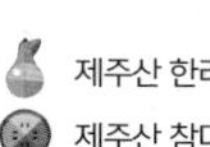 제주산 한라봉 2kg, 482km  제주산 참다래 2kg, 470km 국산 밀가루로 만든 빵 2kg, 371km

식품의 신선도

① 먼저 푸드 마일리지를 계산한다.

• 미국산 오렌지: 5.635(t · km) • 뉴질랜드산 골드 키위: 26.880(t · km) • 호주산 밀가루로 만든 빵: 16.580(t · km) • 필리핀산 자몽: 2.778(t · km)	• 제주산 한라봉: 0.964(t · km) • 제주산 참다래: 0.940(t · km) • 국산 밀가루로 만든 빵: 0.742(t · km)

② 계산한 값이 작은 것부터 신선한 것이므로, 신선도가 높은 순서는 국산 밀가루로 만든 빵 〉 제주산 참다래 〉 제주산 한라봉 〉 필리핀산 자몽 〉 미국산 오렌지 〉 호주산 밀가루로 만든 빵 〉 뉴질랜드산 골드 키위 순서이다.

선생님 생각 엿보기

• 이 활동의 목적

선생님은 이 활동을 통해 실제 소비하는 제품의 식품 성분 표시 내용을 분석하고, 푸드 마일리지를 계산해 봄으로써 실생활에 적용할 수 있기를 바랍니다.

• 선생님은 이 활동을 이렇게 평가합니다.

상	과자의 영양 성분을 잘 찾아 적었고, 푸드 마일리지 계산을 바르게 하여 식품의 신선도를 잘 파악하였다.
중	과자의 영양 성분을 잘 찾아 적었거나 푸드 마일리지 계산을 바르게 하여 식품의 신선도를 잘 파악하였다.
하	과자의 영양 성분을 찾아 적지 못하였고, 푸드 마일리지 계산이 미흡하여 식품의 신선도를 파악하지 못하였다.

이와 관련된 활동은?

[관련 활동] 좋아하는 간식의 영양 성분 조사와 푸드테라피 활동하기 | 4명씩 모둠이 되어 각자 즐겨 먹는 과자 1봉지씩을 가져와 영양 성분을 비교해 보고, 간식을 모아 행복, 나의 꿈 등을 주제로 간단한 작품을 만들며 자신의 심리, 감정을 표현해 보는 활동이다.

ⓜ 설거지가 끝나면 조리대와 개수대 주변을 정리하고 개수대 거름망을 깨끗이 비운다.
ⓑ 행주와 수세미를 깨끗이 빨아 햇볕에 말린다.

2. 가족 식사 만들기

① **콩밥:** 쌀에 콩을 섞어서 지은 밥이다.

㉠ **특징 및 조리 시 유의점**

- 쌀에 부족한 단백질을 콩이 보완하는 역할을 한다.
- 쌀만으로 지은 밥보다는 보리, 콩, 조 등 곡식을 섞거나 채소류, 해산물 등을 섞으면 영양적으로 우수하다.
- 밥물은 쌀 부피의 1.2~1.5 배로 하고, 불린 쌀로 할 경우 쌀과 물의 양을 1:1로 한다.
- 쌀을 불렸던 물을 그대로 밥물로 이용하면, 밥물에 녹은 수용성 비타민의 손실을 방지할 수 있다.

㉡ **재료 및 분량(4인분):** 쌀 400g, 검정콩(서리태) 80g, 물 3C

㉢ **만들기**

- 쌀과 콩은 씻어서 각각 30분, 3시간 동안 물에 불린다.
- 냄비에 넣고 물을 부어 센 불에 끓인다.
- 끓어오르면 중간 불로 낮춘 후, 쌀알이 퍼지면 약한 불로 낮춘다.
- 불을 끄고 10분 정도 뜸을 들인 후에 주걱으로 고루 섞어 밥을 푼다.

② **두부 된장찌개:** 두부, 호박 등 다양한 재료를 넣고 된장으로 간을 하여 끓이는 한국의 대표적인 국물 음식이다.

㉠ **특징 및 조리 시 유의점**

- 찌개는 국보다 국물이 적은 음식으로 육류, 어패류, 채소류 등을 함께 넣어 끓이는 것이 특징이다.
- 된장은 발효 식품으로 항암 효과가 있으며, 주원료인 콩은 양질의 식물성 단백질이 풍부하다.
- 쌀뜨물을 이용하여 국물을 만들면 훨씬 더 구수한 맛을 낼 수 있다.
- 국물용 멸치는 내장을 뺀 후 사용해야 쓴맛이 나지 않는다.
- 해감한 조개를 넣어 끓여도 국물 맛이 좋다.
- 조개를 넣을 때에는 소금물에 30분 정도 담가 해감한 후 사용한다.

㉡ **재료 및 분량(4인분):** 호박 150g, 양파 100g, 두부 200g, 멸치 20g, 다시마 10g, 된장 50g, 고춧가루 1Ts, 파 1ts, 고추 10g

㉢ **만들기**

- 찬물에 멸치와 다시마를 넣고, 끓으면 불을 끈 후 15분 정도 두었다가 멸치와 다시마를 건져 낸다.
- 체에 거른 된장을 멸치와 다시마를 우린 물에 풀어 끓인다.
- 호박은 두께 0.5cm로 은행잎썰기하고, 양파는 1.5×1.5cm로 썬다. 두부는 1.5×1.5×1cm 정도로 썰고, 파와 고추는 어슷하게 썬다.

보조 노트

녹말의 호화

- 쌀, 감자, 고구마 등의 녹말을 함유한 식품에 물과 열을 가하면 물이 침투하여 팽창하고 점성이 커지게 되는 것이다.
- 녹말이 호화되면 식품이 부드러워져 소화가 잘되고 맛이 좋아진다.

가스 안전

- 환기가 잘 되는지 확인하고, 점화와 소화를 확실히 한다.
- 특히 휴대용 가스레인지는 삼발이보다 큰 조리 기구를 사용하면 폭발의 위험이 있으므로 주의한다.

썰기 방법의 적용 예

- 팔모썰기: 찌개나 국의 두부, 깍두기, 카레의 당근, 감자, 고기 등
- 은행잎썰기: 된장찌개의 호박 등
- 통썰기: 호박전의 호박 등
- 반달썰기: 호박볶음의 애호박, 찌개의 애호박이나 작은 감자 등
- 채썰기: 잡채의 양파, 당근, 피망, 무생채의 무 등
- 다지기: 양념(파, 마늘), 돼지고기 완자전의 돼지고기 등

보조 노트

시금치나물

- 도라지나물, 고사리나물과 함께 명절이나 제사상에 오르는 삼색 나물 중 하나이다.
- 겨울 해풍을 맞고 자란 겨울 시금치는 단맛이 풍부하고 고소한 맛도 뛰어나다.

생선전

- 밑간을 해 둔 동태에 물이 생기면 키친타월을 이용해 물기를 제거한 후 밀가루와 달걀물을 입힌다.
- 완성된 생선전 위에 파와 홍고추를 다져서 올리면 색이 보기 좋다.

- 국물이 끓으면 호박, 양파를 먼저 넣어 끓이고, 그다음 두부, 고춧가루, 파, 고추를 넣어 3분 정도 더 끓인다.

③ 시금치나물

㉠ 특징 및 조리 시 유의점

- 시금치는 비타민 A, 비타민 C, 철분, 칼슘 등이 풍부한 녹색 채소이다.
- 녹색 채소를 데칠 때에는 채소가 잠길 정도의 충분한 양(채소 무게의 5배)의 물에 데쳐 단시간에 익힌다.
- 녹색 채소를 데칠 때에는 유기산이 휘발할 수 있도록 뚜껑을 열고 단시간에 데쳐야 한다. 소금을 조금 넣고 데친 후 찬물에 재빨리 헹구면 누렇게 변하는 것을 방지할 수 있다.
- 시금치는 오래 데치면 질감이 물러지므로, 끓는 물에 뿌리 쪽부터 넣어 숨이 죽으면 바로 꺼내는 것이 좋다.

㉡ 재료 및 분량(4인분): 시금치 300g, 소금 1ts, 다진 마늘 1ts, 다진 파 1ts, 참기름 1ts, 깨소금 1ts

㉢ 만들기

- 시금치는 다듬어 씻고, 뿌리 쪽에 열십자로 칼집을 넣는다.
- 끓는 물에 소금을 넣고 시금치를 데친다.
- 데친 시금치를 찬물에 헹구어 물기를 꼭 짠다.
- 시금치에 양념을 모두 넣고, 간이 잘 배도록 무친다.

④ 생선전

㉠ 특징 및 조리 시 유의점

- 전은 육류, 생선, 채소 등을 얇게 저미거나 다져 밀가루와 달걀 푼 것을 씌워 기름에 부쳐낸 음식으로, 초간장을 곁들여 낸다.
- 생선전감으로는 비린내가 심하지 않고 연한 동태, 대구, 민어 등의 흰 살 생선을 주로 이용한다.
- 생선전이 타지 않도록 불의 세기를 중간 불에서 약한 불로 조절한다.

㉡ 재료 및 분량(4인분): 동태포 300g, 밀가루 1/2C, 달걀 3개, 소금 1ts, 후춧가루 조금, 식용유 1/4C, 초간장(간장 1Ts, 식초 1Ts, 물 1Ts)

㉢ 만들기

- 동태포에 소금과 후춧가루를 뿌린다.
- 달걀을 풀고 소금으로 간을 해 둔다.
- 생선살에 간이 배면 밀가루를 묻히고, 풀어 놓은 달걀물을 입힌다.
- 팬을 달구어 식용유를 두르고, 생선살을 노르스름하게 지져 낸다.

⑤ 깍두기: 무를 팔모썰기하여 고춧가루와 갖은 양념을 넣고 버무려 만든 김치이다.

㉠ 특징 및 조리 시 유의점

- 무에는 소화 효소가 들어 있어 소화를 도와준다.
- 특히 가을철 무는 단단하고 자체에 단맛이 있어 깍두기를 만들기에 적당하다.

- 김치에 따라 젓갈의 종류를 다르게 사용한다.
- 깍두기와 백김치를 만들 때에는 깔끔한 맛을 내는 새우젓이 적당하고, 배추김치와 총각김치는 진한 감칠맛을 내는 멸치 액젓에 새우젓을 섞은 것이 적당하다.
- 국물이 없는 깍두기를 만들려면 무를 썬 후, 소금을 넣고 한 시간 동안 절였다가 물을 버리고 사용한다.

ⓛ **재료 및 분량(4인분):** 무 1.2kg, 쪽파 50g, 고춧가루 1/2C, 다진 마늘 2Ts, 새우젓 1ts, 새우젓 국물 1ts, 소금 1Ts, 설탕 1/2ts

ⓒ **만들기**

- 무는 1.5×1.5×1.5cm로 썰고, 소금에 절인다.
- 쪽파는 3cm 길이로 썰고, 마늘, 새우젓 건더기는 다진다.
- 무에 고춧가루를 넣고 버무려 색이 배어들도록 10분 정도 둔다.
- 무에 쪽파, 마늘, 새우젓, 새우젓 국물, 설탕을 넣고 골고루 버무린다.

⑥ 오미자 화채: 말린 오미자 열매를 찬물에 담가 물을 우려낸 후, 설탕이나 꿀을 넣고 과일을 띄워 먹는 음식으로, 여름철에 주로 먹으며 피로 해소에 좋다.

㉠ **특징 및 조리 시 유의점**

- 오미자를 더운물에 불리거나 끓이면 떫은맛과 신맛이 강해지므로 찬물에서 서서히 우려내는 것이 좋다.
- 설탕 대신 꿀을 넣어 단맛을 내기도 한다.
- 계절에 따라 배 대신 앵두, 딸기 등을 이용할 수 있다.

ⓛ **재료 및 분량(4인분):** 오미자 45g, 물 6C, 설탕 170g, 잣 1ts, 배 1/4개

ⓒ **만들기**

- 오미자는 물에 씻어서 찬물 2C에 담가 하루 동안 우려낸다.
- 우려낸 오미자 국물을 깨끗한 천에 거른다.
- 우려낸 오미자 국물의 색과 신맛을 보면서 물 4C을 섞고 설탕을 녹인다.
- 배는 얇게 저며 모양 틀로 찍은 후, 갈변을 막기 위해 설탕물에 담가 둔다.
- 화채 그릇에 오미자 국물을 담고, 배와 고깔을 떼고 깨끗이 닦은 잣을 띄운다.

핵심 용어 | 계획하기, 교차 오염, 준비하기, 손 씻기, 조리하기, 계량, 다듬기, 씻기, 썰기, 가열, 맛내기, 담기, 뒷정리하기

보조 노트

채소나 과일의 갈변 방지

- 설탕물, 소금물에 담가 둔다.
- 공기와 접촉하지 않도록 포장한다.
- 아스코르브산을 녹인 물에 담근다.

오미자(五味子)

신맛, 단맛, 짠맛, 쓴맛(떫은맛), 매운맛의 다섯 가지 맛이 나는 오미자 나무의 열매이다.

화채에 띄우는 잣

홀수로 3개, 5개 정도가 적당하다.

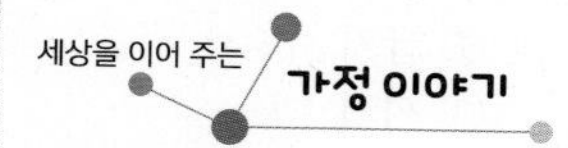

[교과서 87쪽]

내가 좋아하거나 관심 있는 분야와 음식 만들기를 융합하는 상상을 해 보고, 이야기해 보자.

예시 답안

삶은 달걀로 사과 만들기: 과학과 음식 만들기를 융합해서 사과 모양의 달걀을 만들 수 있다. 약간 뜨거운 삶은 달걀을 식기 전에 껍데기를 벗겨 재빨리 얼음물에 넣는다. 얼음물 속에서 달걀의 양쪽을 손가락으로 지그시 눌러 사과 모양을 만든다. 사과 형태가 만들어지면 비닐장갑을 끼고, 원하는 색의 식용 색소를 탄 물에 달걀을 넣어 잠깐 담근 후 건져 내어 나뭇잎으로 장식한다.

스스로 정리하기

1 프라이팬에 기름을 두르고 재료를 이리저리 저으며 짧은 시간에 익히는 조리 방법은 무엇인가? 볶기

2 교차 오염을 방지하기 위해 식재료를 어떤 순서로 조리하는 것이 가장 안전한가? 채소류 → 육류 → 어류

3 창의·인성 가족 구성원의 요구를 충족시키고, 영양적으로 균형을 갖춘 한 끼 식사를 계획하여 만들면 어떤 점이 좋은지 이야기해 보자.
- 가족 간의 사랑뿐만 아니라 조리의 즐거움을 느낄 수 있다.
- 음식의 소중함을 느끼고 감사한 마음을 가질 수 있다.

개념 익히기

01 교차 오염을 방지하기 위해서 채소류, 육류, 어류 중 가장 먼저 조리해야 하는 것은 무엇인지 쓰시오.

(　　　　　　　　　　　)

02 떡과 만두처럼 수증기의 열을 이용하여 식품을 익히는 조리 방법은?

① 굽기　② 볶기
③ 찌기　④ 데치기
⑤ 튀기기

03 계량컵 1C은 (　　　　　)mL와 같고, 계량스푼 1Ts은 (　　　　　)mL, 1ts은 (　　　　　)mL이다.

04 식품을 양념할 때 설탕을 가장 먼저 넣는다.

(○ , ×)

05 녹말의 (　　　　　)(이)란 쌀, 감자, 고구마 등의 식품에 물과 열을 가하면 물이 침투하여 팽창하고 점성이 커지게 되는 것이다. 이때 식품이 부드러워져 소화가 잘 되고 맛이 좋아진다.

06 쌀을 불렸던 물을 그대로 밥물로 이용하면, 밥물에 녹은 (　　　　　)의 손실을 방지할 수 있다.

07 된장찌개에 조개를 넣을 때에는 소금물에 30분 정도 담가 (　　　　　)한 후 사용한다.

08 된장찌개의 국물용 멸치는 내장을 빼지 않고 그대로 사용해야 쓴맛이 나지 않는다.

(○ , ×)

09 시금치와 같은 녹색 채소를 데칠 때에는 채소가 잠길 정도의 충분한 양(채소 무게의 5배)의 물에 데쳐 단시간에 익힌다.

(○ , ×)

10 시금치를 데칠 때 (   )을/를 조금 넣고 데친 후 찬물에 재빨리 헹구면 누렇게 변하는 것을 방지할 수 있다.

11 (   )은/는 육류, 생선, 채소 등을 얇게 저미거나 다져 밀가루와 달걀 푼 것을 씌워 기름에 부쳐낸 음식이다.

12 생선전감으로 적당한 생선은?

① 꽁치　② 대구
③ 연어　④ 참치
⑤ 고등어

13 생선전을 만들 때 생선살에 간이 배면 먼저 (   )을/를 묻히고, 다음에 (   )을/를 입혀 팬에 지진다.

14 깍두기는 무를 (   )썰기하여 고춧가루와 갖은 양념을 넣고 버무려 만든 김치이다.

15 깍두기와 백김치를 만들 때에는 깔끔한 맛을 내는 (   )이/가 적당하고, 배추김치와 총각김치는 진한 감칠맛을 내는 (   )에 새우젓을 섞은 것이 적당하다.

16 오미자는 더운물에 불리거나 끓여 떫은맛과 신맛이 강해지지 않도록 우려낸다.

(○ , ×)

개념 활용하기

01 안전한 조리에 대한 설명으로 적절하지 않은 것은?

① 식품에 따라 칼, 도마를 다르게 사용한다.
② 손가락 사이까지 깨끗하게 비누로 철저히 씻는다.
③ 기름을 사용할 때 수분이 들어가지 않도록 주의한다.
④ 칼을 사용할 때 손가락 전체를 곧게 펴서 식품을 누르고 썬다.
⑤ 하나의 도마를 사용할 경우에는 채소류－육류－어류 순으로 조리한다.

02 다음과 같은 조리 방법으로 만드는 음식의 예로 적절한 것은?

> 식품을 끓는 물에 넣어 짧은 시간에 익히는 방법

① 떡　② 생채
③ 샐러드　④ 생선튀김
⑤ 시금치나물

03 〈보기〉에서 식품 계량에 대한 설명으로 적절하지 않은 것을 모두 고른 것은?

> 보기
> ㄱ. 1ts은 5mL이다.
> ㄴ. 1Ts은 10mL이다.
> ㄷ. 1C은 200mL이다.
> ㄹ. 가루는 수북이 쌓아 잰다.
> ㅁ. 저울 중앙에 식품을 놓고 무게를 잰다.

① ㄱ, ㄴ　② ㄱ, ㄷ　③ ㄴ, ㄷ
④ ㄴ, ㄹ　⑤ ㄹ, ㅁ

04 〈보기〉에서 뒷정리하기에 대한 설명으로 적절한 것을 모두 고른 것은?

> 보기
> ㄱ. 위생을 위해 남은 음식은 모두 버린다.
> ㄴ. 행주와 수세미를 깨끗이 빨아 햇볕에 말린다.
> ㄷ. 위생을 위해 세제는 가능한 한 많이 사용한다.
> ㄹ. 설거지가 끝나면 개수대의 거름망을 깨끗이 비운다.

① ㄱ, ㄴ　② ㄱ, ㄷ　③ ㄴ, ㄷ
④ ㄴ, ㄹ　⑤ ㄷ, ㄹ

05 〈보기〉에서 콩밥을 만드는 과정으로 적절한 것을 모두 고른 것은?

> 보기
> ㄱ. 콩과 쌀은 씻어서 바로 밥을 짓는다.
> ㄴ. 밥물의 양은 쌀 부피의 1.2~1.5배를 넣는다.
> ㄷ. 쌀을 불렸던 물은 버리고 깨끗한 물을 넣는다.
> ㄹ. 불을 끄면 10분 정도 뜸을 들인 후에 주걱으로 섞어서 밥을 푼다.

① ㄱ, ㄴ　② ㄱ, ㄷ　③ ㄴ, ㄷ
④ ㄴ, ㄹ　⑤ ㄷ, ㄹ

06 〈보기〉에서 된장찌개에 대한 설명으로 옳은 것을 모두 고른 것은?

> 보기
> ㄱ. 찌개는 국보다 국물의 양이 많다.
> ㄴ. 된장은 양질의 탄수화물 급원 식품이다.
> ㄷ. 쌀뜨물을 이용하면 더 구수한 맛을 낼 수 있다.
> ㄹ. 멸치는 내장을 뺀 후 사용해야 쓴맛이 나지 않는다.

① ㄱ, ㄴ　② ㄱ, ㄷ　③ ㄴ, ㄷ
④ ㄴ, ㄹ　⑤ ㄷ, ㄹ

07 된장찌개를 끓이는 방법에 대한 설명으로 적절하지 않은 것은?

① 찌개의 간은 된장을 이용한다.
② 두부는 처음부터 함께 넣고 끓인다.
③ 파와 고추는 어슷썰기하여 마지막에 넣는다.
④ 호박은 두께 0.5cm 정도로 은행잎썰기 한다.
⑤ 찬물에 멸치와 다시마를 넣고, 끓으면 불을 끈 후 15분 정도 두었다가 건져 낸다.

08 〈보기〉에서 시금치를 데칠 때 녹색을 선명하게 유지하기 위한 방법을 모두 고른 것은?

보기
ㄱ. 소금을 조금 넣고 데친다.
ㄴ. 뚜껑을 닫고 장시간 데친다.
ㄷ. 물의 양을 최대한 적게 넣는다.
ㄹ. 처음부터 찬물에 넣고 푹 데친다.

① ㄱ ② ㄱ, ㄴ ③ ㄴ, ㄷ
④ ㄴ, ㄹ ⑤ ㄱ, ㄴ, ㄷ, ㄹ

09 생선전을 부치는 방법으로 적절한 것은?

① 센 불에서 부친다.
② 재료를 얄팍하게 채썰기한다.
③ 식용유를 두르고 팬을 달군다.
④ 달걀물을 입힌 후 밀가루를 얇게 묻힌다.
⑤ 밑간을 해 둔 동태에 물이 생겼을 때는 키친타월을 이용해 물기를 제거한 후 조리한다.

10 〈보기〉에서 깍두기를 담그는 방법으로 옳은 것을 모두 고른 것은?

보기
ㄱ. 무를 저미기 한 후 소금에 절인다.
ㄴ. 새우젓은 건더기를 다져서 넣는다.
ㄷ. 대파를 넣어 색이 어우러지도록 한다.
ㄹ. 국물이 없는 깍두기를 만들려면 무를 썬 후 소금을 넣고 한 시간 동안 절였다가 물을 버린다.

① ㄱ, ㄴ ② ㄱ, ㄷ ③ ㄴ, ㄷ
④ ㄴ, ㄹ ⑤ ㄷ, ㄹ

11 채소나 과일의 갈변을 방지하는 방법으로 알맞지 않은 것은?

① 설탕물에 담가 둔다.
② 소금물에 담가 둔다.
③ 아스코르브산을 녹인 물에 담근다.
④ 공기와 접촉하지 않도록 포장한다.
⑤ 과일의 껍질을 벗겨 공기 중에 방치한다.

12 음식의 조리 방법으로 적절하지 않은 것은?

① 두부 된장찌개 – 쌀뜨물을 이용하여 국물을 만들면 훨씬 더 구수한 맛을 낼 수 있다.
② 시금치나물 – 소다를 넣고 데친 후 찬물에 재빨리 헹구면 누렇게 변하는 것을 방지할 수 있다.
③ 콩밥 – 쌀을 불렸던 물을 밥물로 이용하면 밥물에 녹은 수용성 비타민의 손실을 방지할 수 있다.
④ 깍두기 – 가을철 무는 단단하고 자체에 단맛이 있어 깍두기를 만들기에 적당하며 깔끔한 맛을 내는 새우젓을 사용한다.
⑤ 오미자 화채 – 오미자를 더운물에 불리거나 끓이면 떫은맛과 신맛이 강해지므로 찬물에서 서서히 우려 내는 것이 좋다.

이 섹션에서
할 수 있어야 하는 것!

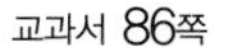
교과서 86쪽

모둠별로 간단한 음식 만들기를 통해 고마운 사람에게 사랑과 감사하는 마음을 표현해 보자.

재료

① 오이는 통썰기하고, 삶은 메추리알과 방울토마토는 2등분한다.

② 햄과 치즈는 포장을 벗겨 크래커 모양에 맞게 4등분한다.

다양한 재료로 개성 있는 음식을 만들어 감사의 마음을 전달할 수 있도록 합니다.

③ 크래커 위에 햄, 치즈, 오이를 색을 맞추어 올린 후 방울토마토, 삶은 메추리알, 무순으로 장식하여 완성한다.

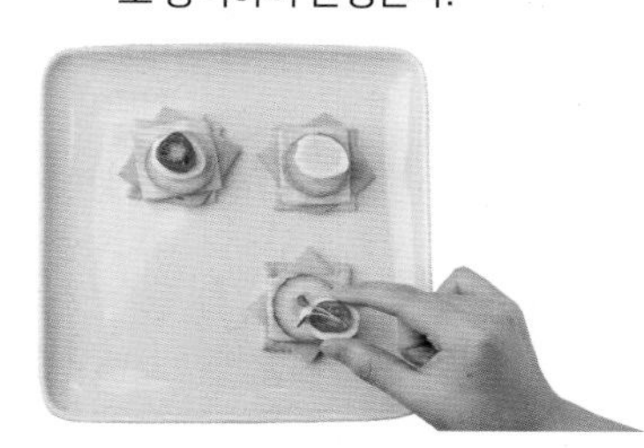

완성된 카나페

선생님 생각 엿보기

· 이 활동의 목적

선생님은 이 활동을 통해 간단한 요리로 고마운 사람에게 감사와 사랑을 표현할 수 있기를 바랍니다.

· 선생님은 이 활동을 이렇게 평가합니다.

상	재료를 알맞은 방법으로 썰고, 색과 크기를 잘 맞추어 쌓아 카나페를 완성하였다.
중	재료별로 모양을 맞추어 썰었으나, 색과 크기가 어울리지 않고 모양이 정돈되지 않게 완성하였다.
하	재료별 썰기 방법과 위로 쌓은 모습이 어울리지 않고, 정돈되지 않게 만들어졌다.

이와 관련된 활동은?

[관련 활동 ①] 가족을 위한 상차림하기 | 주말 저녁에 대접할 음식을 한 가지 선택하여 식사 계획표를 작성하고 실천해 보는 활동이다.
[관련 활동 ②] 학급의 날 잔치 음식 만들기 | 학급의 날 잔치 음식 만들기를 계획하고 장보기 및 실습 활동, 보고서 작성을 해 보는 활동이다.
[관련 활동 ③] 스토리가 있는 식사 계획 | 모둠별로 스토리가 있는 주제를 선정하고, 자료를 검색하여 모둠 구성원이 돌아가며 단어나 그림으로 표현해 보는 활동이다.

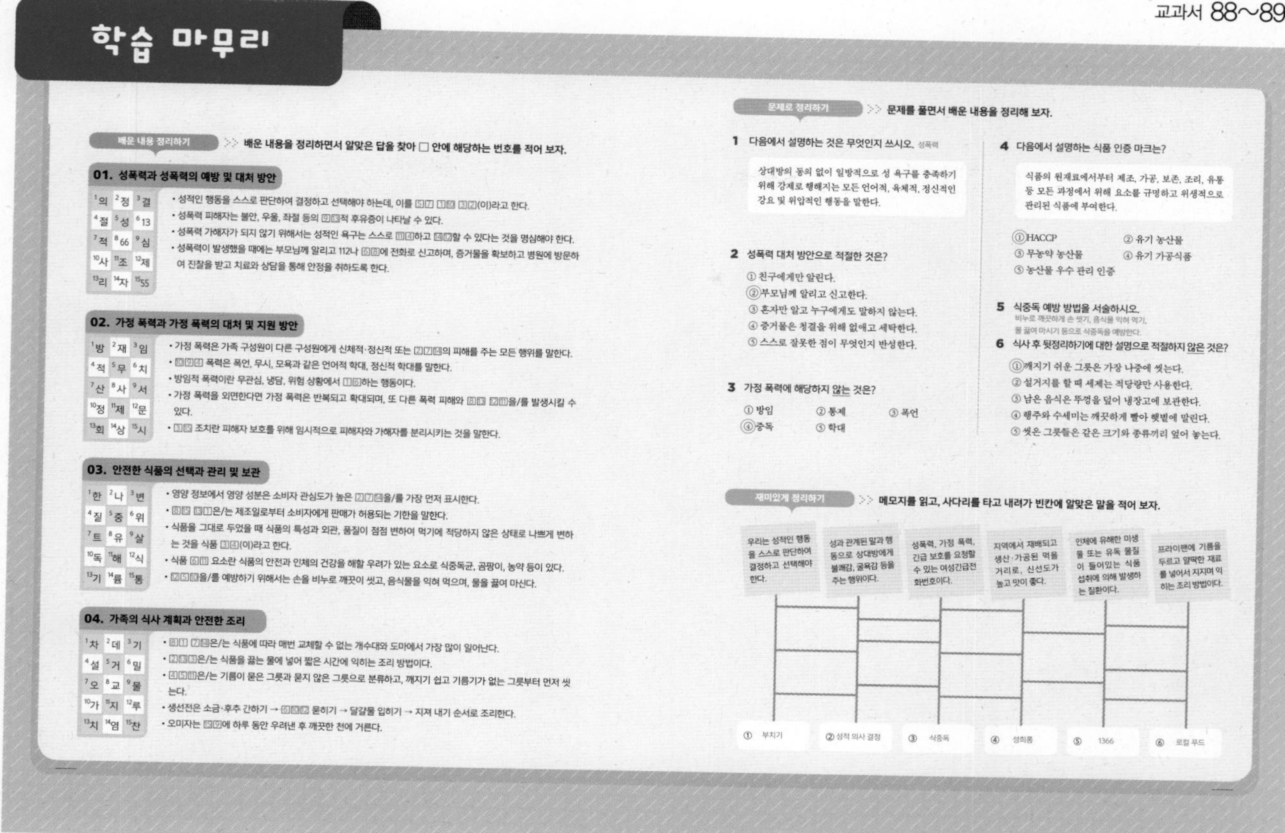

정답 및 해설

배운 내용 정리하기

01. 5/7/1/10/3/2(성적 의사 결정), 9/13(심리), 11/4(조절), 14/12(자제), 6/8(1366)

02. 2/7/14(재산상), 10/9/4(정서적), 1/6(방치), 8/13/12/11(사회 문제), 3/15(임시)

03. 2/7/14(나트륨), 8/15/13/1(유통 기한), 3/4(변질), 6/11(위해), 12/5/10(식중독)

04. 8/1/7/14(교차 오염), 2/13/3(데치기), 4/5/11(설거지), 6/10/12(밀가루), 15/9(찬물)

문제로 정리하기

1. 성폭력
2. ② [해설] 만약 성폭력이 발생하였다면 피해 상황을 부모님이나 선생님께 즉시 알려 도움을 요청해야 한다.
3. ④ [해설] 가정 폭력은 신체적, 정신적 또는 재산상의 피해를 주는 행위로, 그 유형에는 신체적(물리적), 통제적, 정서적, 방임적, 경제적, 성적 폭력이 있다.
4. ① [해설] 식품위생법에 안전 관리 인증 기준(HACCP)을 도입하여 어육 가공품, 냉동 수산 식품, 냉동식품, 빙과류, 비가열 음료, 레토르트 식품, 배추김치 등 7개 식품에 대하여 의무적으로 적용하고 있다.
5. 비누로 깨끗하게 손 씻기, 음식물 익혀 먹기, 물 끓여 마시기 등으로 식중독을 예방한다.
6. ① [해설] 깨지기 쉽고 기름기가 없는 그릇부터 먼저 씻는다.

재미있게 정리하기

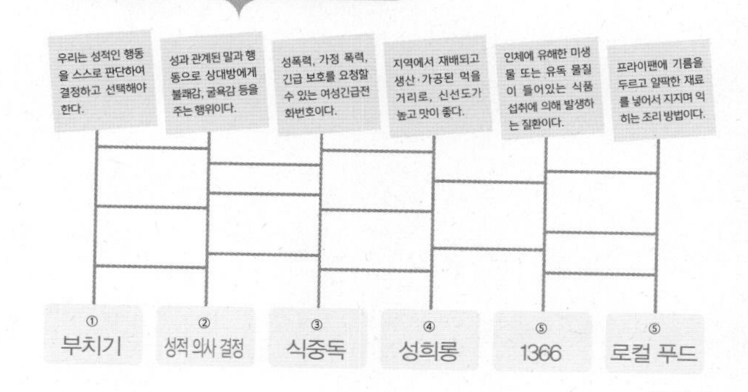

생애
핵심 개념
IV

설계

미래를 위한 생애 설계

이 단원의 성취 기준

1. 저출산 · 고령 사회가 개인 및 가정생활에 미치는 영향을 인식하고, 가족 친화 문화의 필요성을 인식한다.

2. 일 · 가정을 양립하는 과정에서 나타날 수 있는 문제를 개인 및 사회 · 문화적 차원에서 비판적으로 분석하여 해결 방안을 제안한다.

3. 생애 설계의 중요성을 이해하고, 생애 주기별 발달 과업을 중심으로 자신의 생애를 설계하고 평가한다.

4. 전 생애적 관점에서의 진로 설계의 필요성을 인식하고, 건전한 직업 가치관을 바탕으로 자신의 적성에 맞는 진로를 탐색하고 설계한다.

[01. 저출산·고령 사회]

저출산·고령 사회가 개인 및 가정생활에 미치는 영향을 인식하고, 가족 친화 문화의 필요성을 인식한다.

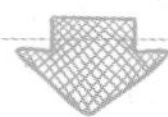

이 섹션에서 '알아야 할 것' (이해)	**저출산·고령 사회의 영향과 가족 친화 문화의 필요성을 이해한다.** 1. 저출산·고령 사회의 영향 2. 가족 친화 문화의 필요성

이 섹션에서 '할 수 있어야 하는 것' (능력)	**저출산·고령 사회의 현상과 문제점을 분석하여 해결 방안을 제시할 수 있다.** [활동 1] · 저출산·고령 사회의 해결 방안을 찾아보자. [활동 2] · 저출산·고령 사회와 관련된 활동을 해 보자.

이 섹션에서 알아야 할 것!

01 저출산·고령 사회

1. 저출산 · 고령 사회의 영향

① 저출산 · 고령 사회

㉠ **의미:** 출산율은 낮아지고, 65세 이상의 고령자 수가 증가하여 전체 인구에서 고령자의 비율이 높은 사회를 말한다.

㉡ 태어나는 사람은 적어지고, 나이 든 사람이 점점 많아지는 사회이다.

㉢ 현재 우리나라는 급격한 속도로 저출산 · 고령 사회로 바뀌고 있다.

- 미래의 우리 사회에 매우 심각한 문제가 될 것으로 예측된다.
- 가정생활의 모습은 더욱 다양해질 것이다.
- 변화하는 사회에 적응하면서 개인도 다양한 가정생활을 경험할 가능성이 커지고 있다.

② 저출산 · 고령 사회의 원인과 영향 및 대비

㉠ 저출산 · 고령 사회의 원인

- 여성의 사회 활동 참여 증가
- 결혼 가치관의 변화
- 자녀에 관한 가치관 변화
- 자녀 양육비 및 교육비 부담
- 평균 수명의 증가

㉡ 저출산 · 고령 사회의 영향

- 건강, 경제 문제로 불안한 노후를 맞이할 수 있다.
- 외로운 노후 생활을 할 수 있다.
- 전통적인 가족 구조가 변화한다.
- 가족의 기능이 약화되고 있다.
- 인구 고령화로 노동 인구가 감소한다.
- 저축, 투자, 소비 위축 등으로 경제 성장이 둔화된다.
- 젊은 세대는 노인 부양 책임과 자신의 노후 대비로 부담이 커진다.

㉢ 저출산 · 고령 사회의 대비책

- 결혼과 자녀 출산에 관해 긍정적인 생각을 갖는다.
- 자신의 적성에 맞는 진로를 탐색하고 직업 준비를 하며, 전 생애적인 관점에서 생애 설계를 하고 안정적인 노후를 준비한다.
- 가족에게 필요하고 이용 가능한 정책을 찾아 적극적으로 활용한다.
- 다양한 출산 장려, 보육 지원 정책을 마련한다.
- 가족 친화 문화, 양성평등 사회 문화를 조성한다.
- 노인 인구의 경제 생산 활동 참여를 확대한다.
- 노후 생활 보장 및 고령 친화적인 사회 환경을 조성한다.

동기 유발 [교과서 94쪽]

① 그래프에서 발생 가능성과 영향력이 가장 높은 것을 찾아보고, ② 그림에서 저출산 · 초고령화 사회가 무엇과 연결되는지 찾아보자.

예시 답안

① 저출산 · 초고령화 사회
② 저성장과 성장 전략 전환, 난치병 극복, 미래 세대 삶의 불안정성 등과 연결되어 있다.

보조 노트

저출산

출산율이 저하하는 현상이다.

합계 출산율

가임 여성(15~49세) 1명이 평생 동안 낳을 것으로 예상되는 평균 출생아 수를 나타낸 지표로, 연령별 출산율의 총합이며 출산력 수준을 나타내는 대표적 지표이다.

고령화 사회, 고령 사회, 초고령 사회의 구분 기준

유엔(UN)의 인구 구분 기준을 바탕으로, 65세 이상 인구가 전체 인구에서 차지하는 비율이 7% 이상이면 해당 국가를 고령화 사회로 분류한다. 또한, 65세 이상 인구가 전체에서 차지하는 비율이 14% 이상이면 고령 사회, 20% 이상까지 올라가면 초고령 사회(후기 고령 사회)로 구분하고 있다.

2. 가족 친화 문화의 필요성

① 배경

㉠ 현대 가족의 다양한 문제들은 개인이나 가족 구성원의 힘만으로는 해결할 수 없는 사회 구조적인 문제들이 많다.

㉡ **해결 방법**

- 저출산 · 고령화 문제는 개인이 해결할 수 있는 문제가 아니며, 사회 전체적인 측면에서 원인을 따져 보아야 한다.
- 가족 가치 중심의 가족 친화 문화를 조성해야 한다.

② 가족 친화 문화

㉠ **의미:** 일과 가정생활의 균형을 유지할 수 있도록 모두가 가족을 배려하는 분위기를 만들고, 가족의 소중함에 관한 가치를 공유하며 지원하는 문화를 말한다.

㉡ 가족 친화 문화를 조성하고 확산하기 위해서는 개인, 직장, 지역 사회, 국가가 모두 함께 노력해야 한다.

㉢ **가족 친화 문화 조성을 위한 노력**

국가
- 가족 친화 인증 제도
- 가족 친화 정책 수립

지역 사회
- 마을 돌봄 공동체 운영

직장
- 가족 친화 경영
- 자녀 출산 양육 지원
- 유연 근무제 시행
- 가족 친화 직장 문화 조성

가정
- 양성평등한 가치관 갖기
- 능률적인 역할 분담
- 공동 육아 참여

행복한 가정생활

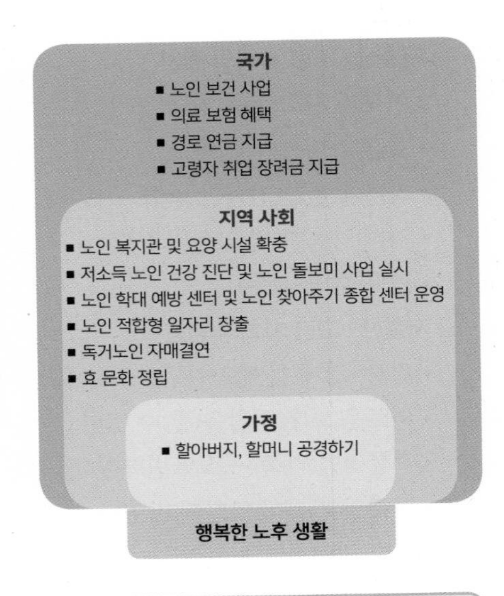

핵심 용어 | 저출산·고령 사회, 가족 친화 문화, 개인, 직장, 지역 사회, 국가

그림으로 보는 가정 이야기

[교과서 98~99쪽]
나의 노후를 어떻게 보낼 것인지 생각해 보고, 적어 보자.

예시 답안

노년기를 대비하여 저축을 많이 하고, 운동을 꾸준히 하여 건강하게 생활할 것이다.

활동 TIP

나이에 관계없이 적극적으로 사는 다양한 노인들의 모습을 보며 자신의 노년기는 어떻게 생각해 본다.

스스로 정리하기

1 출산율은 낮아지고, 65세 이상의 고령자 수가 증가하여 전체 인구에서 고령자의 비율이 높은 사회를 무엇이라고 하는가? 저출산 · 고령 사회

2 저출산·고령 사회의 원인을 두 가지만 이야기해 보자. • 여성의 사회 활동 참여 증가 • 결혼 가치관의 변화 • 자녀에 관한 가치관 변화 • 자녀 양육비 및 교육비 부담 • 평균 수명의 증가

3 창의·인성 행복한 가정생활을 유지할 수 있도록 국가가 가족 친화 문화 조성을 위해 노력해야 할 점을 이야기해 보자. • 가족 친화 인증 제도를 실시한다. • 가족 친화 정책을 수립한다.

01 출산율은 낮아지고, 65세 이상의 고령자 수가 증가하여 전체 인구에서 고령자의 비율이 높은 사회를 무엇이라고 하는지 쓰시오.

(　　　　　　　　　　)

02 유엔(UN)의 인구 구분 기준을 바탕으로, 65세 이상 인구가 전체 인구에서 차지하는 비율이 7% 이상이면 해당 국가를 (　　　　　) 사회로 분류한다. 또한, 65세 이상 인구가 전체에서 차지하는 비율이 14% 이상이면 (　　　　　) 사회, (　　　　　)% 이상까지 올라가면 초고령 사회(후기 고령 사회)로 구분하고 있다.

03 가임 여성(15~49세) 1명이 평생 동안 낳을 것으로 예상되는 평균 출생아 수를 나타낸 지표를 무엇이라고 하는지 쓰시오.

(　　　　　　　　　　)

04 다음 중 저출산 · 고령 사회의 원인이 아닌 것은?

① 평균 수명의 증가
② 결혼 가치관의 변화
③ 자녀 양육비 및 교육비 부담
④ 여성의 사회 활동 참여 증가
⑤ 양성평등한 가치관으로의 변화

05 인구의 (　　　　　　　)(으)로 노동 인구가 감소하며, 이에 따라 저축, 투자, 소비가 위축되어 경제 성장이 둔화될 것이다.

06 저출산 · 고령 사회의 영향으로 젊은 세대는 노인 (　　　　　) 책임과 자신의 (　　　　　) 대비로 부담이 커질 것이다.

07 저출산 · 고령 사회의 대비책으로 자신의 적성에 맞는 진로를 탐색하고 직업 준비를 하며, 전 생애적인 관점에서 (　　　　　　)을/를 하고 안정적인 노후를 준비해야 한다.

08 저출산 문제를 해결하기 위해서는 가족 친화 문화 및 양성평등 사회 문화를 조성하는 것이 필요하다.

(○ , ×)

09 저출산 · 고령화 문제는 사회 전체적인 문제가 아니라 개인이 해결할 수 있는 문제이다.

(○ , ×)

10 가족 친화 문화를 조성하기 위해서 가정에서는 (　　　　　　)한 가치관을 갖는 것이 필요하다.

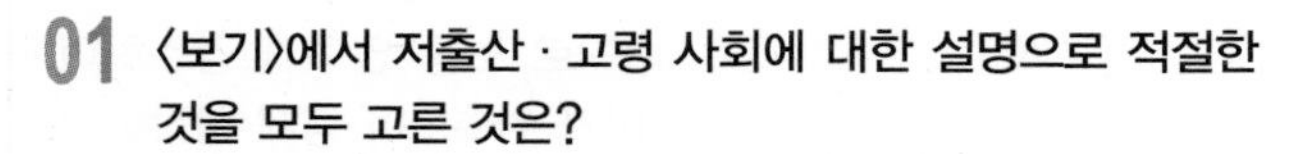

정답과 해설 6쪽

01 <보기>에서 저출산 · 고령 사회에 대한 설명으로 적절한 것을 모두 고른 것은?

보기
ㄱ. 현재 우리나라는 급격한 속도로 저출산 · 고령 사회로 바뀌고 있다.
ㄴ. 태어나는 사람은 많아지고, 나이 든 사람은 점점 적어지는 사회를 말한다.
ㄷ. 저출산 · 고령 사회는 미래의 우리 사회에 매우 심각한 문제가 될 것으로 예측된다.

① ㄱ ② ㄴ ③ ㄷ
④ ㄱ, ㄷ ⑤ ㄴ, ㄷ

02 저출산 · 고령 사회의 영향으로 적절하지 않은 것은?

① 전통적인 가족 구조가 변화한다.
② 인구 고령화로 노동 인구가 감소한다.
③ 젊은 세대의 노인 부양 책임이 커진다.
④ 투자, 소비 확대 등으로 경제 성장이 일어난다.
⑤ 건강, 경제 문제로 불안한 노후를 맞이할 수 있다.

03 <보기>에서 저출산 문제의 해결 방안으로 적절한 것을 모두 고른 것은?

보기
ㄱ. 직장의 가족 친화 문화를 장려한다.
ㄴ. 양육비 및 교육비 지원을 축소한다.
ㄷ. 출산에 대한 긍정적인 인식을 갖도록 홍보한다.
ㄹ. 개인의 가치관 문제이므로 그대로 받아들여야 한다.

① ㄱ, ㄴ ② ㄱ, ㄷ ③ ㄴ, ㄷ
④ ㄴ, ㄹ ⑤ ㄷ, ㄹ

04 <보기>에서 고령 사회의 대비책으로 적절한 것을 모두 고른 것은?

보기
ㄱ. 노인의 정년 기간 단축
ㄴ. 고령 친화적인 사회 환경 조성
ㄷ. 노인 복지관을 보육 시설로 교체
ㄹ. 연금, 의료, 돌봄 등의 노후 생활 지원 확대

① ㄱ, ㄴ ② ㄱ, ㄷ ③ ㄴ, ㄷ
④ ㄴ, ㄹ ⑤ ㄷ, ㄹ

05 다음에서 설명하는 개념은?

일과 가정생활의 균형을 유지할 수 있도록 모두가 가족을 배려하는 분위기를 만들고, 가족의 소중함에 관한 가치를 공유하며 지원하는 문화를 말한다.

① 양성평등 문화 ② 가족 친화 문화
③ 남아 선호 사상 ④ 경로 우대 사상
⑤ 고령 친화적 사회

06 다음 내용과 관련지어 가정, 직장, 지역 사회의 가족 친화 문화 조성을 위한 노력으로 적절하지 않은 것은?

전국경제인연합회는 직장인 여성 500명을 대상으로 조사한 결과, 평균 자녀 수(현재 자녀 수+향후 출산 계획 자녀 수)가 1.5명인 것으로 조사됐다고 11일 밝혔다. 기혼자의 평균 자녀 수는 1.8명이며, 미혼자의 경우 향후 출산 계획이 있는 자녀 수는 평균 1.1명이고, 출산할 계획이 없다는 응답도 38.3%에 달했다.
[출처: 글로벌이코노믹, 2016년 8월 11일]

① 지역 사회에서는 마을 돌봄 공동체를 운영한다.
② 가정에서 양성평등한 가치관을 가지려 노력한다.
③ 직장에서는 보육 수당 및 자녀 학자금을 지원한다.
④ 부부가 공동으로 육아에 참여하고 역할을 분담한다.
⑤ 직장에서는 배우자의 출산 휴가 및 육아 휴직을 제한한다.

• 시간 관리를 합리적이고, 효율적으로 하여 역할을 수행한다.
• 가족 구성원 각자의 상황과 능력에 맞추어 가사 노동을 분담한다.
• 가족 구성원 간에 충분히 의사소통을 하여 서로의 일정을 미리 파악한다.

ⓒ 자녀 양육 문제 해결

• 부부가 자녀 양육의 역할을 평등하게 분담한다.
• 알맞은 보육 시설을 이용한다.
• 보육 시설의 확대를 사회에 요구한다.
• 가족에게 적합한 사회적 지원 방안을 찾아 활용한다.

ⓔ 경제생활 관리 문제 해결

• 각자의 수입과 지출을 공개하고, 공동 관리한다.
• 소비 형태를 점검하고, 합리적인 소비 생활을 한다.
• 가계부를 작성하여 과다한 지출 항목을 점검한다.
• 장기적인 경제 계획과 단기적인 계획을 함께 세운다.

② 사회 · 문화 차원의 문제 해결

ⓐ 해결 방안

• 가족 친화 문화를 조성한다.
• 시간 선택제, 시차 출퇴근제, 재택근무제 등을 통해 근무 시간 및 근무 장소를 유연하게 조정한다.
• 육아 휴직, 돌봄 휴직 등을 잘 지킨다.
• 경영자가 먼저 일 · 가정 양립의 역할 모델이 된다.
• 일 · 가정 지원에 관한 법률을 제정한다.
• 일 · 가정 지원 정책과 제도를 시행한다.
• 가족 친화 문화를 적극 장려하고, 가족 친화 인증 제도를 실시한다.
• 양성평등 사회를 실현하기 위해 노력한다.
• 사회 전체가 일 · 가정 양립을 위한 관심과 배려가 필요하다.

ⓑ 가족 친화 인증 제도: 가족 친화 문화를 모범적으로 조성하고 있는 기업을 정부가 심사를 통해 인증을 부여해 혜택을 주는 제도이다.

핵심 용어 | 일·가정 양립, 개인·가족 차원의 문제와 해결 방안, 사회·문화 차원의 문제와 해결 방안, 가족 친화 인증 제도

보조 노트

일 · 가정 양립의 좋은 점

• 개인과 가족이 모두 건강하고 행복한 생활을 할 수 있다.
• 여성 인력 확보로 국가 경쟁력이 강화된다.
• 가족 친화 경영으로 직무 만족도와 생산성이 향상된다.

작은 활동 [교과서 101쪽]

내가 만약 가족 복지를 중시하는 대통령이라면, 일과 가정의 양립을 위해 어떠한 정책과 제도를 마련할 것인지 이야기해 보자.

예시 답안

모든 아이들이 어린이집에 가면 시간에 관계없이 아침, 점심, 저녁을 다 먹을 수 있게 해 주고, 그곳에서 부모가 데리러 올 때까지 편하게 지낼 수 있게 하는 보육 정책을 시행할 것이다.

스스로 정리하기

1 가족 친화 문화를 모범적으로 조성하고 있는 기업을 정부가 심사를 통해 인증을 부여해 혜택을 주는 제도를 무엇이라고 하는가? 가족 친화 인증 제도

2 창의·인성 일·가정 양립의 문제 중 가족 가치관의 충돌을 해결하기 위한 방안을 이야기해 보자.

• 성 역할 고정 관념에서 벗어난다.
• 가족 구성원 모두가 평등하게 역할을 분담한다.
• 가족 구성원 간의 원만한 의사소통과 솔직한 감정 표현을 통해 문제를 해결한다.
• 가족 구성원 간에 배려와 존중을 통해 서로에게 정신적 지지와 지원을 보낸다.

01 개인의 일과 가정생활이 조화롭게 균형을 유지하고 있는 상태를 무엇이라고 하는지 쓰시오.

(   )

02 일 · 가정 양립 과정에서 나타날 수 있는 사회 · 문화 차원의 문제로 적절하지 않은 것은?

① 높은 퇴사율
② 생산성 저하
③ 출산 기피로 저출산
④ 경력 단절로 전문 인력 낭비
⑤ 남편의 가사일과 육아 도움 부족

03 일 · 가정 양립 과정에서 발생할 수 있는 문제점으로 자녀의 학교 행사와 회사의 중요한 회의가 동시에 잡히는 경우와 같이 여러 가지 일정이 겹치면서 오는 갈등을 무엇이라고 하는지 쓰시오.

(   )

04 다음과 같은 상황에서 발생할 수 있는 문제점은?

> 6시면 아이를 데리러 가야 하는데, 회사에서 남은 일을 처리해야 한다. 하지만 아이가 신경 쓰여 일에 집중이 안 된다.

① 경력 단절
② 생산성 저하
③ 전문 교육의 부재
④ 가족 가치관의 충돌
⑤ 경제생활 관리 문제

05 일 · 가정 양립의 문제는 개인이나 가족의 문제로 국한해서 바라볼 것이 아니라 사회적 문제로 인식하여 문제 해결을 위해 사회 구성원 모두가 적극적으로 대처하려는 노력이 필요하다.

(○ , ×)

06 일 · 가정 양립을 위해 가족 가치관 충돌 문제를 해결하는 방안으로 적절하지 않은 것은?

① 성 역할 고정 관념에서 벗어난다.
② 가족 구성원 간에 원만히 의사소통한다.
③ 가족 구성원 모두가 평등하게 역할을 분담한다.
④ 갈등을 최소화하기 위해 자신의 감정을 숨기고 절제하려고 노력한다.
⑤ 가족 구성원 간에 배려와 존중을 통해 서로 지지하고 지원을 보낸다.

07 가족 친화 문화를 모범적으로 조성하고 있는 기업을 정부가 심사를 통해 인증을 부여해 혜택을 주는 제도를 무엇이라고 하는지 쓰시오.

(   )

08 일 · 가정 양립을 위해 근무 시간 및 근무 장소를 유연하게 조정하는 방안으로 옳지 않은 것은?

① 재택 근무제
② 시간 선택제
③ 유연 근무제
④ 야근 수당제
⑤ 시차 출퇴근제

01 **일 · 가정 양립에 대한 설명으로 적절하지 않은 것은?**

① 일 · 가정 양립 과정에서 자녀 양육 문제를 겪을 수 있다.
② 일 · 가정 양립이 어려운 경우 경력 단절로 전문 인력이 낭비된다.
③ 개인의 일과 가정생활이 조화롭게 균형을 유지하고 있는 상태를 말한다.
④ 일 · 가정 양립의 어려움으로 인해 출산을 기피하여 저출산 문제가 심해지고 있다.
⑤ 일과 가정생활의 조화가 잘 이루어지면 근무 의욕이 낮아져 업무 능률이 감소한다.

02 **<보기>에서 일 · 가정 양립 과정에서 나타날 수 있는 개인 · 가족 차원의 문제를 모두 고른 것은?**

보기
ㄱ. 높은 퇴사율　　ㄴ. 생산성 저하
ㄷ. 자녀 양육 문제　　ㄹ. 역할 및 일정 갈등

① ㄱ, ㄴ　② ㄱ, ㄷ　③ ㄴ, ㄷ
④ ㄴ, ㄹ　⑤ ㄷ, ㄹ

03 **가족 가치관 충돌에 대한 설명으로 가장 적절한 것은?**

① 가족 간의 여러 일정이 겹쳐서 나타난다.
② 한 사람이 여러 가지 역할을 가질 때 나타난다.
③ 지출 항목의 우선순위가 일치하지 않아 생긴다.
④ 자녀 양육에 대한 책임 의식 부족으로 나타난다.
⑤ 성 역할 고정 관념을 가진 남편과 아내가 집안일에 대한 생각의 차이로 발생한다.

04 **다음의 해결 방안과 관련된 일 · 가정 양립의 문제는?**

- 각자의 수입과 지출 공개
- 소비 형태 점검과 합리적인 소비 생활
- 장기적인 경제 계획과 단기 계획을 함께 세우기

① 일정 갈등　② 역할 갈등
③ 자녀 양육 문제　④ 가사 노동 문제
⑤ 경제생활 관리 문제

05 **<보기>에서 가정생활과 직업 생활의 조화를 이루기 위한 방안으로 적절한 것을 모두 고른 것은?**

보기
ㄱ. 가족 공동 시간을 줄이고 개인 시간을 우선으로 한다.
ㄴ. 남성은 여성보다 적극적으로 경제 활동에 참여한다.
ㄷ. 가족에게 적합한 사회적 지원 방안을 찾아 활용한다.
ㄹ. 한 사람이 여러 가지 역할을 동시에 수행할 수 없음을 인정한다.

① ㄱ, ㄴ　② ㄱ, ㄷ　③ ㄴ, ㄷ
④ ㄴ, ㄹ　⑤ ㄷ, ㄹ

06 **일 · 가정 양립을 위한 사회 · 문화 차원에서의 문제 해결 방안으로 적절하지 않은 것은?**

① 가족 친화 문화를 조성한다.
② 가족 친화 인증 제도를 실시한다.
③ 육아 휴직, 돌봄 휴직 등을 잘 지킨다.
④ 가족 구성원 모두가 평등하게 역할을 분담한다.
⑤ 경영자가 먼저 일 · 가정 양립의 역할 모델이 된다.

가 정 활 동 일과 가정의 양립에 관련된 활동을 해 보자.

① 노래 가사를 읽고, 활동을 해 보자.

1-1 <섬 집 아기> 가사를 현대의 '일하는 엄마'의 모습에 비유하여 나만의 가사를 만들어 보자.

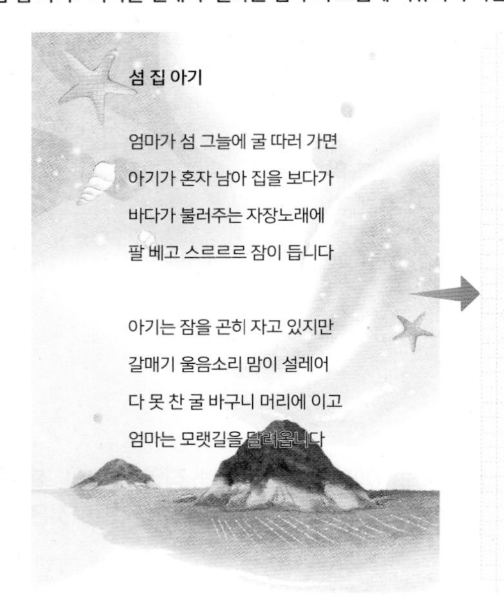

엄마, 아빠가 회사로 가면
아기는 어린이집으로 가요.
엄마가 아기 손 놓고
나가지만 자꾸만 뒤돌아봐요.

해 질 녘이면
어린이집에 있는 아기가
자꾸 떠올라요.

야근 후에 가면
혼자 놀다 잠든 아기 때문에
자꾸 눈물이 나요.

동요의 내용과 일·가정 양립이 연결되어 있다는 것을 염두에 두면서 가사를 만들어 봅니다.

1-2 1950년에 만들어진 창작 동요 <섬 집 아기>의 가사 속에 드러난 엄마의 상황과 현대의 '일하는 엄마'의 상황을 비교해 보고, 공통점과 차이점을 적어 보자.

	공통점	차이점
<섬 집 아기>의 엄마	육아에 대한 책임을 엄마가 지고 있다. 일 나가면 아기 걱정으로 늘 마음이 불안하고, 일이 끝나면 정신없이 달려온다.	아기를 혼자 두고 일하러 나가고, 아기 걱정을 많이 하면서 일한다.
현대의 '일하는 엄마'		육아를 도와주는 어린이집이나 시설 등이 있어 아기를 맡겨두고 일하러 나간다.

선생님 생각 엿보기

· 이 활동의 목적

선생님은 이 활동을 통해 일·가정 양립의 어려움을 인식할 수 있기를 바랍니다.

· 선생님은 이 활동을 이렇게 평가합니다.

상	일 · 가정 양립에 대한 어려움을 잘 개사하여 표현하였고, 과거의 일 · 가정 양립하는 어머니의 모습과 현대의 일 · 가정 양립하는 어머니의 모습을 잘 비교하여 서술하였다.
중	일 · 가정 양립에 대한 어려움을 잘 개사하여 표현하였으나, 과거의 일 · 가정 양립하는 어머니의 모습과 현대의 일 · 가정 양립하는 어머니의 모습에 관한 비교가 미흡하였다.
하	일 · 가정 양립의 어려움을 잘 표현하지 못하였고, 과거의 일 · 가정 양립하는 어머니의 모습과 현대의 일 · 가정 양립하는 어머니의 모습에 관한 비교가 미흡하였다.

이와 관련된 활동은?

[관련 활동] 해외 일·가정 양립 상황 파헤치기 | '아빠도 육아 휴직, 스웨덴 라떼 대디'와 '육아 휴직의 천국 덴마크'에 관한 기사를 읽고, 외국과 한국의 일·가정 양립을 비교해 보는 활동이다.

- 노후 설계
  - 건강한 노후를 위한 건강 관리 계획 수립하기
  - 수입 감소에 따른 경제적 대비하기
  - 노후 여가 생활을 위한 계획 수립하기
  - 노후에 행복한 가족 관계 형성 계획 수립하기

④ 가족생활 주기별 생애 설계

㉠ **분류:** 가정 형성기, 가정 확대기, 가정 축소기

㉡ **발달 과업과 유의점**

- 각 단계별로 가족이 수행해야 할 발달 과업이 있다.
- 발달 과업을 성공적으로 수행할 때 가족 개개인의 발달과 가족의 행복이 증진될 수 있다.
- 발달 과업을 토대로 각 단계에서 가족이 기대하는 욕구나 가족의 변화를 이해하고, 가족의 행동을 예측하면서 가족생활 설계를 하는 것이 필요하다.

㉢ **가족생활 설계 종류:** 가족 관계 설계, 자녀 양육 및 교육 설계, 가정 경제 설계 등이 있다.

㉣ **가족생활 주기에 따른 발달 과업**

- 가정 형성기
  - 가족생활의 목표와 규칙 정하기
  - 서로의 역할과 책임의 기준 정하기
  - 부부간에 애정과 친밀감 형성하기
  - 친인척과의 원만한 관계 형성하기
  - 임신과 부모 됨 준비하기
- 가정 확대기 – 자녀 양육기
  - 자녀 양육과 가사의 역할 분담 재조정하기
  - 부모 역할과 책임에 관한 이해와 적응하기
  - 자녀의 건강한 성장을 위한 물질적, 정서적 환경 조성하기
  - 자녀 양육 및 교육, 주택 확장을 위한 경제적 계획 세우기
- 가정 확대기 – 자녀 교육기
  - 자녀 발달 단계에 맞는 교육과 환경 지원하기
  - 자녀의 정서적 안정 유지와 자녀와의 유대감 형성하기
  - 자녀의 자아 정체감 형성과 진로 탐색 지원하기
  - 자녀 교육, 독립, 부부의 노후 대비를 위한 경제적 기반 마련하기
- 가정 축소기 – 자녀 독립기
  - 자녀의 정서적, 경제적 독립 지원하기
  - 부부 관계 재정비하기
  - 은퇴 후 생활 준비하기
  - 건강 대책 세우기
  - 노년을 위한 경제 대책 수립하기

보조 노트

가족생활 주기

- 가족의 구조가 변하며 가족생활이 변화되어 가는 것이다.
- 결혼을 통해 가족이 형성된 후 자녀를 낳고 확대되며, 자녀의 독립 후 축소, 소멸될 때까지의 과정이다.

• 가정 축소기 – 노년기
  – 노화와 은퇴에 적응하기
  – 조부모 역할 준비 및 적응하기
  – 경제적 자원 안정적으로 관리하기
  – 배우자와의 사별과 자신의 죽음에 대비하기

ⓜ 설계 항목 및 주요 내용

• 가족 관계 설계
  – 가족생활 주기별 부부 역할 재조정하기
  – 원만한 부부 관계 맺기
  – 원만한 부모 자녀 관계 맺기
  – 새로운 가족과의 적응 및 원만한 친족 관계 맺기
• 자녀 양육 및 교육 설계
  – 자녀 양육 방법 수립하기
  – 자녀의 정서적 안정과 건강한 발달을 위해 노력하기
  – 자녀의 발달 단계에 따른 욕구 파악과 해결 도와주기
  – 자녀의 학업과 진로 지도하기
• 가정 경제 설계
  – 가정의 수입과 지출에 관한 장기 계획 수립하기
  – 자녀 양육비와 교육비 마련 계획 수립하기
  – 주택 마련 계획 수립하기
  – 부부의 노후 생활 자금 마련 계획 세우기
  – 자녀의 독립, 결혼 등 경제적 지원 계획 세우기
  – 노후의 경제적 안정을 위한 대책 마련하기
  – 노후 의료비 지출 대비하기

핵심 용어 | 생애 설계, 생애 주기, 발달 과업, 개인 생활 주기별 생애 설계, 가족생활 주기별 생애 설계

스스로 정리하기

1 개인이나 가족이 일생을 어떻게 살아갈 것인지를 계획하는 것을 무엇이라고 하는가? 생애 설계

2 생애 주기별 생애 설계의 절차를 순서대로 이야기해 보자. 생애 목표 정하기 → 구체적인 하위 목표 정하기 → 목표 달성을 위한 실행 방안 마련하기

3 창의·인성 개인 생활 주기 중 청소년기에 수행해야 할 발달 과업을 이야기해 보자.
• 자아 정체감을 형성한다. • 진로를 탐색한다.

개념 익히기

정답과 해설 7쪽

01 개인이나 가족이 일생을 어떻게 살아갈 것인지를 계획하는 것을 무엇이라고 하는지 쓰시오.

(   )

02 생애 설계를 하면 예측하지 못한 일에 현명하게 대처할 수 있다.

(○ , ×)

03 다음이 설명하는 개념은 무엇인지 쓰시오.

> 개인이나 가족의 삶이 시간의 흐름에 따라 변화하는 과정을 단계별로 구분한 것

(   )

04 생애 주기는 개인 생활 주기와 (   )로 나눌 수 있다.

05 생애 주기의 각 단계마다 개인이나 가족이 수행해야 할 과제를 무엇이라고 하는지 쓰시오.

(   )

06 생애 설계를 할 때 가장 먼저 해야 할 일은 구체적인 하위 목표를 정하는 것이다.

(○ , ×)

07 개인 생활 주기 중 다음과 같은 발달 과업을 수행해야 하는 시기를 쓰시오.

> • 자아 정체감 형성
> • 진로 탐색

(   )

08 개인 생활 주기별 생애 설계를 할 때 설계 항목으로 적절하지 않은 것은?

① 결혼 설계
② 건강 설계
③ 노후 설계
④ 가정 경제 설계
⑤ 진로 및 직업 설계

09 다음을 주요 내용으로 하는 가족생활 주기별 생애 설계 항목을 쓰시오.

> • 부부 역할 재조정하기
> • 원만한 부부 · 부모 자녀 관계 맺기
> • 새로운 가족과의 적응 및 원만한 친족 관계 맺기

(   )

10 가정 형성기의 발달 과업으로 옳은 것은?

① 자녀 양육하기
② 은퇴 적응하기
③ 부부 관계 재정비하기
④ 자녀와 유대감 형성하기
⑤ 서로의 역할과 책임의 기준 정하기

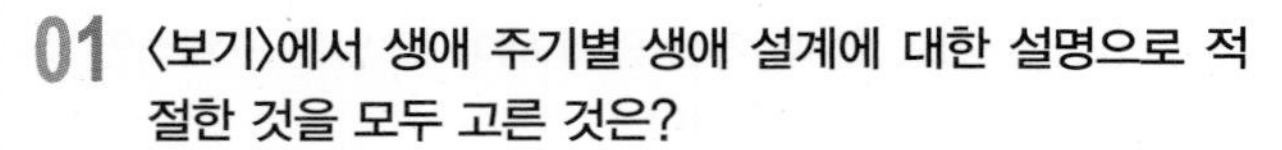

정답과 해설 7쪽

01 〈보기〉에서 생애 주기별 생애 설계에 대한 설명으로 적절한 것을 모두 고른 것은?

보기
ㄱ. 단기적인 관점에서 설계해야 한다.
ㄴ. 개인과 가족의 생애 전체를 고려한다.
ㄷ. 각 단계마다 발달 과업을 이해한 후 계획을 세운다.
ㄹ. 목표 달성을 위한 실행 방안을 가장 먼저 설정해야 한다.

① ㄱ, ㄴ ② ㄱ, ㄷ ③ ㄴ, ㄷ
④ ㄴ, ㄹ ⑤ ㄷ, ㄹ

02 생애 설계의 절차 중 생애 목표 설정의 예로 가장 적절한 것은?

① 매달 과학 관련 책을 한 권씩 읽는다.
② 연구 활동을 위해 평소 운동으로 건강 관리를 한다.
③ 같이 공부하는 사람을 만나 결혼하고, 아이를 2명 낳는다.
④ 세계적으로 유명한 생명 과학자가 되어 인류 발전에 기여한다.
⑤ 생명 과학과로 진학하여 석사, 박사 학위를 취득하고 연구소에 취직한다.

03 〈보기〉에서 아동기의 발달 과업으로 옳은 것을 모두 고른 것은?

보기
ㄱ. 애착 관계 형성하기
ㄴ. 학교생활에 적응하기
ㄷ. 기본 생활 습관 익히기
ㄹ. 올바른 성 역할 습득하기

① ㄱ, ㄴ ② ㄱ, ㄹ ③ ㄴ, ㄷ
④ ㄴ, ㄹ ⑤ ㄷ, ㄹ

04 진로 및 직업 설계의 주요 내용으로 옳지 않은 것은?

① 자신의 성격, 적성, 가치관 등을 바로 안다.
② 자신의 꿈과 인생의 목표를 분명하게 정한다.
③ 직업을 위한 구체적인 계획을 수립하고 준비한다.
④ 신체적, 정신적, 사회적 건강을 위한 실천 계획을 세운다.
⑤ 인생 목표와 자신의 특성에 맞는 진로 및 직업을 선택한다.

05 〈보기〉에서 결혼 설계의 주요 내용으로 옳은 것을 모두 고른 것은?

보기
ㄱ. 여가 생활 계획 수립하기
ㄴ. 시기와 비용 계획 수립하기
ㄷ. 자신에게 맞는 배우자 선택하기
ㄹ. 수입 감소에 따른 경제적 대비하기

① ㄱ, ㄴ ② ㄱ, ㄷ ③ ㄴ, ㄷ
④ ㄴ, ㄹ ⑤ ㄷ, ㄹ

06 가족생활 주기에 따른 발달 과업이 바르게 짝지어진 것은?

① 가정 형성기 – 은퇴 후 생활 준비
② 자녀 양육기 – 자녀의 성장을 위한 환경 조성
③ 자녀 교육기 – 자녀의 정서적, 경제적 독립 지원
④ 자녀 독립기 – 자녀 발달 단계에 맞는 교육과 환경 지원
⑤ 노년기 – 자녀 교육과 주택 확장을 위한 경제적 계획 수립

07 가족생활 설계 중 다음의 설명에 해당하는 설계 항목으로 옳은 것은?

• 주택 마련 계획 수립하기
• 노후 의료비 지출 대비하기
• 자녀의 독립, 결혼 등 경제적 지원 계획 세우기
• 가정의 수입과 지출에 관한 장기 계획 수립하기

① 결혼 설계 ② 노후 설계
③ 가정 경제 설계 ④ 가족 관계 설계
⑤ 자녀 양육 및 교육 설계

/ 재 / 미 / 있 / 는 /

가 정 활 동

교과서 105쪽

이 섹션에서 할 수 있어야 하는 것!

생애 설계의 절차에 따라 자신의 생애 목표를 세우고, 목표 달성을 위한 실행 방안을 마련해 보자.

1 생애 목표 정하기

● 어떤 삶을 살고 싶은가?

세계적으로 유명한 생명 과학자가 되어 인류 발전에 기여한다.

2 직업, 결혼, 건강, 경제 등 하위 목표 정하기

● 무엇을 하며 살 것인가?

- 생명 과학과로 진학하여 석사, 박사 학위를 취득하고 연구소에 취직한다.
- 같이 공부하는 사람을 만나 결혼하고, 아이를 2명 낳는다.
- 연구 활동을 위해 평소 운동으로 건강 관리를 한다.

3 목표 달성을 위한 실행 방안 마련하기

● 어떻게 준비할 것인가?

- 매달 생명 과학 관련 책을 한 권씩 읽는다.
- 과학 관련 영어 원서를 읽기 위해 열심히 영어 공부를 한다.
- 좋아하는 농구를 매일 한 시간씩 하여 체력을 다진다.

자신의 전 생애를 머릿속에 그려 보며, 어떤 삶을 살고 싶은지, 그런 삶을 위해서 무엇을 어떻게 해야 하는지 생각하면서 적어 봅니다.

선생님 생각 엿보기

· 이 활동의 목적

선생님은 이 활동을 통해 자신의 행복한 미래를 위해 목표를 세우고, 실행 가능한 방안을 모색할 수 있기를 바랍니다.

· 선생님은 이 활동을 이렇게 평가합니다.

상	생애 설계의 중요성을 알고, 설계 절차에 맞게 생애 목표 세우기 및 목표 달성을 위한 실행 방안을 구체적으로 제시하였다.
중	생애 설계의 중요성을 알고 설계 절차에 맞게 생애 목표는 세웠으나, 목표 달성을 위한 실행 방안 제시가 미흡하였다.
하	생애 설계의 중요성을 잘 알지 못하고, 설계 절차에 맞게 생애 목표 세우기 및 목표 달성을 위한 실행 방안 제시가 미흡하였다.

이와 관련된 활동은?

[관련 활동] 존경하는 분의 인생 살아보기! | 존경하는 사람의 삶에 대해서 자료 조사를 한 후, 존경하는 사람의 생애를 절차에 따라 설계해 보는 활동이다.

/ 재 / 미 / 있 / 는 /

가 정 활 동 　나의 생애 설계를 해 보고, 평가해 보자.

1 나의 생애 목표를 적어 보자.

아이들과 함께 생활하며 아이들의 꿈과 희망을 키워 주는 행복한 유치원 선생님으로 살 것이다.

2 표의 빈칸을 채워 보고, 준비 사항을 적어 보자.

	이렇게 하고 싶어요!	이렇게 준비해요!
1	• 나는 그림 그리기 을/를 잘한다. • 나는 어린아이들 을/를 좋아한다. • 나는 누군가에게 도움을 주는 행동을 했을 때 내가 가장 자랑스럽다. • 나의 좌우명은 남에게 희망을 줄 수 있는 사람이 되자 이다.	책 많이 읽기 다른 사람들과 대화하기
2	• 나는 ○○ 고등학교에 간다. • 나는 □□ 대학교 유아 교육 과에 간다. • 나는 어린이를 돌보는 일에 종사한다.	공부 열심히 하기 유아 관련 동아리 만들기 어린이집에서 봉사 활동하기

자기 이해,
진로 및 직업 설계,
결혼 설계, 건강 설계,
경제 설계, 노후 설계 등을
밑줄 친 부분에 채우고,
준비할 사항을 간단히
적어 봅니다.

3 ②에서 작성한 내용을 바탕으로 나의 생애 곡선을 그려 보자.

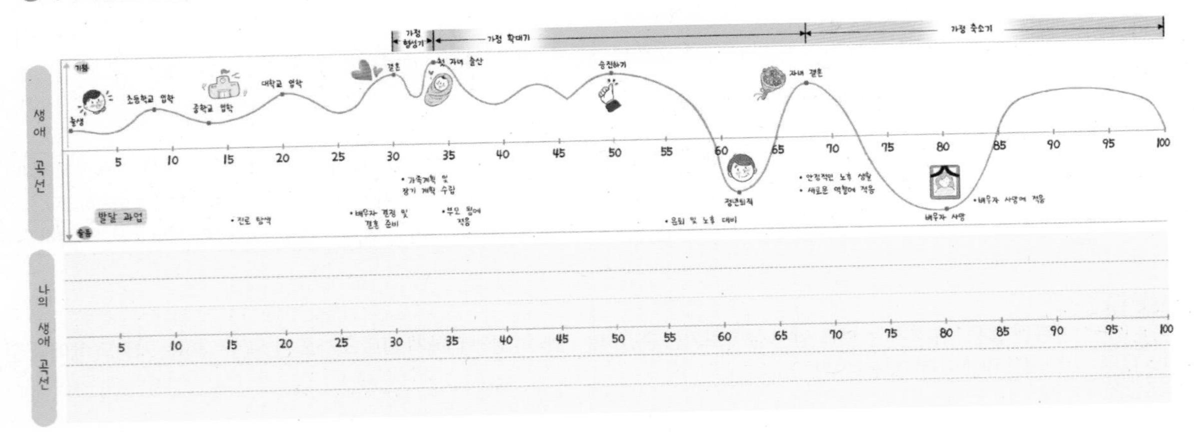

3	• 나는 나를 잘 이해해 주는 (한) 배우자를 만난다. • 나는 30 세에 결혼을 한다. • 나는 두 명의 자녀를 낳는다.	다양한 사람들을 만나 대화하기 월급을 아껴 돈 많이 모으기 좋은 배우자, 부모가 되기 위해 건강 관리하기
4	• 내가 건강을 위해 꾸준히 할 수 있는 운동은 수영 이다. • 나는 스트레스, 우울증을 극복하기 위해서 친구와 이야기를 많이 한다. • 나는 주변 사람들과 좋은 관계를 유지하기 위해서 먼저 연락 한다.	운동 꾸준히 하기 정기적으로 건강 검진받기
5	• 나는 60 세까지 돈을 번다. • 나는 죽을 때까지 여행 다니고, 먹고 싶은 것을 마음대로 먹을 수 있을 만큼 돈을 번다. • 나는 70 세까지 저축을 한다. • 나는 살아가면서 먹고, 즐기고, 아플 때를 위해서는 꼭 돈이 필요하다.	열심히 일하기 매달 규칙적으로 저축하기 돈을 함부로 쓰지 않고 아껴 쓰기
6	• 내가 미래에 꼭 해야 할 일은 유치원 만들기 이다. • 내가 미래에 꼭 하고 싶은 일은 세계 일주 여행 이다. • 나는 은퇴 후에 시골에 내려가 화초 키우기를 하며 산다.	유치원을 운영할 수 있는 지역에 살기 관련 분야의 책 많이 읽기 관련된 직업군에 속하는 많은 사람들과 관계 맺기

4 나의 생애 곡선을 그린 후 느낀 점을 이야기해 보고, 노력할 점을 적어 보자.

나의 목표를 위해 계획을 잘 세워서 실천한다.

선생님 생각 엿보기

· 이 활동의 목적

선생님은 이 활동을 통해 생애 설계의 중요성을 인식하고 자신의 행복한 삶을 위한 생애 설계를 하여 미래에 일어날 일들을 예측해 보고 그에 따른 계획을 세워 미래를 준비할 수 있기를 바랍니다.

· 선생님은 이 활동을 이렇게 평가합니다.

상	자기 이해를 토대로 발달 과업을 잘 이해하고 있고, 이를 위한 개인 생활 주기별, 가족생활 주기별 생애 설계를 잘하였다.
중	자기 이해를 토대로 발달 과업을 잘 이해하고 있으나, 이를 달성하기 위한 생애 설계가 미흡하였다.
하	발달 과업을 잘 이해하지 못하며, 이를 달성하기 위한 생애 설계가 미흡하였다.

이와 관련된 활동은?

[관련 활동] 나의 생애 설계 미니 책 만들기 | 각 발달 단계별로 자신의 생애를 설계하고, 버킷 리스트 등을 작성하여 자신의 생애 설계 미니 책을 만들어 보는 활동이다.

[04. 진로 탐색과 설계]

전 생애적 관점에서의 진로 설계의 필요성을 인식하고, 건전한 직업 가치관을 바탕으로 자신의 적성에 맞는 진로를 탐색하고 설계한다.

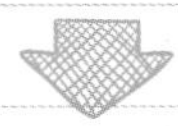

이 섹션에서 '알아야 할 것' (이해)	**전 생애적 관점에서의 진로 설계의 필요성과 자신의 적성에 맞는 진로를 탐색 및 설계하는 방법을 이해한다.** · 진로 탐색과 설계

이 섹션에서 '할 수 있어야 하는 것' (능력)	**건전한 직업 가치관을 바탕으로 자신의 적성에 맞는 진로를 탐색하고 설계할 수 있다.** [활동] • 건전한 직업 가치관을 바탕으로 진로를 설계해 보자.

이 섹션에서 알아야 할 것!

04 진로 탐색과 설계

진로 탐색과 설계

① 진로와 진로 설계

㉠ **진로의 의미:** 좁은 의미로는 일과 직업을 의미하며, 넓은 의미로는 진학, 직업, 결혼, 노후 생활 등 일생을 통해 거치는 모든 일과 활동을 말한다.

㉡ **진로 설계의 의미:** 삶의 목표를 달성하기 위해 자신의 특성에 맞는 실현 가능한 삶의 계획을 세우는 것을 말한다.

㉢ 전 생애적 관점에서의 진로 설계가 이루어져야 한다. 자신이 원하는 행복한 삶은 어느 특정 시기에만 이루어지는 것이 아니기 때문이다.

㉣ 청소년기에는 자신의 능력, 적성, 흥미, 가치관 등에 관한 올바른 인식 및 자신의 가능성과 잠재 능력을 발견하여 이를 토대로 진로를 탐색해야 한다.

㉤ 일과 직업에 관한 올바른 가치관과 태도로 직업 세계를 탐색하여 자신의 진로를 계획하고 준비하는 것이 필요하다. 최근 소득이 높거나 안정적인 직업을 선호하는 직업 쏠림 현상이 나타나고 있는데, 건전한 직업 가치관과 올바른 직업 윤리를 가져야 한다.

㉥ **진로 설계 과정**

자신이 원하는 행복한 삶을 위한 진로 설계 과정	
1. 인생 목표 설정	내가 원하는 행복한 삶을 살기 위해 인생 목표를 설정한다.
⬇	
2. 자신의 이해	자아 탐색을 통해 자신의 적성, 흥미, 성격, 가치관, 가정 환경, 학업 성적, 신체적 조건 등을 파악한다.
⬇	
3. 직업 세계의 이해	다양한 직업의 종류, 직업 정보, 직업의 변화 등을 이해한다.
⬇	
잠정적인 진로 선택	
⬇	
4. 진로 정보 수집	최종 진로를 선택하기 위해 부모님이나 전문가 등과의 상담을 통해 조언을 듣는다.
⬇	
5. 진로 선택 및 준비	진로를 선택하고 이를 실현하기 위해 계획하고 실천한다.

동기 유발 [교과서 110쪽]

생텍쥐페리의 말의 의미는 무엇인지 이야기해 보자.

예시 답안

하고자 하는 것이나 하고 싶은 것의 목표만 세우고, 목표 달성을 위한 구체적인 계획이 없다면 그 목표는 소용없다는 의미이다.

보조 노트

일과 직업

- 일: 가치를 창조하기 위해 행하는 모든 정신적 · 신체적 활동
- 직업: 일 중에서 대가를 받고 일정 기간 계속하여 하는 특정한 일
- 직업의 가치: 자아실현, 경제적 안정, 사회적 역할 수행

자기 이해 요소

- 적성: 어떤 일을 잘할 수 있는 잠재 능력, 소질
- 흥미: 어떤 일이나 활동에 갖는 관심이나 좋은 느낌
- 성격: 개인에게 나타나는 일관적인 행동이나 반응 양식
- 가치관: 어떤 일이나 대상에 관한 생각이나 행동하는 원리, 믿음

자기 이해 방법

자기 이해의 방법으로는 스스로 알아보는 것 외에 부모나 가까운 사람들로부터 알아보는 것과 표준화 검사를 통해 알아보는 것이 있다.

보조 노트

Super의 진로 발달 이론

개인의 능력, 흥미, 인성 등의 차이에 따라 각기 적합한 직업 환경이 있다고 보는 이론이다.

[교과서 114쪽]

나만의 독특한 미래 명함 만들기

활동 TIP

명함의 의미와 용도를 고려하여, 자신이 미래에 하고 싶은 일을 떠올리며 그 직업의 특성과 자신만의 개성이 살아 있는 명함을 만든다.

세상을 이어 주는 가정 이야기

[교과서 115쪽]

내가 하고 싶고, 잘할 수 있는 일을 떠올려 보고, 그것의 직업명을 새롭게 지어 보자.

예시 답안

- 내가 하고 싶은 것은 스마트폰 게임 컨설팅이며, 좋아하고 잘하는 것은 스마트폰 게임이다.
- 스마트폰 게임 컨설턴트: 게임을 좋아하는 소비자에게 온라인 설문을 통해 스마트폰 게임의 좋은 점, 나쁜 점, 더 추가하고 싶은 점 등을 조사한다. 또한 스스로 게임을 해 본 결과를 토대로 게임 회사에 의견을 전달하여 회사별 게임의 새로운 아이템 개발에 도움을 주는 컨설팅 및 건전한 스마트폰 게임을 위한 홍보 활동을 한다.

② 직업 가치관

㉠ **의미:** 직업을 선택할 때 가장 중요하게 생각하는 기준과 가치를 말한다.

㉡ **직업 가치관의 요소**

- 성취: 스스로 달성하기 어려운 목표를 세우고 이를 달성하여 성취감을 맛보는 것을 중시하는 가치
- 봉사: 자신의 이익보다는 사회의 이익을 고려하며, 어려운 사람을 돕고 남을 위해 봉사하는 것을 중시하는 가치
- 직업 안정: 해고나 조기 퇴직의 걱정 없이 오랫동안 안정적으로 일하며 안정적인 수입을 중시하는 가치
- 변화 지향: 일이 반복적이거나 정형화되어 있지 않으며, 다양하고 새로운 것을 경험할 수 있는지를 중시하는 가치
- 지식 추구: 일에서 새로운 지식과 기술을 얻을 수 있고 새로운 지식을 발견할 수 있는지를 중시하는 가치
- 자율: 다른 사람들에게 지시나 통제를 받지 않고 자율적으로 업무를 해 나가는 것을 중시하는 가치
- 금전적 보상: 생활하는 데 경제적인 어려움이 없고 돈을 많이 벌 수 있는지를 중시하는 가치
- 인정: 자신의 일이 다른 사람들로부터 인정받고 존경받을 수 있는지를 중시하는 가치

③ 생애 주기에 따른 진로의 발달

㉠ **진로 발달 단계의 순서:** 성장기 → 탐색기 → 확립기 → 유지기 → 쇠퇴기

㉡ 진로 발달은 일정 기간에만 이루어지는 것이 아니라 전 생애에 걸쳐 진행된다.

㉢ **생애 주기에 따른 진로 발달 단계**

- 성장기(유아기, 아동기): 부모님의 보살핌 속에서 자아를 발견한다.
- 탐색기(청소년기): 자신의 특성을 고려하여 진로를 탐색하고, 미래의 삶을 계획한다.
- 확립기(성년기): 진로를 선택하고, 안정적인 삶을 위해 노력한다.
- 유지기(중년기): 직업에서의 자신의 위치를 확고히 하며 안정된 삶을 살아간다.
- 쇠퇴기(노년기): 직업에서 은퇴하여 새로운 진로를 준비한다.

핵심 용어 | 진로 설계, 직업 가치관, 진로 발달, 성장기, 탐색기, 확립기, 유지기, 쇠퇴기

스스로 정리하기

1 삶의 목표를 달성하기 위해 자신의 특성에 맞는 실현 가능한 삶의 계획을 세우는 것을 무엇이라고 하는가? 생애 설계

2 진로 설계 과정을 순서대로 이야기해 보자. 인생 목표 설정 → 자신의 이해 → 직업 세계의 이해 → 진로 정보 수집 → 진로 선택 및 준비

3 창의·인성 진로 발달 단계 중 탐색기에 해당하는 청소년이 해야 할 일은 무엇인지 이야기해 보자.
자신의 특성을 고려하여 진로를 탐색하고, 미래의 삶을 계획한다.

01 (   )(이)란 삶의 목표를 달성하기 위해 자신의 특성에 맞는 실현 가능한 삶의 계획을 세우는 것이다.

02 행복한 삶을 살기 위한 진로 설계는 어느 특정 시기에만 이루어진다.

(○ , ×)

03 진로 설계를 할 때 가장 먼저 해야 할 일을 쓰시오.

(   )

04 자신을 이해하기 위해 고려해야 할 사항으로 적절하지 <u>않은</u> 것은?

① 적성　② 흥미
③ 성격　④ 가치관
⑤ 직업 정보

05 다음 설명에 해당하는 진로 설계 과정을 쓰시오.

> 최종 진로를 선택하기 위해 부모님이나 전문가 등과의 상담을 통해 조언을 듣는다.

(   )

06 진로 발단 단계는 성장기, 탐색기, (   ), (   ), 쇠퇴기 순으로 이루어진다.

07 청소년기는 진로 발달 단계 중 탐색기에 해당한다.

(○ , ×)

08 다음 설명에 해당하는 진로 발달 단계는?

> 직업에서 은퇴하여 새로운 진로를 준비한다.

① 성장기　② 탐색기
③ 확립기　④ 유지기
⑤ 쇠퇴기

01 진로 설계에 대한 설명으로 적절하지 <u>않은</u> 것은?

① 전 생애적 관점에서 이루어져야 한다.
② 자신의 가능성과 잠재 능력을 발견하여 진로를 탐색한다.
③ 자신의 특성에 맞는 실현 가능한 삶의 계획을 세워야 한다.
④ 청소년기에 선택한 진로는 수정할 수 없으므로 신중하게 선택한다.
⑤ 일과 직업에 관한 올바른 가치관과 태도를 바탕으로 진로를 준비한다.

02 진로를 설계하고자 할 때 가장 먼저 해야 할 일로 옳은 것은?

① 자신을 이해한다.
② 진로 정보를 수집한다.
③ 직업 세계를 이해한다.
④ 인생의 목표를 설정한다.
⑤ 진로를 선택하고 준비한다.

03 〈보기〉에서 진로 설계 과정 중 자신의 이해 단계에서 파악해야 할 사항으로 옳은 것을 모두 고른 것은?

보기

ㄱ. 가치관 ㄴ. 전문가 의견
ㄷ. 자신의 적성 ㄹ. 부모님 조언

① ㄱ, ㄴ ② ㄱ, ㄷ ③ ㄴ, ㄷ
④ ㄴ, ㄹ ⑤ ㄷ, ㄹ

04 다음에 해당하는 진로 설계 과정은?

다양한 직업의 종류, 직업 정보, 직업의 변화 등을 이해한다.

① 자신의 이해
② 직업 세계 이해
③ 진로 정보 수집
④ 인생 목표 설정
⑤ 진로 선택 및 준비

05 생애 주기와 진로 발달 단계가 바르게 짝지어진 것은?

① 성년기 – 확립기
② 노년기 – 유지기
③ 중년기 – 쇠퇴기
④ 청소년기 – 성장기
⑤ 유아기, 아동기 – 탐색기

06 진로 발달 단계 중 탐색기에 대한 설명으로 적절한 것은?

① 부모님의 보살핌 속에서 자아를 발견한다.
② 직업에서 은퇴하여 새로운 진로를 준비한다.
③ 진로를 선택하고, 안정적인 삶을 위해 노력한다.
④ 직업에서의 자신의 위치를 확고히 하며 안정된 삶을 살아간다.
⑤ 자신의 특성을 고려하여 진로를 탐색하고, 미래의 삶을 계획한다.

교과서 112~113쪽

건전한 직업 가치관을 바탕으로 진로를 설계해 보자.

이 섹션에서 **할 수 있어야 하는 것!**

❶ **나의 이해** 나에 관한 질문들에 답을 적어 보자.

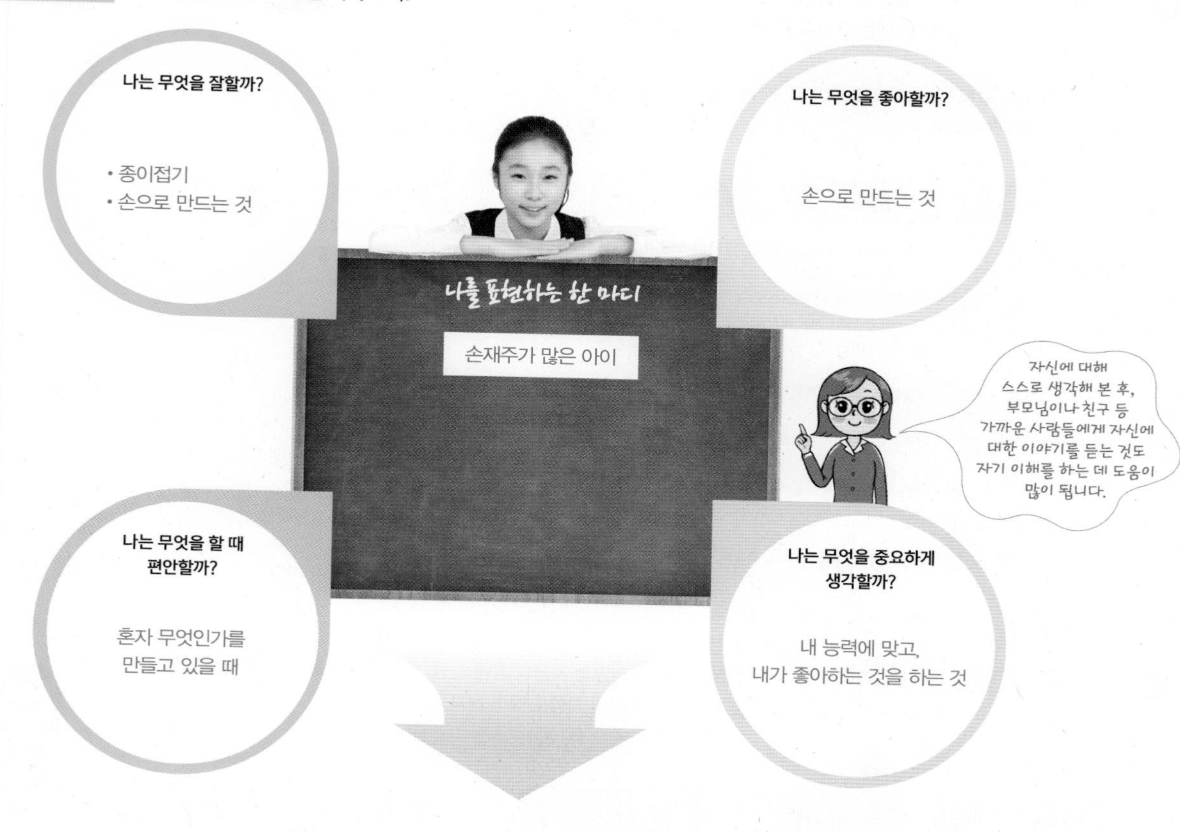

내가 살고 싶은 나만의 삶이란?

작은 종이 공예 공방을 차려서 다양한 물건들을 만들고, 다른 사람들에게 종이 공예를 가르쳐 주면서 살아가고 싶다.

2 직업 가치관 이해 내가 직업을 선택할 때 가장 중요하게 생각하는 직업 가치관의 순위를 매겨 보고, 1~3순위에 해당하는 직업 가치관에는 그 이유를 적어 보자.

어떤 선택을 할 때 자신이 바람직하다고 생각하는 것을 선택하고 행동하듯이, 직업을 선택할 때 가장 중요하게 생각하는 기준과 가치를 직업 가치관이라고 한다.

유형	특징	순위	이유
능력 발휘	나의 능력을 충분히 발휘할 수 있을 때 보람과 만족을 느끼는 것	1	나의 적성과 능력에 맞아야 만족할 수 있다.
자율성	어떤 일을 할 때 자기 스스로 규칙, 절차, 시간 등을 결정하는 것		
보수	많은 돈을 버는 것		
안정성	오랫동안 그 직장에서 일할 수 있는 것		
사회적 인정	다른 사람들로부터 인정을 받는 것		
사회봉사	다른 사람들에게 도움이 되는 것	3	사회 일원으로서 받은 것을 다시 베풀 수 있어야 한다.
자기 계발	항상 새로운 것을 배우고, 스스로 발전할 수 있는 것	2	변화하는 사회에 적응하기 위해서는 계속 배우고 발전해 나가야 한다.
창의성	새로운 것을 만들어 내는 것		

직업 가치관은 직업을 선택하거나 직업 생활을 하는 데 많은 영향을 끼치므로 건전한 직업 가치관을 형성하는 것이 중요합니다.

3 진로 설계 나의 전 생애적 관점에서 어렸을 적 장래 희망과 지금의 장래 희망, 그리고 앞으로의 장래 희망을 예상하여 빈칸에 적어 보자. 또 그렇게 되기 위한 준비 사항도 적어 보자.

유아기 / 아동기	청소년기	성년기	중년기	노년기
예 지구를 지키는 로봇 조종사	게임 개발자	컴퓨터 프로그래머	벤처 기업 사장	노인 대학 강사
장난감 로봇을 조립하고 조종하기를 좋아한다.	컴퓨터 프로그래밍을 공부하고, 다양한 게임을 접하고 분석한다.	컴퓨터 공학과에 진학하여 프로그래머로서의 전문 과정을 수료한다.	IT 산업을 이끌어 가는 선두 기업이 되기 위해 끊임없이 연구하고 노력한다.	노인들에게 쉽고 유용한 컴퓨터 프로그램을 개발하여 가르쳐 준다.

선생님 생각 엿보기

· 이 활동의 목적

선생님은 이 활동을 통해 건전한 직업 가치관을 토대로 자신의 진로 설계를 할 수 있기를 바랍니다.

· 선생님은 이 활동을 이렇게 평가합니다.

상	직업 가치관의 개념을 잘 이해하였고, 건전한 가치관을 토대로 전 생애적 관점에서 진로 설계를 하였다.
중	직업 가치관의 개념을 잘 이해하였으나, 진로 설계 내용이 미흡하였다.
하	직업 가치관의 개념을 잘 이해하지 못하였고, 진로 설계 내용이 미흡하였다.

이와 관련된 활동은?

[관련 활동] 직업 신문 만들기 | 자신이 희망하는 직업에 대해 정보를 수집하고, 관련 직업 종사자와 인터뷰를 한 후 직업 신문을 만들어 보는 활동이다.

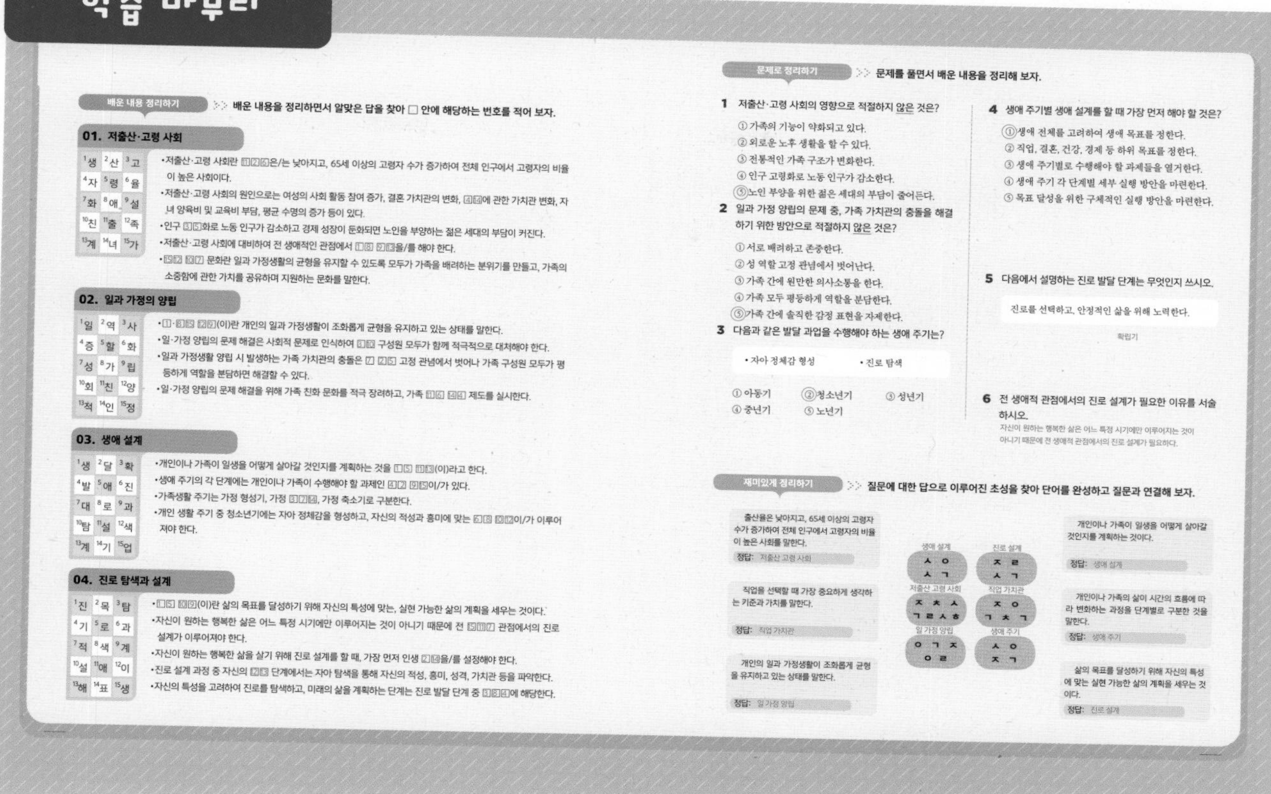

학습 마무리

배운 내용 정리하기 >> 배운 내용을 정리하면서 알맞은 답을 찾아 □ 안에 해당하는 번호를 적어 보자.

01. 저출산·고령 사회

1 생	2 산	3 고
4 자	5 령	6 율
7 화	8 애	9 설
10 친	11 출	12 족
13 계	14 녀	15 가

- 저출산·고령 사회란 [11][2][6]은/는 낮아지고, 65세 이상의 고령자 수가 증가하여 전체 인구에서 고령자의 비율이 높은 사회이다.
- 저출산·고령 사회의 원인으로는 여성의 사회 활동 참여 증가, 결혼 가치관의 변화, [4][14]에 관한 가치관 변화, 자녀 양육비 및 교육비 부담, 평균 수명의 증가 등이 있다.
- 인구 [3][5]화로 노동 인구가 감소하고 경제 성장이 둔화되면 노인을 부양하는 젊은 세대의 부담이 커진다.
- 저출산·고령 사회에 대비하여 전 생애적인 관점에서 [1][8] [9][13]을/를 해야 한다.
- [15][12] [10][7] 문화란 일과 가정생활의 균형을 유지할 수 있도록 모두가 가족을 배려하는 분위기를 만들고, 가족의 소중함에 관한 가치를 공유하며 지원하는 문화를 말한다.

02. 일과 가정의 양립

1 일	2 역	3 사
4 증	5 할	6 화
7 성	8 가	9 립
10 회	11 친	12 양
13 적	14 인	15 정

- [1]·[8][15] [12][9](이)란 개인의 일과 가정생활이 조화롭게 균형을 유지하고 있는 상태를 말한다.
- 일·가정 양립의 문제 해결은 사회적 문제로 인식하여 [3][10] 구성원 모두가 함께 적극적으로 대처해야 한다.
- 일과 가정생활 양립 시 발생하는 가족 가치관의 충돌은 [7] [2][5] 고정 관념에서 벗어나 가족 구성원 모두가 평등하게 역할을 분담하면 해결할 수 있다.
- 일·가정 양립의 문제 해결을 위해 가족 친화 문화를 적극 장려하고, 가족 [11][6] [14][4] 제도를 실시한다.

03. 생애 설계

1 생	2 달	3 확
4 발	5 애	6 진
7 대	8 로	9 과
10 탐	11 설	12 색
13 계	14 기	15 업

- 개인이나 가족이 일생을 어떻게 살아갈 것인지를 계획하는 것을 [1][5] [11][13](이)라고 한다.
- 생애 주기의 각 단계에는 개인이나 가족이 수행해야 할 과제인 [4][2] [9][15]이/가 있다.
- 가족생활 주기는 가정 형성기, 가정 [3][7][14], 가정 축소기로 구분한다.
- 개인 생활 주기 중 청소년기에는 자아 정체감을 형성하고, 자신의 적성과 흥미에 맞는 [6][8] [10][12]이/가 이루어져야 한다.

04. 진로 탐색과 설계

1 진	2 목	3 탐
4 기	5 로	6 과
7 적	8 색	9 계
10 설	11 애	12 이
13 해	14 표	15 생

- [1][5] [10][9](이)란 삶의 목표를 달성하기 위해 자신의 특성에 맞는, 실현 가능한 삶의 계획을 세우는 것이다.
- 자신이 원하는 행복한 삶은 어느 특정 시기에만 이루어지는 것이 아니기 때문에 전 [15][11][7] 관점에서의 진로 설계가 이루어져야 한다.
- 자신이 원하는 행복한 삶을 살기 위해 진로 설계를 할 때, 가장 먼저 인생 [2][14]을/를 설정해야 한다.
- 진로 설계 과정 중 자신의 [12][13] 단계에서는 자아 탐색을 통해 자신의 적성, 흥미, 성격, 가치관 등을 파악한다.
- 자신의 특성을 고려하여 진로를 탐색하고, 미래의 삶을 계획하는 단계는 진로 발달 단계 중 [3][8][4]에 해당한다.

문제로 정리하기 >> 문제를 풀면서 배운 내용을 정리해 보자.

1 저출산·고령 사회의 영향으로 적절하지 않은 것은?

① 가족의 기능이 약화되고 있다.
② 외로운 노후 생활을 할 수 있다.
③ 전통적인 가족 구조가 변화한다.
④ 인구 고령화로 노동 인구가 감소한다.
⑤ 노인 부양을 위한 젊은 세대의 부담이 줄어든다.

2 일과 가정 양립의 문제 중, 가족 가치관의 충돌을 해결하기 위한 방안으로 적절하지 않은 것은?

① 서로 배려하고 존중한다.
② 성 역할 고정 관념에서 벗어난다.
③ 가족 간에 원만한 의사소통을 한다.
④ 가족 모두 평등하게 역할을 분담한다.
⑤ 가족 간에 솔직한 감정 표현을 자제한다.

3 다음과 같은 발달 과업을 수행해야 하는 생애 주기는?

• 자아 정체감 형성 • 진로 탐색

① 아동기 ② 청소년기 ③ 성년기
④ 중년기 ⑤ 노년기

4 생애 주기별 생애 설계를 할 때 가장 먼저 해야 할 것은?

① 생애 전체를 고려하여 생애 목표를 정한다.
② 직업, 결혼, 건강, 경제 등 하위 목표를 정한다.
③ 생애 주기별로 수행해야 할 과제들을 열거한다.
④ 생애 주기 각 단계별 세부 실행 방안을 마련한다.
⑤ 목표 달성을 위한 구체적인 실행 방안을 마련한다.

5 다음에서 설명하는 진로 발달 단계는 무엇인지 쓰시오.

진로를 선택하고, 안정적인 삶을 위해 노력한다.

확립기

6 전 생애적 관점에서의 진로 설계가 필요한 이유를 서술하시오.

자신이 원하는 행복한 삶은 어느 특정 시기에만 이루어지는 것이 아니기 때문에 전 생애적 관점에서의 진로 설계가 필요하다.

재미있게 정리하기 >> 질문에 대한 답으로 이루어진 초성을 찾아 단어를 완성하고 질문과 연결해 보자.

출산율은 낮아지고, 65세 이상의 고령자 수가 증가하여 전체 인구에서 고령자의 비율이 높은 사회를 말한다.
정답: 저출산 고령 사회

직업을 선택할 때 가장 중요하게 생각하는 기준과 가치를 말한다.
정답: 직업 가치관

개인의 일과 가정생활이 조화롭게 균형을 유지하고 있는 상태를 말한다.
정답: 일 가정 양립

생애 설계: ㅅ ㅇ ㅅ ㄱ
진로 설계: ㅈ ㄹ ㅅ ㄱ
저출산 고령 사회: ㅈ ㅊ ㅅ ㄱ ㄹ ㅅ ㅎ
직업 가치관: ㅈ ㅇ ㄱ ㅊ ㄱ
일 가정 양립: ㅇ ㄱ ㅈ ㅇ ㄹ
생애 주기: ㅅ ㅇ ㅈ ㄱ

개인이나 가족이 일생을 어떻게 살아갈 것인지를 계획하는 것이다.
정답: 생애 설계

개인이나 가족의 삶이 시간의 흐름에 따라 변화하는 과정을 단계별로 구분한 것을 말한다.
정답: 생애 주기

삶의 목표를 달성하기 위해 자신의 특성에 맞는 실현 가능한 삶의 계획을 세우는 것이다.
정답: 진로 설계

정답 및 해설

배운 내용 정리하기

01. 11/2/6(출산율), 4/14(자녀), 3/5(고령), 1/8/9/13(생애 설계), 15/12/10/7(가족 친화)
02. 1/8/15/12/9(일·가정 양립), 3/10(사회), 7/2/5(성 역할), 11/6/14/4(친화 인증)
03. 1/5/11/13(생애 설계), 4/2/9/15(발달 과업), 3/7/14(확대기), 6/8/10/12(진로 탐색)
04. 1/5/10/9(진로 설계), 15/11/7(생애적), 2/14(목표), 12/13(이해), 3/8/4(탐색기)

문제로 정리하기

1. ⑤ [해설] 노인 인구는 증가하고 노동 인구가 감소하므로, 노인 부양을 위한 젊은 세대의 부담이 늘어난다.
2. ⑤ [해설] 가족 간의 소통이 중요하므로, 솔직하게 감정을 표현하는 것이 바람직하다.
3. ② [해설] 자아 정체감 형성, 진로 탐색은 청소년기의 발달 과업이다.
4. ① [해설] 생애 설계 절차는 생애 목표 정하기, 구체적인 하위 목표 정하기, 목표 달성을 위한 실행 방안 마련하기 단계로 이루어진다.
5. 확립기
6. 자신이 원하는 행복한 삶은 어느 특정 시기에만 이루어지는 것이 아니기 때문에 전 생애적 관점에서의 진로 설계가 필요하다.

재미있게 정리하기

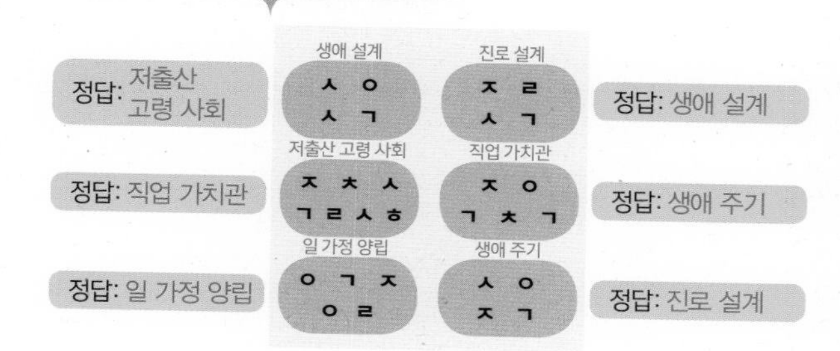

MEMO

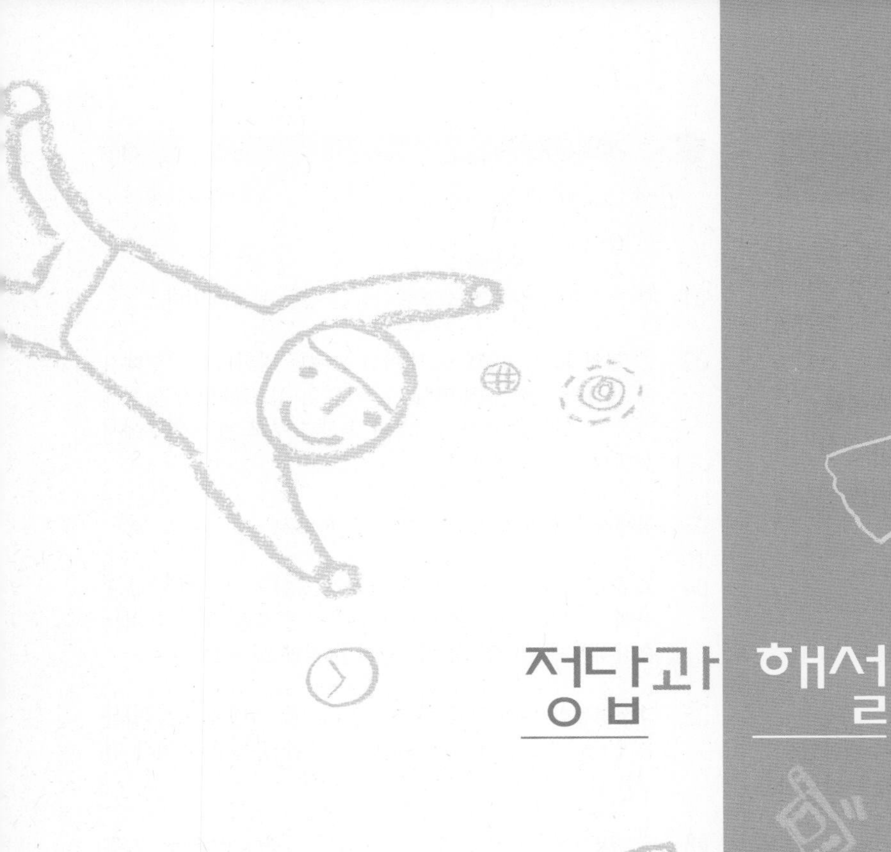

정답과 해설

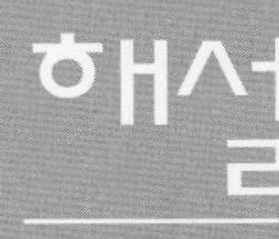

I 건강한 가족 관계

01 변화하는 가족과 건강 가정

개념 익히기 9쪽

01 ③ 02 × 03 자녀 양육 및 사회화 기능 04 생산, 소비 05 ○ 06 부부 07 가족생활 주기 08 ④ 09 평균 수명 연장 10 건강 가정

개념 활용하기 10쪽

01 ⑤ 02 ③ 03 ① 04 ③ 05 ⑤ 06 ② 07 ④

01 세대 구성이 단순화되면서 부부로만 구성된 핵가족과 1인 가구가 증가하고 있다.

02 과거에는 가족이 생산과 소비의 기능을 모두 수행하였으나, 현재에는 생산 기능은 축소되고, 소비 기능은 강화되었다.

03 가족의 기능 중 보호의 기능은 노인 부양 전문 기관 등으로 이전되어 과거에 비해 기능이 약화되었다.

04 현대에는 자녀를 반드시 가질 필요는 없다는 생각이 증가하고 있다.

05 ㄱ. 사회 변화에 따라 가족생활 주기가 변하며, 가정마다 가족생활 주기는 다를 수 있다. ㄴ. 가정 형성기의 시작은 결혼이다.

06 ① 늦은 결혼으로 가정 형성기 시작이 늦어지고 있다. ③ 적은 자녀 출산으로 가정 확대기가 줄어들고 있다. ④ 자녀의 늦은 결혼으로 가정 축소기의 시작과 완료가 늦어지고 있다. ⑤ 평균 수명 연장으로 가정 축소기가 길어지고 있다.

07 ㄱ. 문제가 발생하였을 때 가족 구성원이 함께 힘을 모아 슬기롭게 해결해 나갈 수 있는 가정을 의미한다.
ㄷ. 건강 가정을 만들기 위해서는 가족 모두가 함께 노력해야 한다.

02 가족 관계

개념 익히기 16쪽

01 ① 02 × 03 선의의 경쟁자 04 조부모 손자녀 관계 05 양성평등 06 × 07 ③ 08 ⑤

개념 활용하기 17쪽

01 ② 02 ③ 03 ② 04 ③ 05 ④ 06 ④ 07 ①

01 부부 관계는 경제적으로 협력하는 생활 공동체이다.

02 ① 혈연 또는 입양으로 맺어진 관계를 말한다. ② 형제자매 관계에 대한 설명이다. ④ 자녀의 성장과 인격 형성에 가장 큰 영향을 준다. ⑤ 자녀 출산과 부모 됨이 의무에서 선택의 문제로 바뀌고 있다.

03 형제자매 관계의 특징에 대한 설명이다.

04 조부모는 손자녀에게 삶의 지혜와 경험을 전달하는 훈육자의 역할을 하며, 조부모와 손자녀의 좋은 관계 유지는 손자녀에게 원만한 성격과 태도를 갖게 해 준다.

05 양성평등한 부부 관계 형성을 위해서는 가정의 모든 일을 함께 공유하고, 서로 협력하여 부부가 공동으로 의사 결정을 해야 한다.

06 ㄱ. 원만한 형제자매 관계 형성을 위한 방안이다. ㄷ. 갈등을 피하기 위해 대화를 자제하기보다는 솔직한 대화를 통해 안정적이고 친밀한 관계를 유지하도록 노력해야 한다.

07 손자녀는 조부모에게 항상 존경하는 마음을 가지고 공경하는 자세를 가져야 하지만 무조건적인 복종은 바람직하지 않다.

03 가족 간의 갈등과 해결

개념 익히기 24쪽

01 갈등 02 의사소통 03 ② 04 정보, 반응 05 × 06 ⑤ 07 '나' 전달법 08 ○ 09 ④

개념 활용하기 25~26쪽

01 ② 02 ④ 03 ③ 04 ① 05 ④ 06 ② 07 ⑤ 08 ② 09 ③ 10 ⑤ 11 ④ 12 ④

01 ① 친밀한 가족 관계에서도 갈등은 발생할 수 있다. ③ 가족 갈등은 가족 구성원이 상호 작용하는 과정에서 의견이 일치하지 않을 때 일어난다. ④ 가족 간의 갈등은 가족 전체에게 영향을 준다. ⑤ 가족 갈등을 해결하기 위해서는 가족 모두가 노력해야 한다.

02 역할 기대의 차이란 가족 구성원 간 상대방이 해 주기를 바라는 역할이 일치하지 않아 생기는 갈등을 말한다.

03 효과적인 의사소통을 통해 가족 간의 갈등을 현명하게 대처할 수 있다.

04 비언어적 의사사통은 자신의 생각이나 감정을 언어 이외의 방법으로 표현하는 방법으로, 몸짓, 자세, 표정, 옷차림, 시선 등이 있다.

05 언어적 의사소통 방법에는 전화, 편지, 문자 메시지, 전자우편 등이 있으며 약속 시간에 늦은 친구를 화가 난 표정으로 째려본 것은 비언어적 의사소통에 해당한다.

06 의사소통의 구성 요소에는 보내는 사람, 받는 사람, 정보, 반응 등이 있다. 보내는 사람은 송신자라고도 하며, 받는 사람은 수신자라고도 한다.

07 언어적 의사소통과 비언어적 의사소통을 동시에 사용하면 의사소통을 더 효과적으로 할 수 있다.

08 적극적으로 잘 듣기에 대한 설명으로, 경청과 공감을 통해 효과적인 의사소통을 할 수 있다.

09 명령, 지시, 비난 등 부정적인 표현은 상대방의 기분을 상하게 하여 자신이 상대방에게 전달하려고 한 의도가 제대로 전해지기 어렵다.

10 '나' 전달법은 '나'를 주어로 하여 상대방의 행동으로 느낀 자신의 감정과 생각을 솔직하게 표현하는 대화 방법이다. '나' 전달법을 사용하면 상대방의 기분을 상하지 않게 하면서 자신이 원하는 바를 전달할 수 있다.

11 언어적 의사소통과 비언어적 의사소통이 일치하지 않으면 상대방에게 혼란을 주게 되고, 오해와 갈등이 생길 수 있다.

12 가족 간의 갈등을 회피하거나 일방적으로 해결하려고 하면 오히려 더 큰 문제가 생길 수 있으므로 바람직하다고 볼 수 없다.

Ⅱ 창의적인 생활 문화

01 균형 잡힌 식사 계획과 선택

개념 익히기 39쪽

01 영양소 섭취 기준 02 × 03 권장 식사 패턴 04 ④
05 1 06 × 07 식품 구성 자전거 08 ⑤ 09 ○
10 가정 내 식사

개념 활용하기 40쪽

01 ④ 02 ① 03 ② 04 ④ 05 ③ 06 ③
07 ①

01 영양소 섭취 기준을 활용하면 영양소를 너무 많이 섭취하거나 부족하게 섭취하는 것을 막아 준다.

02 식사 구성안은 일반인이 영양소 섭취 기준을 충족할 수 있도록 만든 1일 식단 작성법으로, 식품군별 대표 식품의 1인 1회 분량과 권장 식사 패턴을 고려하여 구성된다.

03 햄, 땅콩, 바지락, 두부, 돼지고기가 고기 · 생선 · 달걀 · 콩류 식품군에 해당된다. 보리밥은 곡류, 무와 배추김치는 채소류, 과일 주스는 과일류, 콩기름은 유지 · 당류에 해당된다.

04 청소년기는 성장기이므로, 남녀 구분 없이 우유 · 유제품류를 하루 2회씩 섭취할 것을 권장한다.

05 식사 구성안의 권장 식사 패턴을 이용한 식사 계획은 자신의 성별과 연령에 따른 에너지 필요량 알기 → 식품군별 1일 권장 섭취 횟수 알기 → 식품군별 1일 권장 섭취 횟수를 세끼 식사와 간식에 배분하기 → 식품의 1인 1회 분량을 고려하여 식사 계획하기의 순서로 계획한다.

06 식품 구성 자전거에는 곡류, 고기 · 생선 · 달걀 · 콩류, 채소류, 과일류, 우유 · 유제품류 유지 · 당류 여섯 가지 식품군이 포함된다.

07 우리나라의 전통적인 식사 형태는 가정 내에서 식사하는 것이다.

02 주거 가치관과 주생활 문화

개념 익히기 50쪽

01 주거 02 ④ 03 주거 가치관 04 ④ 05 ○
06 절충식 07 × 08 ②

개념 활용하기 51쪽

01 ① 02 ⑤ 03 ④ 04 ④ 05 ① 06 ③

01 주택은 건축물 그 자체를 의미하며, 주거는 주택과 그 안에서 이루어지는 생활까지 모두 포함하는 개념이다.

02 주거의 선택 기준 중 ㄱ은 편리해야 한다, ㄴ은 안락해야 한다에 해당한다.

03 가족생활 주기는 가정 형성기, 가정 확대기, 가정 축소기로 구분한다.

04 동민이는 좌식 생활 방식을 불편해하고 있으므로, 입식 생활 방식을 추천하는 것이 적절하다. ①, ②, ③, ⑤는 좌식 생활 방식에 대한 설명이다.

05 코하우징은 공동체 주거 활용의 예시이다.

06 지속 가능한 삶을 위한 주거에는 친환경 주거와 유니버설 주거가 있다.

03 효율적인 주거 공간 구성과 활용

개념 익히기 60쪽

01 주거 공간의 구역화(조닝) 02 ② 03 ○ 04 ③
05 개인 물건, 가족 공용 물건 06 × 07 욕실 08 ②

개념 활용하기 61쪽

01 ⑤ 02 ④ 03 ⑤ 04 ④ 05 ① 06 ②

01 부엌 다용도 공간이 아니라 가사 작업 공간이다.

02 동선을 절약하기 위해서는 기능적으로 관련이 있는 공간을 가까이 배치한다. 동선을 고려하여 공간을 배치하면 다른 공간으로의 이동이 쉽다.

03 공간의 입체적 활용은 주거 공간 내에서 잘 사용하지 않는 공간을 이용하는 것으로, 침대 밑과 계단 밑을 수납공간으로 활용할 수 있다.

04 집중식 배치에 대한 설명이다.

05 주거 공간별 용도에 따라 관련된 물건을 분류한다.

06 침실과 서재는 개인의 독립적인 생활이 이루어지는 개인 생활 공간으로, 독립성이 있는 조용한 공간에 배치한다.

Ⅲ 안전한 생활

01 성폭력과 성폭력의 예방 및 대처 방안

개념 익히기 69~70쪽

01 성적 의사 결정 02 ③ 03 ② 04 성폭력
05 ② 06 ○ 07 성 상품화 08 ○ 09 ④
10 × 11 ○ 12 × 13 × 14 × 15 ⑤
16 ⑤

개념 활용하기 71쪽

01 ② 02 ④ 03 ⑤ 04 ④ 05 ② 06 ②

01 성적인 행동을 판단하고 결정하거나, 자신이 원하지 않는 성 행동을 요구받았을 때 성적 의사 표현을 해야 한다.

02 혼자 해결이 되지 않을 경우 부모님, 선생님께 즉각 도움을 요청하여 더 이상 문제가 발생하지 않도록 한다.

03 성 상품화는 사회적인 원인으로, 성 윤리 의식이 부족하고 잘못된 성 문화에 기인한 것이다.

04 성폭력으로 인해 피해자에게 나타날 수 있는 신체적 후유증이다. ① 에이즈, 매독, 임질, ② 입덧, 월경 중지, ③ 주의 집중 곤란 및 학업 부진, 대인 관계에서의 두려움, ⑤ 불안, 우울, 좌절, 신경질, 의욕 상실 등이 있다.

05 ㄴ. 장난이나 모르고 한 행동이라도 상대방에게 큰 상처가 될 수 있으므로 잘못했다면 반드시 사과해야 한다. ㄷ. 내가 성 행동을 원한다고 상대방도 이를 원할 것이라고 생각하지 않는다.

06 ㄴ. 이성을 단순한 호기심으로 생각하지 말고, 책임 있는 성 태도를 갖는 것이 바람직하다. ㄷ. 성폭력 가해자는 모르는 사람이 아니라 아는 사람인 경우가 더 많으며, 잘 아는 사람이라고 해서 무조건 믿고 따르면 안 된다.

02 가정 폭력과 가정 폭력의 대처 및 지원 방안

개념 익히기 76~77쪽

01 가정 폭력 02 은폐 03 × 04 ⑤ 05 ④
06 ⑤ 07 ② 08 가정생활 09 ○ 10 ②
11 1366 12 임시 조치 13 ○ 14 임시 보호소
15 직업 훈련비

개념 활용하기 78쪽

01 ③ 02 ② 03 ③ 04 ⑤ 05 ② 06 ⑤

01 ①은 경제적 폭력, ②는 정서적 폭력, ④는 성적 폭력, ⑤는 신체적 폭력에 해당하는 내용이다.

02 ㄴ, ㄹ은 가정 폭력의 사회 · 문화적 원인에 해당한다.

03 가정 폭력이 있는 가정은 가해자에게 느끼는 두려움으로 안정된 가정생활을 유지하기 어려우며, 가족 간의 갈등으로 가족 해체의 가능성이 높다.

04 ㄱ. 피해 사실을 믿을 만한 사람에게 알려 도움을 요청한다. ㄴ. 안전을 위해 일단 피한다.

05 목격자는 피해 사실을 신고할 수 있다. 그러나 언론이나 신문을 통한 공개는 피해자의 동의를 얻어 사생활이나 개인 정보를 보호해야 한다.

06 직설적인 감정 표현은 상대방에게 상처를 줄 수 있으므로, 자신의 감정을 솔직하게 표현하되 상대방의 입장을 배려하고, 존중하는 태도로 칭찬이나 격려와 같은 긍정적인 표현을 사용하여 부드럽게 말하는 것이 좋다.

03 안전한 식품의 선택과 관리 및 보관

개념 익히기 85쪽

01 건강, 환경 02 유통 기한 03 ○
04 로컬 푸드(local food) 05 × 06 솔라닌
07 ④ 08 청결, 신속, 보관

개념 활용하기 86~87쪽

01 ④ 02 ④ 03 ③ 04 ④ 05 ④ 06 ②
07 ② 08 ④ 09 ③ 10 ② 11 ① 12 ①

01 식품을 구입할 때에는 위생적인 제품으로 식품의 상태를 꼼꼼하게 확인한 후 선택한다. 뚜껑 없이 판매할 경우 공기 중의 미생물 등으로 식품이 오염될 가능성이 있다.

02 식품 성분 표시는 소비자들이 자신에게 적합한 식품을 선택할 수 있도록 식품의 원재료명 및 함량, 제조 연월일 및 유통 기한, 영양 정보, 내용량, 보관 및 취급 방법 등에 관한 정보를 제품의 포장이나 용기에 표시한 것을 말한다.

03 ① 유통 기한이 모든 식품에 동일하게 표기되는 것은 아니다. ② 소금과 설탕 등은 미생물 번식 우려가 거의 없기 때문에 제조 일자만 표기한다. ④, ⑤ 편의점에서 판매하는 샌드위치, 김밥 등은 상하기가 쉬우므로 유통 기한뿐만 아니라 제조 일자, 제조 시간까지 표기한다. ⑤ 품질 유지 기한은 식품의 특성에 맞게 적절히 보관할 경우 해당 식품 고유의 품질이 유지될 수 있는 기한을 말한다.

04 ① 무농약 농산물 인증 마크: 합성 농약은 사용하지 않고, 화학 비료는 권장량의 1/3 이하로 사용하여 재배한 농산물에 부여한다. ② 유기 가공식품 마크: 유기 농축산물을 95% 이상 이용하되, 모든 제조 과정이 철저히 인증된 가공식품에 부여한다. ③ 전통 식품 인증 마크: 우리 농산물로 만들어 안전하고, 전통의 맛과 향이 살아 있는 우수한 제품에 부여한다. ⑤ 농산물 우수 관리 인증 마크: 농산물 생산에서 제품화 단계까지 농약, 중금속, 미생물 등 위해 요소 관리가 우수한 농산물에 부여한다.

05 먹을거리의 이동 거리가 멀수록 운반과 포장, 폐기 과정에서 이산화탄소 배출량이 늘어난다.

06 ㄴ. 생선은 눈알이 맑고 튀어나와 있으며, 살이 단단하고 탄력이 있는 것을 고른다. ㄷ. 알류는 껍데기가 까슬까슬하고 광택이 없는 것이 신선하다.

07 ㄴ. 돼지고기는 살코기가 연분홍색을 띠고 지방이 희며, 탄력이 있는 것을 고른다. ㄷ. 쇠고기와 돼지고기는 숙성된 것을 사야 한다.

08 ① 용기나 포장 상태가 좋은 것을 고른다. ② 뚜껑이 열려 있으면 오염되어 있을 가능성이 있으므로 피한다. ③ 얼음 알갱이가 많을수록 장기간 보관되고 해동 후 재냉동되었을 가능성이 있으므로 피한다. ⑤ 식품의 포장에 표시된 기준대로 보관된 것을 고른다.

09
- 봄: 채소류(냉이, 쑥, 돌나물, 두릅 등), 과일류(딸기, 살구, 앵두 등), 어패류(조기, 우럭, 바지락 등)
- 여름: 채소류(상추, 가지, 오이, 깻잎 등), 과일류(수박, 참외, 복숭아 등), 어패류(농어, 민어, 장어 등)
- 가을: 채소류(무, 배추, 토란, 고구마 등), 과일류(사과, 배, 감 등), 어패류(갈치, 고등어, 전어 등)
- 겨울: 채소류(우엉, 연근, 김, 미역 등), 과일류(귤, 곶감 등), 어패류(명태, 광어, 대구, 굴 등)

10 통조림 안에 들어 있는 식품 첨가물을 줄이기 위해서 국물을 따라 내고 조리한다.

11 산패와 발효에 대한 설명이다.

12 과일이나 채소를 신문지에 싸면 오염될 수 있다.

04 가족의 식사 계획과 안전한 조리

개념 익히기 96~97쪽

01 채소류 02 ③ 03 200, 15, 5 04 ○
05 호화 06 수용성 비타민 07 해감 08 × 09 ○
10 소금 11 전 12 ② 13 밀가루, 달걀물
14 팔모 15 새우젓, 멸치 액젓 16 ×

개념 활용하기 98~99쪽

01 ④	02 ⑤	03 ④	04 ④	05 ④	06 ⑤
07 ②	08 ①	09 ⑤	10 ④	11 ⑤	12 ②

01 식품을 썰 때에는 손잡이를 단단히 쥐고 식품을 잡은 손가락은 안으로 구부려 손을 다치지 않도록 한다.

02 데치기의 방법으로 만드는 음식에는 시금치나물, 콩나물 등이 있다.

03 ㄴ. 1Ts은 15mL이다. ㄹ. 가루는 윗면을 편평하게 깎아 잰다.

04 ㄱ. 다시 먹을 수 있는 것은 뚜껑을 덮어 냉장고에 보관하거나 냉동 보관한다. ㄷ. 세제는 적당량만 사용한다.

05 ㄱ. 쌀과 콩은 씻어서 각각 30분, 3시간 동안 물에 불린다. ㄷ. 쌀을 불렸던 물을 그대로 밥물로 이용하면, 밥물에 녹은 수용성 비타민의 손실을 방지할 수 있다.

06 ㄱ. 찌개는 국보다 국물의 양이 적은 음식이다. ㄴ. 된장의 주원료인 콩은 양질의 식물성 단백질이 풍부하다.

07 국물이 끓으면 호박, 양파를 먼저 넣어 끓이고, 그다음 두부, 고춧가루, 파, 고추를 넣어 3분 정도 더 끓인다.

08 ㄴ.뚜껑을 열고 단시간에 데친다. ㄷ. 채소가 잠길 정도의 충분한 양의 물에 데친다. ㄹ. 끓는 물에 소금을 넣고 데친다.

09 ① 중간 불에서 약한 불로 조절한다. ② 재료를 얇게 저민다. ③ 팬을 달구어 식용유를 두른다. ④ 생선살에 간이 배면 밀가루를 묻히고, 풀어 놓은 달걀물을 입힌다.

10 ㄱ. 무를 팔모썰기 한 후 소금에 절인다. ㄷ. 쪽파를 넣는다.

11 사과나 배 등의 과일은 껍질을 벗기면 갈변 효소가 산소와 접촉하여 폴리페놀화합물을 만들어 갈색으로 변한다. 따라서 공기 중에 방치하지 말아야 한다.

12 ② 녹색 채소를 데칠 때에는 유기산이 휘발할 수 있도록 뚜껑을 열고 단시간에 데쳐야 한다. 소금을 조금 넣고 데친 후 찬물에 재빨리 헹구면 누렇게 변하는 것을 방지할 수 있다.

Ⅳ 미래를 위한 생애 설계

01 저출산 · 고령 사회

개념 익히기 107쪽

01 저출산 · 고령 사회 02 고령화, 고령, 20
03 합계 출산율 04 ⑤ 05 고령화 06 부양, 노후
07 생애 설계 08 ○ 09 × 10 양성평등

개념 활용하기 108쪽

01 ④	02 ④	03 ②	04 ④	05 ②	06 ⑤

01 저출산 · 고령 사회란 출산율은 낮아지고, 65세 이상의 고령자 수가 증가하여 전체 인구에서 고령자의 비율이 높은 사회이다. 즉, 태어나는 사람은 적어지고, 나이 든 사람이 점점 많아지는 사회를 말한다.

02 저출산 · 고령화로 인해 노동 인구가 감소하며, 이에 따라 저축, 투자, 소비가 위축되어 경제 성장이 둔화된다.

03 ㄴ. 양육비 및 교육비를 지원하여 출산을 장려해야 한다. ㄹ. 저출산 문제는 개인만의 문제가 아니며, 사회 전체적인 측면에서 원인을 따져 보고 직장, 지역 사회, 국가가 함께 노력해야 한다.

04 ㄱ. 노인 적합형 일자리를 창출하고, 노인 인구의 경제 생산 활동 참여를 확대하여야 한다. ㄷ. 노인의 문화 및 여가 기회를 확대시킬 수 있도록 복지관 등의 시설을 확충하여야 한다.

05 제시된 글은 가족 친화 문화에 대한 설명이다.

06 가족 친화 문화 조성을 위해서는 자녀 출산 및 양육을 지원하는 방안으로 배우자의 출산 휴가 및 육아 휴직을 권장한다.

02 일과 가정의 양립

개념 익히기 114쪽

01 일 · 가정 양립 02 ⑤ 03 일정 갈등 04 ②
05 ○ 06 ④ 07 가족 친화 인증 제도 08 ④

개념 활용하기 115쪽

01 ⑤ 02 ⑤ 03 ⑤ 04 ⑤ 05 ⑤ 06 ④

01 일과 가정생활의 조화가 잘 이루어지면 근무 의욕이 높아져 업무 능률이 향상된다.

02 ㄱ, ㄴ은 사회 · 문화 차원의 문제에 해당한다.

03 ①은 일정 갈등, ②는 역할 갈등, ③은 경제생활 관리 문제, ④는 자녀 양육 문제에 대한 설명이다.

04 제시된 내용은 각자의 수입을 각자 관리하거나, 수입원이 둘이라는 생각으로 과소비나 계획성 없는 소비를 하거나, 씀씀이가 커져서 합리적인 가계 관리가 안 되는 문제인 경제생활 관리 문제에 대한 해결 방안이다.

05 ㄱ. 가족 구성원 간에 충분히 의사소통하여 서로의 일정을 미리 파악한다. ㄴ. 성 역할 고정 관념에서 벗어나서, 각자의 상황과 능력에 맞게 일과 가정생활을 병행한다.

06 ④는 개인 · 가족 차원의 문제 해결 방안이다.

03 생애 설계

개념 익히기 123쪽

01 생애 설계 02 ○ 03 생애 주기
04 가족생활 주기 05 발달 과업 06 ×
07 청소년기 08 ④ 09 가족 관계 설계 10 ⑤

개념 활용하기 124쪽

01 ③ 02 ④ 03 ④ 04 ④ 05 ③ 06 ②
07 ③

01 ㄱ. 생애 설계는 장기적인 관점에서 설계해야 한다. ㄹ. 생애 설계의 절차에 따라 가장 먼저 설정해야 하는 것은 생애 목표이다.

02 생애 목표 설정은 자신의 전 생애를 내다보며 어떤 삶을 살고 싶은지 정하는 단계이다.

03 ㄱ. 영아기의 발달 과업이다. ㄷ. 유아기의 발달 과업이다.

04 ④는 건강 설계의 주요 내용이다.

05 ㄱ, ㄹ은 노후 설계의 주요 내용에 해당한다.

06 ①, ③ 자녀 독립기의 발달 과업이다. ④ 자녀 교육기의 발달 과업이다. ⑤ 자녀 양육기의 발달 과업이다.

07 가족생활 설계 중 가정 경제 설계에 대한 설명이다. ①, ②는 개인 생활 주기별 생애 설계 항목에 해당한다.

04 진로 탐색과 설계

개념 익히기 131쪽

01 진로 설계 02 × 03 인생 목표 설정 04 ⑤
05 진로 정보 수집 06 확립기, 유지기 07 ○ 08 ⑤

개념 활용하기 132쪽

01 ④ 02 ④ 03 ② 04 ② 05 ① 06 ⑤

01 청소년기는 자신의 능력, 적성, 흥미, 가치관 등을 토대로 진로를 탐색하고 설계하는 시기이지만, 이 시기에 선택한 진로를 수정할 수 없다는 설명은 적절하지 않다.

02 진로를 설계할 때에는 내가 원하는 행복한 삶을 살기 위한 인생 목표를 가장 먼저 설정한다.

03 진로 설계 과정 중 자신의 이해 단계에서는 자아 탐색을 통해 자신의 적성, 흥미, 성격, 가치관, 가정 환경, 학업 성적, 신체적 조건 등을 파악한다.

04 직업 세계 이해는 다양한 직업의 종류, 직업 정보, 직업의 변화 등을 이해하는 단계이다.

05 생애 주기에 따른 진로 발달 단계는 성장기 – 유아기, 아동기, 탐색기 – 청소년기, 확립기 – 성년기, 유지기 – 중년기, 쇠퇴기 – 노년기 순으로 이루어진다.

06 진로 발달 단계 중 탐색기는 청소년기에 해당하며, 이 시기에는 자신의 특성을 고려하여 진로를 탐색하고, 미래의 삶을 계획해야 한다.

MEMO

민창기 · 윤병구 · 박세열 · 류보람
이고은 · 임윤희 · 김민정

금평이가 지닌 특별한 매력 3가지

- **단계 학습** 이해, 적용, 실전 문제의 단계별 학습
- **창의융합** 창의융합형 문제를 통해 사고력, 표현력 향상
- **개념 완결** 핵심 정리와 기초 문제를 통한 완벽 마무리

금성출판사

가정 잡는
금평씨를 소개합니다.

[핵심 정리]와 [기초 문제]를 통해 핵심적인
내용을 한번에 정리하고 확인할 수 있으며,
[이해]→[적용]→[실전]의 단계별 문항을 통해
학습 내용을 탄탄하게 다질 수 있습니다.
또한, [창의융합 코너]를 통해
사고력과 표현력을 향상할 수 있습니다.

QR 코드로
평가문제집 정답을
확인할 수 있어요.

편리한 정답 확인!

학교시험대비 평가 시리즈

금평아 놀자!

중학교 **기술·가정 ②** 평가문제집

가정편

민창기 · 윤병구 · 박세열 · 류보람
이고은 · 임윤희 · 김민정

금성출판사

이 책의 구성과 특징

핵심 정리

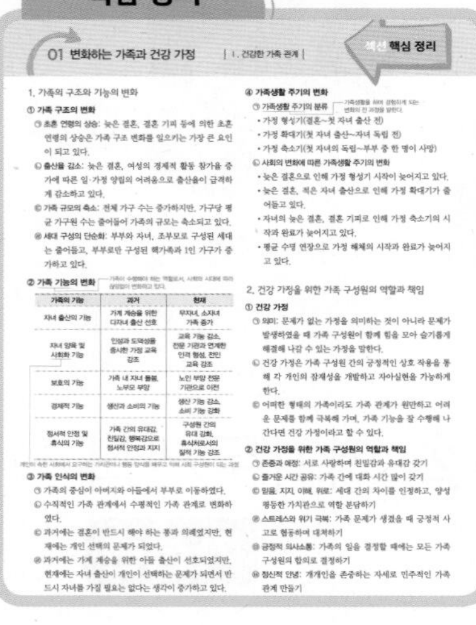

단원에서 알아야 할 핵심 내용을 정리하였습니다.

기초 문제

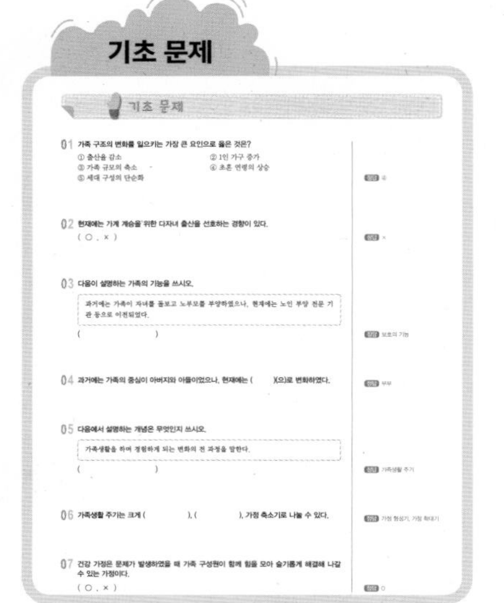

기초 문제를 통해 핵심 내용을 점검해 볼 수 있게 하였습니다.

이해 문제

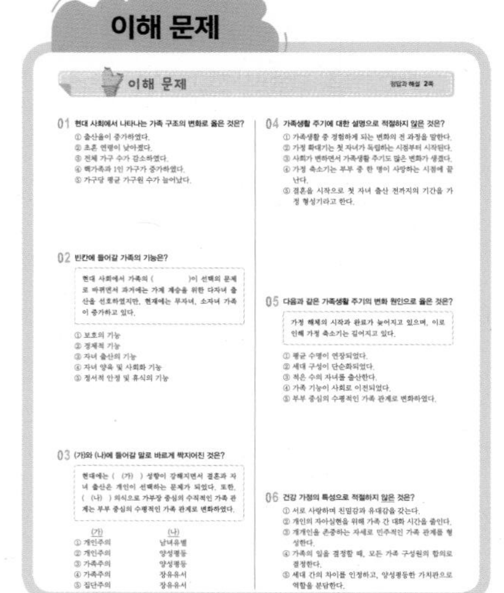

핵심 개념을 반영한 문제를 통해 학습 내용을 쉽게 이해할 수 있도록 하였습니다.

적용 문제

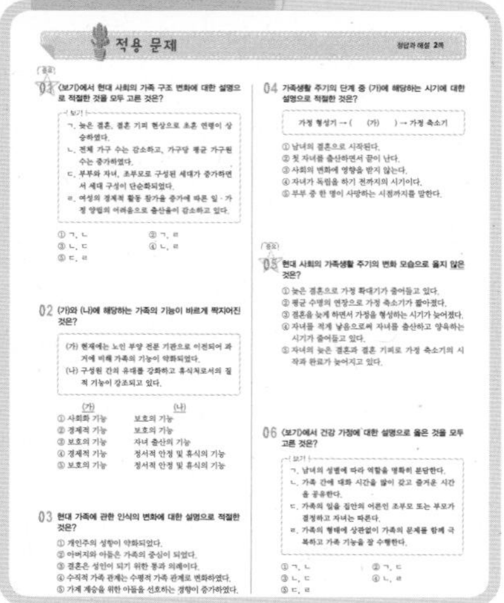

여러 유형의 심화 문제를 통해 핵심 개념을 깊이 있게 학습할 수 있도록 하였습니다.

실전 문제

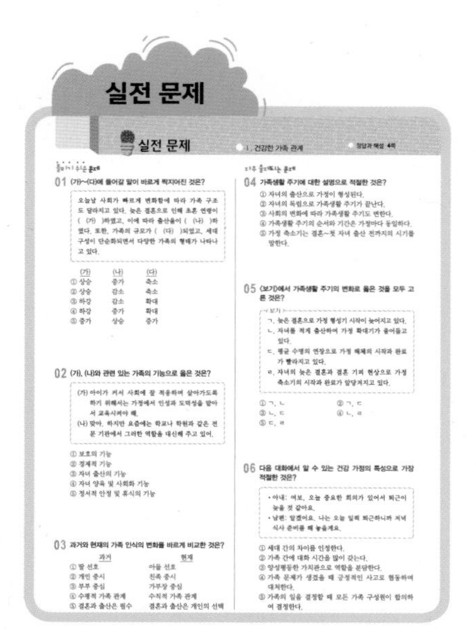

자주 출제되는 문제와 서술형 문제를 제시하여 대단원 학습을 완벽하게 마무리할 수 있도록 하였습니다.

창의 융합

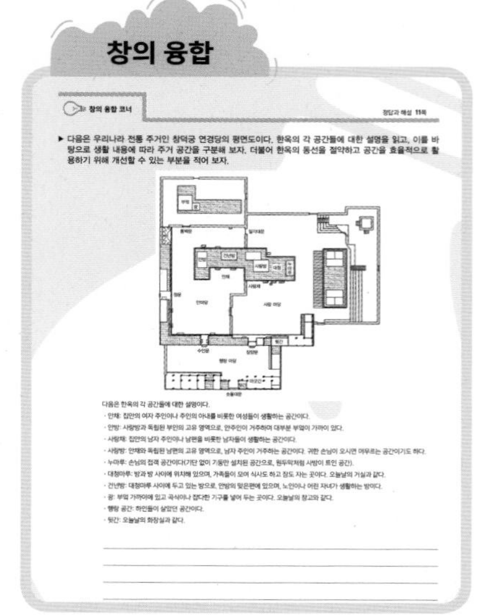

단원과 관련된 주제를 바탕으로 창의 융합적인 소재를 제시하여 사고력과 표현력이 향상되도록 하였습니다.

차례

Ⅰ. 건강한 가족 관계

Ⅱ. 창의적인 생활 문화

Ⅲ. 안전한 생활

Ⅳ. 미래를 위한 생애 설계

I
건강한 가족 관계

1. 변화하는 가족과 건강 가정
2. 가족 관계
3. 가족 간의 갈등과 해결

이 단원의 성취 기준과 학습 요소

섹션	성취 기준	학습 요소
1. 변화하는 가족과 건강 가정	사회 변화에 따른 가족의 구조와 기능의 변화를 이해하고, 건강 가정을 위한 가족 구성원의 역할을 탐색하여 실천한다.	– 가족의 구조와 기능의 변화 – 건강 가정을 위한 가족 구성원의 역할과 책임
2. 가족 관계	다양한 가족 관계의 유형과 특징을 파악하고, 양성평등하고 세대 간의 민주적인 가족 관계를 형성하는 방안을 탐색하여 실천한다.	– 가족 관계 유형과 특징 – 양성평등하고 세대 간에 민주적인 가족 관계 형성 방안
3. 가족 간의 갈등과 해결	가족 관계에서 발생하는 갈등의 원인과 배경을 분석하고, 효과적인 의사소통을 통해 가족 간의 갈등 해결 방안을 탐색하여 실천한다.	– 가족 갈등의 원인과 배경 – 효과적인 의사소통 – 가족 갈등의 해결

01 변화하는 가족과 건강 가정 | Ⅰ. 건강한 가족 관계 |

1. 가족의 구조와 기능의 변화

① 가족 구조의 변화

㉠ **초혼 연령의 상승**: 늦은 결혼, 결혼 기피 등에 의한 초혼 연령의 상승은 가족 구조 변화를 일으키는 가장 큰 요인이 되고 있다.

㉡ **출산율 감소**: 늦은 결혼, 여성의 경제적 활동 참가율 증가에 따른 일·가정 양립의 어려움으로 출산율이 급격하게 감소하고 있다.

㉢ **가족 규모의 축소**: 전체 가구 수는 증가하지만, 가구당 평균 가구원 수는 줄어들어 가족의 규모는 축소되고 있다.

㉣ **세대 구성의 단순화**: 부부와 자녀, 조부모로 구성된 세대는 줄어들고, 부부로만 구성된 핵가족과 1인 가구가 증가하고 있다.

② 가족 기능의 변화

가족 기능: 가족이 수행해야 하는 역할로서, 사회와 시대에 따라 끊임없이 변화하고 있다.

가족의 기능	과거	현재
자녀 출산의 기능	가계 계승을 위한 다자녀 출산 선호	무자녀, 소자녀 가족 증가
자녀 양육 및 사회화 기능	인성과 도덕성을 중시한 가정 교육 강조	교육 기능 감소, 전문 기관과 연계한 인격 형성, 전인 교육 강조
보호의 기능	가족 내 자녀 돌봄, 노부모 부양	노인 부양 전문 기관으로 이전
경제적 기능	생산과 소비의 기능	생산 기능 감소, 소비 기능 강화
정서적 안정 및 휴식의 기능	가족 간의 유대감, 친밀감, 행복감으로 정서적 안정과 지지	구성원 간의 유대 강화, 휴식처로서의 질적 기능 강조

사회화: 개인이 속한 사회에서 요구하는 가치관이나 행동 양식을 배우고 익혀 사회 구성원이 되는 과정

③ 가족 인식의 변화

㉠ 가족의 중심이 아버지와 아들에서 부부로 이동하였다.

㉡ 수직적인 가족 관계에서 수평적인 가족 관계로 변화하였다.

㉢ 과거에는 결혼이 반드시 해야 하는 통과 의례였지만, 현재에는 개인 선택의 문제가 되었다.

㉣ 과거에는 가계 계승을 위한 아들 출산이 선호되었지만, 현재에는 자녀 출산이 개인이 선택하는 문제가 되면서 반드시 자녀를 가질 필요는 없다는 생각이 증가하고 있다.

④ 가족생활 주기의 변화

㉠ 가족생활 주기의 분류

가족생활 주기: 가족생활을 하며 경험하게 되는 변화의 전 과정을 말한다.

- 가정 형성기(결혼~첫 자녀 출산 전)
- 가정 확대기(첫 자녀 출산~자녀 독립 전)
- 가정 축소기(첫 자녀의 독립~부부 중 한 명이 사망)

㉡ 사회의 변화에 따른 가족생활 주기의 변화

- 늦은 결혼으로 인해 가정 형성기 시작이 늦어지고 있다.
- 늦은 결혼, 적은 자녀 출산으로 인해 가정 확대기가 줄어들고 있다.
- 자녀의 늦은 결혼, 결혼 기피로 인해 가정 축소기의 시작과 완료가 늦어지고 있다.
- 평균 수명 연장으로 가정 해체의 시작과 완료가 늦어지고 있다.

2. 건강 가정을 위한 가족 구성원의 역할과 책임

① 건강 가정

㉠ **의미**: 문제가 없는 가정을 의미하는 것이 아니라 문제가 발생하였을 때 가족 구성원이 함께 힘을 모아 슬기롭게 해결해 나갈 수 있는 가정을 말한다.

㉡ 건강 가정은 가족 구성원 간의 긍정적인 상호 작용을 통해 각 개인의 잠재성을 개발하고 자아실현을 가능하게 한다.

㉢ 어떠한 형태의 가족이라도 가족 관계가 원만하고 어려운 문제를 함께 극복해 가며, 가족 기능을 잘 수행해 나간다면 건강 가정이라고 할 수 있다.

② 건강 가정을 위한 가족 구성원의 역할과 책임

㉠ **존중과 애정**: 서로 사랑하며 친밀감과 유대감 갖기

㉡ **즐거운 시간 공유**: 가족 간에 대화 시간 많이 갖기

㉢ **믿음, 지지, 이해, 위로**: 세대 간의 차이를 인정하고, 양성 평등한 가치관으로 역할 분담하기

㉣ **스트레스와 위기 극복**: 가족 문제가 생겼을 때 긍정적 사고로 협동하며 대처하기

㉤ **긍정적 의사소통**: 가족의 일을 결정할 때에는 모든 가족 구성원의 합의로 결정하기

㉥ **정신적 안녕**: 개개인을 존중하는 자세로 민주적인 가족 관계 만들기

기초 문제

01 가족 구조의 변화를 일으키는 가장 큰 요인으로 옳은 것은?

① 출산율 감소　　② 1인 가구 증가
③ 가족 규모의 축소　　④ 초혼 연령의 상승
⑤ 세대 구성의 단순화

정답 ④

02 현재에는 가계 계승을 위한 다자녀 출산을 선호하는 경향이 있다.

(○ , ×)

정답 ×

03 다음이 설명하는 가족의 기능을 쓰시오.

> 과거에는 가족이 자녀를 돌보고 노부모를 부양하였으나, 현재에는 노인 부양 전문 기관 등으로 이전되었다.

(　　　　　　　　)

정답 보호의 기능

04 과거에는 가족의 중심이 아버지와 아들이었으나, 현재에는 (　　　)(으)로 변화하였다.

정답 부부

05 다음에서 설명하는 개념은 무엇인지 쓰시오.

> 가족생활을 하며 경험하게 되는 변화의 전 과정을 말한다.

(　　　　　　　　)

정답 가족생활 주기

06 가족생활 주기는 크게 (　　　　　), (　　　　　), 가정 축소기로 나눌 수 있다.

정답 가정 형성기, 가정 확대기

07 건강 가정은 문제가 발생하였을 때 가족 구성원이 함께 힘을 모아 슬기롭게 해결해 나갈 수 있는 가정이다.

(○ , ×)

정답 ○

이해 문제

정답과 해설 2쪽

01 현대 사회에서 나타나는 가족 구조의 변화로 옳은 것은?

① 출산율이 증가하였다.
② 초혼 연령이 낮아졌다.
③ 전체 가구 수가 감소하였다.
④ 핵가족과 1인 가구가 증가하였다.
⑤ 가구당 평균 가구원 수가 늘어났다.

02 빈칸에 들어갈 가족의 기능은?

> 현대 사회에서 가족의 (　　　　)이 선택의 문제로 바뀌면서 과거에는 가계 계승을 위한 다자녀 출산을 선호하였지만, 현재에는 무자녀, 소자녀 가족이 증가하고 있다.

① 보호의 기능
② 경제적 기능
③ 자녀 출산의 기능
④ 자녀 양육 및 사회화 기능
⑤ 정서적 안정 및 휴식의 기능

03 (가)와 (나)에 들어갈 말로 바르게 짝지어진 것은?

> 현대에는 ((가)) 성향이 강해지면서 결혼과 자녀 출산은 개인이 선택하는 문제가 되었다. 또한, ((나)) 의식으로 가부장 중심의 수직적인 가족 관계는 부부 중심의 수평적인 가족 관계로 변화하였다.

	(가)	(나)
①	개인주의	남녀유별
②	개인주의	양성평등
③	가족주의	양성평등
④	가족주의	장유유서
⑤	집단주의	장유유서

04 가족생활 주기에 대한 설명으로 적절하지 않은 것은?

① 가족생활 중 경험하게 되는 변화의 전 과정을 말한다.
② 가정 확대기는 첫 자녀가 독립하는 시점부터 시작된다.
③ 사회가 변하면서 가족생활 주기도 많은 변화가 생겼다.
④ 가정 축소기는 부부 중 한 명이 사망하는 시점에 끝난다.
⑤ 결혼을 시작으로 첫 자녀 출산 전까지의 기간을 가정 형성기라고 한다.

05 다음과 같은 가족생활 주기의 변화 원인으로 옳은 것은?

> 가정 해체의 시작과 완료가 늦어지고 있으며, 이로 인해 가정 축소기는 길어지고 있다.

① 평균 수명이 연장되었다.
② 세대 구성이 단순화되었다.
③ 적은 수의 자녀를 출산한다.
④ 가족 기능이 사회로 이전되었다.
⑤ 부부 중심의 수평적인 가족 관계로 변화하였다.

06 건강 가정의 특성으로 적절하지 않은 것은?

① 서로 사랑하며 친밀감과 유대감을 갖는다.
② 개인의 자아실현을 위해 가족 간 대화 시간을 줄인다.
③ 개개인을 존중하는 자세로 민주적인 가족 관계를 형성한다.
④ 가족의 일을 결정할 때, 모든 가족 구성원의 합의로 결정한다.
⑤ 세대 간의 차이를 인정하고, 양성평등한 가치관으로 역할을 분담한다.

적용 문제

정답과 해설 2쪽

중요

01 〈보기〉에서 현대 사회의 가족 구조 변화에 대한 설명으로 적절한 것을 모두 고른 것은?

보기
ㄱ. 늦은 결혼, 결혼 기피 현상으로 초혼 연령이 상승하였다.
ㄴ. 전체 가구 수는 감소하고, 가구당 평균 가구원 수는 증가하였다.
ㄷ. 부부와 자녀, 조부모로 구성된 세대가 증가하면서 세대 구성이 단순화되었다.
ㄹ. 여성의 경제적 활동 참가율 증가에 따른 일 · 가정 양립의 어려움으로 출산율이 감소하고 있다.

① ㄱ, ㄴ　② ㄱ, ㄹ
③ ㄴ, ㄷ　④ ㄴ, ㄹ
⑤ ㄷ, ㄹ

02 (가)와 (나)에 해당하는 가족의 기능이 바르게 짝지어진 것은?

(가) 현재에는 노인 부양 전문 기관으로 이전되어 과거에 비해 가족의 기능이 약화되었다.
(나) 구성원 간의 유대를 강화하고 휴식처로서의 질적 기능이 강조되고 있다.

	(가)	(나)
①	사회화 기능	보호의 기능
②	경제적 기능	보호의 기능
③	보호의 기능	자녀 출산의 기능
④	경제적 기능	정서적 안정 및 휴식의 기능
⑤	보호의 기능	정서적 안정 및 휴식의 기능

03 현대 가족에 관한 인식의 변화에 대한 설명으로 적절한 것은?

① 개인주의 성향이 약화되었다.
② 아버지와 아들은 가족의 중심이 되었다.
③ 결혼은 성인이 되기 위한 통과 의례이다.
④ 수직적 가족 관계는 수평적 가족 관계로 변화하였다.
⑤ 가계 계승을 위한 아들을 선호하는 경향이 증가하였다.

04 가족생활 주기의 단계 중 (가)에 해당하는 시기에 대한 설명으로 적절한 것은?

가정 형성기 → ((가)) → 가정 축소기

① 남녀의 결혼으로 시작된다.
② 첫 자녀를 출산하면서 끝이 난다.
③ 사회의 변화에 영향을 받지 않는다.
④ 자녀가 독립을 하기 전까지의 시기이다.
⑤ 부부 중 한 명이 사망하는 시점까지를 말한다.

중요

05 현대 사회의 가족생활 주기의 변화 모습으로 옳지 않은 것은?

① 늦은 결혼으로 가정 확대기가 줄어들고 있다.
② 평균 수명의 연장으로 가정 축소기가 짧아졌다.
③ 결혼을 늦게 하면서 가정을 형성하는 시기가 늦어졌다.
④ 자녀를 적게 낳음으로써 자녀를 출산하고 양육하는 시기가 줄어들고 있다.
⑤ 자녀의 늦은 결혼과 결혼 기피로 가정 축소기의 시작과 완료가 늦어지고 있다.

06 〈보기〉에서 건강 가정에 대한 설명으로 옳은 것을 모두 고른 것은?

보기
ㄱ. 남녀의 성별에 따라 역할을 명확히 분담한다.
ㄴ. 가족 간에 대화 시간을 많이 갖고 즐거운 시간을 공유한다.
ㄷ. 가족의 일을 집안의 어른인 조부모 또는 부모가 결정하고 자녀는 따른다.
ㄹ. 가족의 형태에 상관없이 가족의 문제를 함께 극복하고 가족 기능을 잘 수행한다.

① ㄱ, ㄴ　② ㄱ, ㄷ
③ ㄴ, ㄷ　④ ㄴ, ㄹ
⑤ ㄷ, ㄹ

1. 가족 관계 유형과 특징

함께 생활하는 생활 공동체로, 평생 지속되며 다른 인간관계를 맺는 데 기본이 된다.

① 부부 관계

㉠ 사랑을 기초로 결혼함으로써 맺어진 가장 가까운 관계이다.

㉡ 정신적·육체적으로 결합하고, 경제적으로 협력하는 생활 공동체이다.

㉢ 좋은 부부 관계는 가족 전체 생활에 영향을 준다.

㉣ 서로 간의 애정, 관심, 신뢰를 바탕으로 정서적 관계를 형성한다.

② 부모 자녀 관계

㉠ 혈연 또는 입양으로 맺어진 관계로, 자녀의 성장과 인격 형성에 가장 큰 영향을 준다.

㉡ 일생 동안 끊을 수 없는 소중한 관계로, 서로 지속적으로 영향을 주고받는다.

㉢ 보호자로서 부모의 책임과 역할이 중요하다.

㉣ 자녀가 태어나서 처음 맺는 사회관계로, 자녀는 부모의 양육과 보호, 관심과 사랑을 받으며 성장한다.

㉤ 최근에는 자녀 출산과 부모 됨이 의무가 아닌 선택의 문제로 바뀌고 있다.

③ 형제자매 관계

㉠ 어릴 적부터 놀이 상대이면서 깊은 유대 관계를 맺어 편안한 감정을 공유하나, 때로는 선의의 경쟁자가 되기도 한다.

㉡ 개인의 인성 발달과 사회화에 영향을 주고, 가족 밖 대인 관계의 기초가 된다.

㉢ 출생 순위가 가족 관계와 성격 형성에 영향을 준다.

㉣ 부모의 편애, 양육 태도 등에 의해서 갈등이 일어날 수 있다.

④ 조부모 손자녀 관계

㉠ 조부모는 손자녀에게 삶의 지혜와 경험을 전달하고 정서적 지지를 보내며, 훈육자의 역할을 한다.

㉡ 손자녀는 조부모의 삶의 지혜와 경험으로 폭넓은 지식을 배운다.

㉢ 조부모 손자녀의 좋은 관계 유지는 조부모에게 노년기 삶의 만족을 주고, 손자녀에게는 원만한 성격과 태도를 갖게 해 준다.

2. 양성평등하고 세대 간에 민주적인 가족 관계 형성 방안

원만한 가족 관계가 형성될 때 가족 구성원은 정서적으로 안정감을 느끼며 더욱 행복해진다. 가족 내 다양한 관계 속에서 원만한 가족 관계를 형성하기 위해서는 전통적인 가족 가치관에서 벗어나, 양성평등하고 세대 간에 민주적인 관계가 유지될 수 있도록 노력해야 한다.

① 부부 관계

㉠ 양성평등하고 민주적으로 역할을 분담한다.

㉡ 가정의 모든 일을 함께 공유하고, 서로 협력한다.

㉢ 서로 존중하고 신뢰한다.

㉣ 서로의 차이를 이해하고, 상대방을 배려하는 마음을 가진다.

㉤ 지속적인 대화를 통해 유대감을 형성하도록 노력한다.

② 부모 자녀 관계

㉠ 서로의 역할과 세대 차이를 인정한다.

㉡ 서로의 특성을 이해하고, 배려하는 마음을 가진다.

㉢ 서로 존중하고 인정하는 대화 분위기를 조성한다.

㉣ 부모와 자녀가 공동으로 의사 결정을 한다.

㉤ 솔직한 대화를 통해 안정적이고 친밀한 관계를 유지하도록 노력한다.

③ 형제자매 관계

㉠ 서로 도와주고 배려한다.

㉡ 같이 놀고 챙기며, 우애 있게 지낸다.

㉢ 서로에게 긍정적인 영향을 주고, 좋은 본보기가 되도록 노력한다.

㉣ 서로의 입장을 이해하고 양보하여 원만한 관계를 유지하도록 노력한다.

④ 조부모 손자녀 관계

㉠ 세대 간 생각과 가치관의 차이를 인정한다.

㉡ 조부모님의 삶의 방식과 경험을 존중한다.

㉢ 항상 존경하는 마음을 가지고 공경한다.

㉣ 서로 여가 활동을 함께 하면서 친밀감을 형성하고, 조부모님이 가족으로부터 소외감을 느끼지 않도록 한다.

㉤ 자주 찾아뵙고, 안부 전화 또는 편지, 문자 등을 주고받으며 돈독한 관계를 유지하도록 노력한다.

기초 문제

01 사랑을 기초로 결혼함으로써 맺어진 (   ) 관계는 가족 전체 생활에 영향을 준다.

정답 부부

02 부모 자녀 관계는 혈연뿐만 아니라 (   )(으)로도 맺어진다.

정답 입양

03 최근에는 자녀 출산과 부모 됨이 선택이 아닌 의무의 문제로 바뀌고 있다.
(○ , ×)

정답 ×

04 다음의 특징을 가진 가족 관계 유형을 쓰시오.

> 놀이 상대이면서 때로는 선의의 경쟁자가 되기도 한다.

(   )

정답 형제자매 관계

05 형제자매 관계에서 출생 순위가 가족 관계와 성격 형성에 영향을 준다.
(○ , ×)

정답 ○

06 조부모는 손자녀에게 삶의 지혜와 경험을 전달하고 정서적 지지를 보내며, (   )의 역할을 한다.

정답 훈육자

07 양성평등하고 세대 간에 민주적인 가족 관계 형성 방안으로 적절하지 않은 것은?

① 전통적인 가족 가치관에서 벗어난다.
② 부모와 자녀가 공동으로 의사 결정을 한다.
③ 부부는 성별에 따라 역할을 구분하여 분담한다.
④ 형제자매는 같이 놀고 챙기며, 우애 있게 지낸다.
⑤ 조부모 손자녀 간의 생각과 가치관의 차이를 인정한다.

정답 ③

이해 문제

정답과 해설 **2쪽**

01 다음과 같은 특징을 가진 가족 관계는?

> • 사랑을 기초로 맺어진 관계이다.
> • 정신적·육체적으로 결합하고, 경제적으로 협력한다.
> • 가족 전체 생활에 영향을 준다.

① 부부 관계　② 형제자매 관계
③ 또래 친구 관계　④ 부모 자녀 관계
⑤ 조부모 손자녀 관계

02 부모 자녀 관계의 특징으로 적절하지 않은 것은?

① 혈연 또는 입양으로 이루어진 관계이다.
② 선의의 경쟁을 통해 함께 성장해 나간다.
③ 자녀가 태어나서 처음으로 맺는 사회관계이다.
④ 보호자로서의 부모의 책임과 역할이 중요하다.
⑤ 자녀의 성장과 인격 형성에 가장 큰 영향을 준다.

03 〈보기〉에서 형제자매 관계의 특징으로 옳은 것을 모두 고른 것은?

> 보기
> ㄱ. 훈육자　ㄴ. 놀이 상대
> ㄷ. 선의의 경쟁자　ㄹ. 경제생활 공동체

① ㄱ, ㄴ　② ㄱ, ㄷ
③ ㄴ, ㄷ　④ ㄴ, ㄹ
⑤ ㄷ, ㄹ

04 조부모 손자녀 관계에 대한 설명으로 옳지 않은 것은?

① 손자녀는 조부모로부터 폭넓은 지식을 배운다.
② 조부모는 손자녀에게 삶의 지혜와 경험을 전달한다.
③ 좋은 관계 유지는 조부모에게 노년기 삶의 만족을 준다.
④ 조부모는 손자녀에게 정서적 지지를 통해 협력자의 역할을 한다.
⑤ 손자녀는 조부모와의 좋은 관계 유지를 통해 원만한 성격과 태도를 가질 수 있다.

05 양성평등하고 세대 간에 민주적인 가족 관계를 형성하기 위한 노력으로 적절하지 않은 것은?

① 서로 존중하고 신뢰한다.
② 가족 간의 차이를 인정하고 배려한다.
③ 지속적인 대화를 통해 유대감을 형성한다.
④ 부모가 주로 의사 결정을 하고 자녀는 따른다.
⑤ 안정적이고 친밀한 관계를 유지하기 위해 노력한다.

06 원만한 형제자매 관계를 유지하는 방안으로 적절하지 않은 것은?

① 서로 도와주고 배려한다.
② 서로 입장을 이해하고 양보한다.
③ 경쟁의식을 갖고 함께 생활한다.
④ 같이 놀고 챙기며, 우애 있게 지낸다.
⑤ 서로에게 좋은 본보기가 되도록 노력한다.

07 〈보기〉에서 손자녀가 조부모와의 바람직한 관계를 형성하기 위해 노력해야 할 점으로 적절한 것을 모두 고른 것은?

> 보기
> ㄱ. 여가 활동을 함께 한다.
> ㄴ. 세대 간 생각과 가치관의 차이를 인정한다.
> ㄷ. 조부모님의 독립적인 삶을 위해 적당한 거리를 유지한다.
> ㄹ. 요즘과는 다른 조부모님의 삶의 방식과 경험을 지적한다.

① ㄱ, ㄴ　② ㄱ, ㄷ
③ ㄴ, ㄷ　④ ㄴ, ㄹ
⑤ ㄷ, ㄹ

적용 문제

정답과 해설 **3쪽**

01 〈보기〉에서 부부 관계의 특징으로 옳은 것을 모두 고른 것은?

보기
ㄱ. 가족 밖 대인 관계의 기초가 된다. ㄴ. 태어나서 처음으로 맺는 사회관계이다. ㄷ. 경제적으로 협력하는 생활 공동체이다. ㄹ. 애정, 관심, 신뢰를 바탕으로 정서적 관계를 형성한다.

① ㄱ, ㄴ ② ㄱ, ㄷ
③ ㄴ, ㄷ ④ ㄴ, ㄹ
⑤ ㄷ, ㄹ

02 (가)와 (나)에 해당하는 가족 관계가 바르게 짝지어진 것은?

> (가) 혈연 또는 입양으로 맺어진 관계를 말하며, 일생 동안 끊을 수 없는 소중한 관계이다.
> (나) 어릴 적부터 놀이 상대이면서 깊은 유대 관계를 맺어 편안한 감정을 공유하나, 때로는 선의의 경쟁자가 되기도 한다.

	(가)	(나)
①	부부 관계	부모 자녀 관계
②	형제자매 관계	부부 관계
③	형제자매 관계	부모 자녀 관계
④	부모 자녀 관계	형제자매 관계
⑤	부모 자녀 관계	조부모 손자녀 관계

중요

03 〈보기〉에서 형제자매 관계에 대한 설명으로 옳은 것을 모두 고른 것은?

보기
ㄱ. 항상 존경하는 마음을 가지고 공경한다. ㄴ. 개인의 인성 발달과 사회화에 영향을 준다. ㄷ. 서로에게 좋은 본보기가 되도록 노력해야 한다. ㄹ. 최근에는 의무가 아닌 선택의 문제로 바뀌고 있다. ㅁ. 부모의 편애, 양육 태도 등으로 갈등이 일어날 수 있다.

① ㄱ, ㄴ, ㄷ ② ㄱ, ㄴ, ㄹ
③ ㄴ, ㄷ, ㅁ ④ ㄴ, ㄹ, ㅁ
⑤ ㄷ, ㄹ, ㅁ

04 〈보기〉에서 양성평등한 부부 관계를 형성하는 방안으로 적절한 것을 모두 고른 것은?

보기
ㄱ. 가정의 모든 일을 함께 공유한다. ㄴ. 효율적인 역할 분담을 위해 아내가 가사를 전담한다. ㄷ. 지속적인 대화를 통해 유대감을 형성하도록 노력한다. ㄹ. 서로의 의견이 불일치할 때에는 남편의 의견을 따른다.

① ㄱ, ㄴ ② ㄱ, ㄷ
③ ㄴ, ㄷ ④ ㄴ, ㄹ
⑤ ㄷ, ㄹ

05 다음과 같은 상황에서 세대 간에 민주적인 부모 자녀 관계를 형성하기 위한 방안으로 적절하지 않은 것은?

> 청소년기가 되면 부모님으로부터 독립하여 자율성을 가지고 판단하며 행동하려는 성향이 강해진다.

① 서로의 역할과 세대 차이를 인정한다.
② 서로 존중하고 인정하는 대화 분위기를 조성한다.
③ 서로의 특성을 이해하고, 배려하는 마음을 가진다.
④ 의사 결정을 할 때에는 자녀의 의견을 전적으로 따른다.
⑤ 솔직한 대화를 통해 친밀한 관계를 유지하도록 노력한다.

06 조부모와의 관계를 원만하게 유지하기 위해 손자녀가 할 수 있는 일로 가장 적절한 것은?

① 훈육자의 역할을 담당한다.
② 공동으로 의사 결정을 한다.
③ 같이 놀고 챙기며, 우애 있게 지낸다.
④ 양성평등하고 민주적으로 역할을 분담한다.
⑤ 여가 활동을 함께 하면서 친밀감을 형성한다.

1. 가족 갈등의 원인과 배경

칡과 등나무가 서로 얽히는 것과 같이, 사람들 간에 의견이나 이해관계가 달라 서로 화합하지 못하고 충돌하는 상태를 말한다.

① **가족 갈등**: 가족 구성원이 상호 작용하는 과정에서 의견이 일치하지 않을 때 일어난다.

가족은 성별과 세대가 다르며, 다양한 개성과 서로 다른 욕구를 가진 구성원으로 이루어졌기 때문에 가족 갈등이 일어난다.

② **가족 갈등의 원인**

㉠ 가족의 건강 문제
㉡ 역할 기대의 차이
㉢ 가정 경제 문제
㉣ 세대 차이
㉤ 가정 폭력
㉥ 가족 구성원의 실직
㉦ 가족 부양에 관한 의견 차이
㉧ 자녀 교육 및 행동의 문제
㉨ 이혼에 의한 가족 해체
㉩ 가치관, 생활 습관, 기호 등의 차이

2. 효과적인 의사소통

자신의 생각이나 감정을 말이나 행동을 통해 상대방에게 전달하고 전달받는 과정을 말한다.

① **의사소통의 방법**

㉠ 언어적 의사소통: 자신의 생각이나 감정을 말이나 글로 표현하는 방법을 말한다(예 전화, 편지, 문자 메시지, 전자 우편 등).

㉡ 비언어적 의사소통: 자신의 생각이나 감정을 언어 이외의 방법으로 표현하는 방법을 말한다(예 몸짓, 자세, 표정, 옷차림, 시선 등).

② **의사소통의 구성 요소**

보내는 사람이 전달하고자 하는 정보가 정보를 받는 사람에게 정확하게 전달되어 이를 잘 받아들이고 이해하였다는 반응을 보일 때 의사소통이 제대로 이루어졌다고 볼 수 있다.

㉠ 보내는 사람(송신자)
㉡ 받는 사람(수신자)
㉢ 정보 — 전달하고자 하는 내용을 뜻한다.
㉣ 전달 매체
㉤ 반응 — 정보를 받고 이해했다는 표시를 상대방에게 하는 것을 말한다.

③ **효과적인 의사소통 방법**

㉠ 적극적으로 잘 듣기(경청과 공감)

상대방의 말에 적극적으로 귀 기울이고, 이야기 속의 사실과 감정을 잘 이해하고자 노력하는 것을 말한다.

- 다른 사람과 좋은 관계를 맺기 위해서는 내 말을 잘하는 것보다 다른 사람의 말을 귀 기울여 들어 주는 것이 중요하다.
- 잘 듣기 위해서는 상대방의 말은 물론 상대방과 시선을 맞추고, 얼굴 표정, 몸짓에도 주의를 기울이며 듣는다.
- 상대방의 입장에서 감정을 이해하려고 노력하고, 상대방의 이야기에 적절한 반응을 보이며 경청해야 한다.
- 가능한 한 상대방 가까이에서 이야기를 듣는다.
- 상대방의 말을 중간에 가로막지 않고 끝까지 들은 후 자신의 의견을 말한다.
- 상대방의 이야기를 듣고 자신의 말로 정리하여 자신이 바르게 이해하였는지 확인한다.

㉡ 긍정적인 표현을 사용하여 말하기

- 칭찬이나 격려, 지지, 공감과 같은 긍정적인 표현을 사용한다.
- 긍정적인 표현을 사용하여 말하면 상대방은 기분이 좋아지며, 자신을 존중해 주고 인정해 준다는 신뢰를 형성하게 되어 대화를 나누는 상대방에게 쉽게 마음을 열게 된다.

㉢ '나' 전달법으로 생각과 느낌 말하기

상대방의 기분을 상하지 않게 하면서 자신이 원하는 바를 전달할 수 있다.

- '나' 전달법은 '나'를 주어로 하여 상대방의 행동으로 느낀 자신의 감정과 생각을 솔직하게 표현하는 대화 방법이다.
  - 상대방의 행동을 비난하지 않고 표현하기
  - 상대방의 행동이 나에게 끼치는 영향 말하기
  - 상대방의 행동으로 느낀 나의 감정 말하기
  - 상대방이 해 주기를 바라는 점 말하기

㉣ 언어적 의사소통과 비언어적 의사소통 일치시켜 말하기

- 자신의 의사를 명확하고 효과적으로 전달하기 위해서는 언어적 의사소통과 비언어적 의사소통을 일치시켜야 한다.
- 언어적 의사소통과 비언어적 의사소통이 일치하지 않으면 상대방에게 혼란을 주게 되고, 오해와 갈등이 생길 수 있다.

3. 가족 갈등의 해결

- **가족 갈등의 해결 방안**

㉠ 갈등 상황을 인정하고, 있는 그대로 받아들인다.
㉡ 해결 방안을 모색할 때에는 갈등이 되고 있는 문제에만 초점을 맞춘다.
㉢ 상대방의 말을 비난하지 않고 공감하기 위해 노력하며, 서로의 생각을 자유롭게 말한다.
㉣ 솔직하고 진지한 대화를 통해 자신의 의견을 분명하게 표현하고, 상대방의 의견을 존중한다.
㉤ 다양한 해결 방안을 함께 찾은 후, 협의를 통해 최선의 해결 방안을 결정하고 실천한다.

기초 문제

01 빈칸에 공통적으로 들어가는 단어를 쓰시오.

> • (　　　)은/는 칡과 등나무가 서로 얽히는 것과 같이, 사람들 간에 의견이나 이해관계가 달라 서로 화합하지 못하고 충돌하는 상태를 말한다.
> • 가족 구성원이 상호 작용하는 과정에서 의견이 일치하지 않을 때 가족 (　　　)이/가 일어난다.

(　　　　　　　　　　)

정답 갈등

02 가족 갈등은 가족이 비슷한 개성과 욕구를 가진 구성원으로 이루어졌기 때문에 일어난다.
(○ , ×)

정답 ×

03 (　　　　)(이)란 자신의 생각이나 감정을 말이나 행동을 통해 상대방에게 전달하고 전달받는 과정을 말한다.

정답 의사소통

04 언어적 의사소통은 자신의 생각이나 감정을 (　　　)(이)나 (　　　)(으)로 표현하는 방법이다.

정답 말, 글

05 다음 중 비언어적 의사소통에 해당하는 것은?

① 전화　　② 편지　　③ 표정
④ 전자 우편　　⑤ 문자 메시지

정답 ③

06 정보를 보내는 사람을 '송신자'라고도 한다.
(○ , ×)

정답 ○

07 의사소통을 구성하는 요소 중 (　　　)은/는 정보를 받고 이해했다는 표시를 하는 것이다.

정답 반응

08 다음이 설명하는 개념은 무엇인지 쓰시오.

> 상대방의 말에 적극적으로 귀 기울이고, 이야기 속의 사실과 감정을 잘 이해하고자 노력하는 것을 말한다.

(　　　　　　　　　　)

정답 경청

09 다른 사람과 좋은 관계를 맺기 위해서는 내 말을 잘하는 것보다 다른 사람의 말을 귀 기울여 들어 주는 것이 중요하다.

(○ , ×)

정답 ○

10 다음 중 긍정적인 표현에 해당하지 않는 것은?

① 칭찬　② 격려　③ 지지
④ 지시　⑤ 공감

정답 ④

11 '나'를 주어로 하여 자신의 감정과 생각을 솔직하게 표현함으로써 상대방의 기분을 상하지 않게 하면서 자신이 원하는 바를 전달할 수 있는 대화 방법은 무엇인지 쓰시오.

(　　　　　　　　　　)

정답 '나' 전달법

12 언어적 의사소통과 비언어적 의사소통이 일치하지 않으면 상대방에게 혼란을 줄 수 있다.

(○ , ×)

정답 ○

13 효과적인 의사소통 방법에 해당하지 않는 것은?

① 적극적으로 잘 듣기
② '너'를 주어로 말하기
③ 긍정적인 표현 사용하여 말하기
④ 자신의 생각과 느낌을 솔직하게 말하기
⑤ 언어적 의사소통과 비언어적 의사소통 일치시키기

정답 ②

이해 문제

정답과 해설 **3쪽**

01 가족 간의 갈등에 대한 설명으로 적절하지 <u>않은</u> 것은?

① 언제든지 일어날 수 있다.
② 가족 구성원 전체에게 영향을 준다.
③ 갈등 해결을 위해 가족 모두가 노력해야 한다.
④ 친밀한 가족 관계에서는 갈등이 생기지 않는다.
⑤ 상호 작용하는 과정에서 의견이 일치하지 않을 때 일어난다.

02 다음 가족에게 나타난 가족 갈등의 원인으로 가장 적절한 것은?

> 부모님께 성적표를 보여 드렸는데 기막혀 하시더니 내가 공부 못하는 탓을 서로에게 미루시면서 싸우셨다.

① 세대 차이
② 가정 경제 문제
③ 역할 기대의 차이
④ 가족의 건강 문제
⑤ 자녀 교육 및 행동의 문제

03 의사소통을 통해 얻을 수 있는 효과로 옳지 <u>않은</u> 것은?

① 서로를 잘 이해할 수 있다.
② 단절된 인간관계를 맺을 수 있다.
③ 자신의 생각을 정확하게 전달할 수 있다.
④ 가족 구성원 간의 유대감을 높일 수 있다.
⑤ 가족 간의 갈등을 현명하게 대처할 수 있다.

04 비언어적 의사소통의 사례로 옳은 것은?

① 어버이날에 부모님께 감사의 편지를 썼다.
② 오랜만에 만난 친구를 보고 환하게 웃었다.
③ 해외에 계신 삼촌께 전자 우편으로 안부를 물었다.
④ 수업 과제를 물어보기 위해 친구에게 전화를 걸었다.
⑤ 말다툼을 한 친구에게 사과의 문자 메시지를 보냈다.

05 다음 중 의사소통의 방법이 <u>다른</u> 하나는?

① 친구에게 생일 축하 편지를 건넸다.
② 기분이 나빠 표정이 나도 모르게 찌푸려졌다.
③ 수업에 집중하기 위해서 자세를 바르게 앉았다.
④ 내 물건을 마음대로 쓰는 동생에게 따가운 시선을 보냈다.
⑤ 어머니께서 스스로 방 청소를 한 나의 머리를 쓰다듬어 주셨다.

06 (가)와 (나)에 해당하는 의사소통의 구성 요소가 바르게 짝지어진 것은?

> (가) 정보를 보내는 사람으로, 자신이 전달하고자 하는 정보를 정확하게 표현해야 한다.
> (나) 정보를 받고 이해했다는 표시를 보이는 것을 말한다.

	(가)	(나)
①	수신자	송신자
②	수신자	전달 매체
③	송신자	전달 매체
④	송신자	반응
⑤	전달 매체	반응

07 경청하는 태도로 적절하지 않은 것은?

① 상대방과 시선을 맞춘다.
② 상대방의 말을 중간에 끊고 조언한다.
③ 상대방의 이야기에 적절한 반응을 보인다.
④ 가능한 한 상대방 가까이에서 이야기를 듣는다.
⑤ 상대방의 입장에서 감정을 이해하려고 노력한다.

08 긍정적인 표현을 사용하여 말하기에 대한 설명으로 적절하지 않은 것은?

① 상대방의 기분을 좋게 만들 수 있다.
② 상대방을 존중하는 태도로 부드럽게 말한다.
③ 신뢰를 형성하여 상대방의 마음을 열 수 있다.
④ 칭찬, 격려, 지지, 공감과 같은 표현을 사용한다.
⑤ 명령과 지시를 통해 상대방에게 전달하려고 한 의도를 명확히 할 수 있다.

09 다음에 해당하는 효과적인 의사소통의 방법으로 옳은 것은?

> '나'를 주어로 하여 상대방의 행동으로 느낀 자신의 감정과 생각을 솔직하게 표현하는 대화 방법

① 정확하게 말하기
② 적극적으로 잘 듣기
③ 긍정적인 표현을 사용하여 말하기
④ '나' 전달법으로 생각과 느낌 말하기
⑤ 언어적 의사소통과 비언어적 의사소통 일치시키기

10 '나' 전달법으로 말하고자 할 때 포함하지 않아도 되는 사항은?

① 상대방의 책임 묻기
② 상대방이 해 주기를 바라는 점 말하기
③ 상대방의 행동을 비난하지 않고 표현하기
④ 상대방의 행동으로 느낀 나의 감정 말하기
⑤ 상대방의 행동이 나에게 끼치는 영향 말하기

11 언어적 의사소통과 비언어적 의사소통을 일치시켜 말하기의 효과로 적절하지 않은 것은?

① 오해와 갈등을 방지할 수 있다.
② 상대방에게 혼란을 야기할 수 있다.
③ 자신의 의사를 명확하게 전달할 수 있다.
④ 자신의 생각을 효과적으로 전달할 수 있다.
⑤ 의사소통이 더 원활하게 이루어질 수 있다.

12 가족 간의 갈등을 해결하는 방안으로 적절한 것은?

① 갈등 상황을 밖으로 드러내지 않는다.
② 해결 방안은 부부가 결정하고 실천한다.
③ 상대방의 말을 듣기보다 자신의 말을 많이 한다.
④ 해결 방안을 모색할 때에는 과거의 문제부터 시작한다.
⑤ 솔직하고 진지한 대화를 통해 자신의 의견을 분명하게 표현한다.

적용 문제

정답과 해설 4쪽

01 〈보기〉에서 가족 갈등에 대한 설명으로 옳은 것을 모두 고른 것은?

보기
ㄱ. 가족 갈등은 가족 구성원 일부에게 영향을 끼친다.
ㄴ. 친밀한 가족 관계에서도 가족 간의 갈등이 생길 수 있다.
ㄷ. 상호 작용하는 과정에서 의견이 일치하지 않을 때 발생한다.
ㄹ. 발생 이유는 개성과 욕구가 같은 구성원으로 이루어져 있기 때문이다.

① ㄱ, ㄴ ② ㄱ, ㄷ ③ ㄴ, ㄷ
④ ㄴ, ㄹ ⑤ ㄷ, ㄹ

02 가족 갈등이 일어나는 원인에 대한 설명으로 적절하지 않은 것은?

① 세대 간의 가치관이 비슷할 경우
② 가족이 서로에게 기대하는 역할이 다를 경우
③ 가족을 누가 부양할 것인가에 관한 의견 차이가 생길 때
④ 자녀의 교육 및 행동의 문제를 부부가 서로에게 미룰 때
⑤ 가족 구성원의 실직 등으로 가정의 경제적 여건이 나빠진 경우

03 〈보기〉에서 의사소통에 대한 설명으로 옳은 것을 모두 고른 것은?

보기
ㄱ. 가족 구성원 간의 유대감을 높일 수 있다.
ㄴ. 가족 간의 갈등을 심화시키는 역할을 한다.
ㄷ. 일상생활에서 친밀한 인간관계를 맺는 데 도움을 준다.
ㄹ. 생각이나 감정을 말로만 상대방에게 전달하는 과정이다.

① ㄱ, ㄴ ② ㄱ, ㄷ ③ ㄴ, ㄷ
④ ㄴ, ㄹ ⑤ ㄷ, ㄹ

04 다음과 같은 의사소통 방법의 사례로 옳은 것은?

자신의 생각이나 감정을 언어 이외의 방법으로 표현한다.

① 하교 후, 어머니께 전화를 걸었다.
② 과제를 전자 우편으로 제출하였다.
③ 전학 간 친구로부터 문자 메시지를 받았다.
④ 체육복을 빌려 달라는 친구에게 고개를 끄덕였다.
⑤ 좋아하는 친구에게 편지를 써서 마음을 고백하였다.

05 ㉠~㉤ 중 언어적 의사소통에 해당하는 것을 모두 고른 것은?

얼마 전에 다툰 친구와 화해하기 위해 ㉠손을 흔들며 다가갔지만 친구가 ㉡시선을 피해 버렸다. 사과하기 위해 ㉢전화도 걸었지만 받지 않아 ㉣편지를 써서 보내기로 결심했다.

① ㉠, ㉡ ② ㉠, ㉢
③ ㉡, ㉢ ④ ㉡, ㉣
⑤ ㉢, ㉣

중요

06 의사소통의 구성 요소와 설명이 바르게 짝지어진 것은?

㉠ 전달하고자 하는 내용
㉡ 생각과 감정을 전달받는 사람
㉢ 전달하고자 하는 내용을 말하는 사람
㉣ 언어적 방법과 비언어적 방법으로 이루어진 수단
㉤ 전달받은 내용을 잘 이해했다는 표시를 상대방에게 하는 것

① ㉠ – 수신자 ② ㉡ – 송신자
③ ㉢ – 반응 ④ ㉣ – 전달 매체
⑤ ㉤ – 정보

07 〈보기〉에서 적극적으로 잘 듣는 방법에 대한 설명으로 적절한 것을 모두 고른 것은?

보기
ㄱ. 반응을 절제하고 가만히 듣는다.
ㄴ. 자세를 바르게 하고, 상대방의 이야기에 집중한다.
ㄷ. 말을 듣는 도중 궁금한 점이 생기면 즉시 물어본다.
ㄹ. 이야기를 듣고 자신의 말로 정리하여 자신이 바르게 이해하였는지 확인한다.

① ㄱ, ㄴ ② ㄱ, ㄷ ③ ㄴ, ㄷ
④ ㄴ, ㄹ ⑤ ㄷ, ㄹ

중요

08 〈보기〉에서 긍정적인 표현을 사용하여 말할 때 얻을 수 있는 효과로 적절한 것을 모두 고른 것은?

보기
ㄱ. 상대방에게 혼란을 줄 수 있다.
ㄴ. 상대방과 신뢰를 형성할 수 있다.
ㄷ. 상대방이 존중받는다는 느낌을 들게 한다.
ㄹ. 상대방의 행동이 스스로 변하게 유도할 수 있다.

① ㄱ, ㄴ ② ㄱ, ㄹ ③ ㄴ, ㄷ
④ ㄴ, ㄹ ⑤ ㄷ, ㄹ

09 다음과 같은 대화 방법에 대한 설명으로 옳지 않은 것은?

- 엄마: 희정아, 엄마가 말을 하는데 네가 게임만 하는 것을 보니 엄마 말을 듣고 있는지 알 수가 없어 속상하단다. 앞으로는 엄마가 말을 할 때 집중해서 들었으면 좋겠구나.
- 희정: 네, 다음부터는 주의 깊게 들을게요.

① 엄마는 '나' 전달법을 사용하고 있다.
② 상대방이 해 주기를 바라는 점을 말한다.
③ 상대방이 하고 있는 행동의 책임을 묻는다.
④ 상대방의 행동으로 느낀 나의 감정을 말한다.
⑤ 상대방의 행동이 나에게 끼치는 영향을 말한다.

10 다음 대화에서 효과적인 의사소통을 막는 원인으로 가장 적절한 것은?

- 건우: (헐레벌떡 달려오며) 민지야, 늦어서 미안해.
- 민지: (표정을 찌푸리고 고개를 돌리며) 괜찮아.

① '너' 전달법을 사용한다.
② 부정적인 표현을 사용한다.
③ 서로의 말을 경청하지 않는다.
④ 상대방의 말을 중간에 가로막는다.
⑤ 언어적 의사소통과 비언어적 의사소통이 일치하지 않는다.

11 가족 갈등의 긍정적인 영향으로 옳지 않은 것은?

① 가족 구성원 간의 결속력이 더욱 커진다.
② 서로를 더 잘 이해하게 되는 계기가 된다.
③ 가족생활의 스트레스를 증가시킬 수 있다.
④ 가족 갈등을 해결할 수 있는 능력을 길러 준다.
⑤ 또 다른 갈등이 발생했을 때 올바르게 대처할 수 있다.

12 가족 갈등을 원만하게 해결하기 위한 방안으로 적절하지 않은 것은?

① 갈등 상황을 인정하고, 있는 그대로 받아들인다.
② 해결 방안을 모색할 때에는 갈등이 되고 있는 문제에만 초점을 맞춘다.
③ 상대방의 말을 비난하지 않고 공감하기 위해 노력하며, 서로의 생각을 자유롭게 말한다.
④ 솔직하고 진지한 대화를 통해 자신의 의견을 분명하게 표현하고, 상대방의 의견을 존중한다.
⑤ 다양한 해결 방안을 함께 찾은 후, 최선의 해결 방안을 부부가 일방적으로 결정하고 함께 실천한다.

틀리기 쉬운 문제

01 (가)~(다)에 들어갈 말이 바르게 짝지어진 것은?

> 오늘날 사회가 빠르게 변화함에 따라 가족 구조도 달라지고 있다. 늦은 결혼으로 인해 초혼 연령이 ((가))하였고, 이에 따라 출산율이 ((나))하였다. 또한, 가족의 규모가 ((다))되었고, 세대 구성이 단순화되면서 다양한 가족의 형태가 나타나고 있다.

	(가)	(나)	(다)
①	상승	증가	축소
②	상승	감소	축소
③	하강	감소	확대
④	하강	증가	확대
⑤	증가	상승	증가

02 (가), (나)와 관련 있는 가족의 기능으로 옳은 것은?

> (가) 아이가 커서 사회에 잘 적응하며 살아가도록 하기 위해서는 가정에서 인성과 도덕성을 맡아서 교육시켜야 해.
> (나) 맞아. 하지만 요즘에는 학교나 학원과 같은 전문 기관에서 그러한 역할을 대신해 주고 있어.

① 보호의 기능
② 경제적 기능
③ 자녀 출산의 기능
④ 자녀 양육 및 사회화 기능
⑤ 정서적 안정 및 휴식의 기능

03 과거와 현재의 가족 인식의 변화를 바르게 비교한 것은?

	과거	현재
①	딸 선호	아들 선호
②	개인 중시	친족 중시
③	부부 중심	가부장 중심
④	수평적 가족 관계	수직적 가족 관계
⑤	결혼과 출산은 필수	결혼과 출산은 개인의 선택

자주 출제되는 문제

04 가족생활 주기에 대한 설명으로 적절한 것은?

① 자녀의 출산으로 가정이 형성된다.
② 자녀의 독립으로 가족생활 주기가 끝난다.
③ 사회의 변화에 따라 가족생활 주기도 변한다.
④ 가족생활 주기의 순서와 기간은 가정마다 동일하다.
⑤ 가정 축소기는 결혼~첫 자녀 출산 전까지의 시기를 말한다.

05 〈보기〉에서 가족생활 주기의 변화로 옳은 것을 모두 고른 것은?

> 보기
> ㄱ. 늦은 결혼으로 가정 형성기 시작이 늦어지고 있다.
> ㄴ. 자녀를 적게 출산하여 가정 확대기가 줄어들고 있다.
> ㄷ. 평균 수명의 연장으로 가정 해체의 시작과 완료가 빨라지고 있다.
> ㄹ. 자녀의 늦은 결혼과 결혼 기피 현상으로 가정 축소기의 시작과 완료가 앞당겨지고 있다.

① ㄱ, ㄴ ② ㄱ, ㄷ
③ ㄴ, ㄷ ④ ㄴ, ㄹ
⑤ ㄷ, ㄹ

06 다음 대화에서 알 수 있는 건강 가정의 특성으로 가장 적절한 것은?

> • 아내: 여보, 오늘 중요한 회의가 있어서 퇴근이 늦을 것 같아요.
> • 남편: 알겠어요. 나는 오늘 일찍 퇴근하니까 저녁 식사 준비를 해 놓을게요.

① 세대 간의 차이를 인정한다.
② 가족 간에 대화 시간을 많이 갖는다.
③ 양성평등한 가치관으로 역할을 분담한다.
④ 가족 문제가 생겼을 때 긍정적인 사고로 협동하며 대처한다.
⑤ 가족의 일을 결정할 때 모든 가족 구성원이 합의하여 결정한다.

실전 문제

07 (가)와 (나)에 해당하는 가족의 형태가 바르게 짝지어진 것은?

> (가) 학업이나 직장의 이유로 부, 모 중 한쪽 혹은 양쪽이 주기적으로 떨어져 사는 가족
> (나) 혈연관계가 아닌 구성원이 모여 가족 의식을 공유하며 사는 가족

	(가)	(나)
①	독신 가족	재혼 가족
②	독신 가족	통크 가족
③	딩크 가족	조손 가족
④	분거 가족	딩크 가족
⑤	분거 가족	공동체 가족

08 부부 관계의 특징으로 적절한 것은?

① 혈연을 기초로 하여 맺어진 관계이다.
② 보호자로서의 책임과 역할이 중요하다.
③ 출생 순위에 따라 관계 형성이 달라진다.
④ 좋은 관계는 가족 전체 생활에 영향을 준다.
⑤ 놀이 상대이면서 선의의 경쟁자가 되기도 한다.

자주 출제되는 문제

09 <보기>에서 부모 자녀 관계의 특징으로 옳은 것을 모두 고른 것은?

> 보기
> ㄱ. 가족 관계의 기초가 된다.
> ㄴ. 서로 지속적으로 영향을 주고받는다.
> ㄷ. 경제적으로 협력하는 생활 공동체이다.
> ㄹ. 자녀의 성장과 인격 형성에 가장 큰 영향을 준다.
> ㅁ. 최근에는 자녀 출산과 부모 됨이 의무가 아닌 선택의 문제로 바뀌고 있다.

① ㄱ, ㄴ, ㄷ　② ㄱ, ㄴ, ㅁ
③ ㄴ, ㄷ, ㄹ　④ ㄴ, ㄹ, ㅁ
⑤ ㄷ, ㄹ, ㅁ

10 원만한 부부 관계를 형성하기 위한 방안을 <u>잘못</u> 이해한 사람은?

① 혜원: 서로 존중하고 신뢰가 바탕이 되어야 해.
② 준우: 부부는 가정의 일을 함께 공유하면서 서로 협력해 나가야 해.
③ 세민: 각자 살아온 생활 습관이 다르다는 것을 서로 이해할 필요가 있어.
④ 해선: 양성평등한 부부 관계를 위해서는 민주적으로 역할을 분담해야 해.
⑤ 상원: 부부간에 갈등을 만드는 것보다는 한쪽이 참는 것이 바람직하다고 볼 수 있어.

11 다음과 같은 특징을 가진 가족 관계를 원만하게 형성하는 방안으로 적절하지 <u>않은</u> 것은?

> 어릴 적부터 놀이 상대이면서 깊은 유대 관계를 맺어 편안한 감정을 공유하나, 때로는 선의의 경쟁자가 되기도 한다.

① 서로 도와주고 배려한다.
② 같이 놀고 챙기며, 우애 있게 지낸다.
③ 부모의 애정과 관심을 얻기 위한 경쟁 상황을 자주 만든다.
④ 서로에게 긍정적인 영향을 주고, 좋은 본보기가 되도록 노력한다.
⑤ 서로의 입장을 이해하고 양보하여 원만한 관계를 유지하도록 노력한다.

12 다은이의 고민을 해결하기 위한 방안으로 가장 적절한 것은?

> 다은이는 조부모님을 모시고 사는 대가족이었는데, 최근 부모님과 다은이만 도시로 이사를 오면서 핵가족이 되었다. 함께 생활하고 있지 않지만 이전처럼 조부모님과 좋은 관계를 유지하려면 어떻게 해야 할지 고민이다.

① 세대 간 생각과 가치관의 차이를 인정한다.
② 조부모님으로부터 삶의 지혜와 경험을 배운다.
③ 자주 찾아뵙고, 안부 전화 또는 편지를 주고받는다.
④ 조부모님이 가족으로부터 독립할 수 있도록 돕는다.
⑤ 조부모님의 삶의 방식과 경험을 존중하는 태도를 기른다.

13 다음과 같은 상황의 가족 갈등의 원인으로 가장 적절한 것은?

> 얼마 전 아버지께서 회사를 그만두시고 난 후, 아버지와 어머니는 다투시는 일이 많아졌다. 지금까지는 저축해 둔 돈으로 생활비를 충당할 수 있었지만 앞으로 살아갈 일이 막막하다는 어머니의 말씀을 들으니 마음이 무거웠다.

① 세대 차이 ② 가정 경제 문제
③ 역할 기대의 차이 ④ 가족의 건강 문제
⑤ 이혼에 의한 가족 해체

14 다음에서 사용된 의사소통 방법이 바르게 짝지어진 것은?

> • 친구의 생일에 축하 문자 메시지를 보냈다. – (㉠) 의사소통
> • 체육복을 빌려 달라는 친구의 부탁에 고개를 끄덕였다. – (㉡) 의사소통
> • 스승의 날에 선생님께 감사하는 마음을 담은 편지를 써서 드렸다. – (㉢) 의사소통

	㉠	㉡	㉢
①	언어적	언어적	비언어적
②	언어적	비언어적	언어적
③	언어적	비언어적	비언어적
④	비언어적	언어적	언어적
⑤	비언어적	비언어적	언어적

15 그림은 의사소통의 구성 요소를 나타낸 것이다. (가)에 들어갈 내용에 대한 설명으로 적절한 것은?

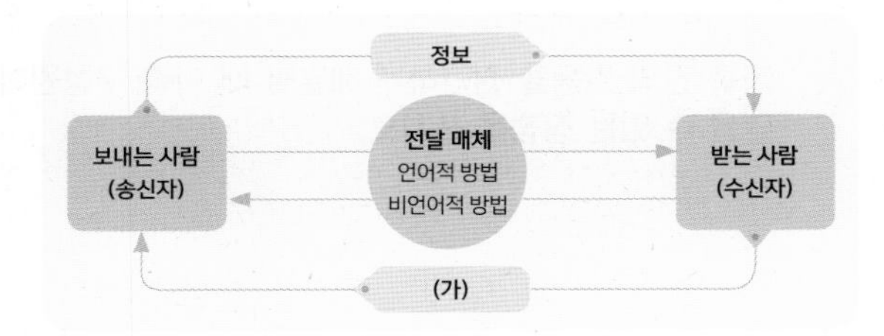

① 전달하고자 하는 내용이다.
② 경청하는 태도가 필요하다.
③ 정보를 받고 이해했다는 표시이다.
④ 이 요소가 없어도 의사소통은 이루어질 수 있다.
⑤ 전달하고자 하는 내용을 정확하게 표현해야 한다.

자주 출제되는 문제

16 〈보기〉에서 효과적인 의사소통 방법에 대한 설명으로 적절한 것을 모두 고른 것은?

> 보기
> ㄱ. 긍정적인 표현을 자제한다.
> ㄴ. 상대방의 이야기를 주의 깊게 들어야 한다.
> ㄷ. 자신의 생각과 느낌을 간접적으로 표현한다.
> ㄹ. 언어적 의사소통과 비언어적 의사소통을 일치시킨다.

① ㄱ, ㄴ ② ㄱ, ㄷ
③ ㄴ, ㄷ ④ ㄴ, ㄹ
⑤ ㄷ, ㄹ

17 경청과 공감에 대해 잘못 이해한 사람은?

① 은진: 상대방의 말을 끝까지 들은 후, 내 의견을 말해야 해.
② 재윤: 공감은 상대방의 입장에서 감정을 이해하려고 노력하는 것이야.
③ 건우: 상대방과 시선을 맞추고 얼굴 표정, 몸짓에도 주의를 기울여야 해.
④ 연우: 경청하기 위해서는 자세를 바르게 하고, 상대방의 이야기에 집중해야 해.
⑤ 은호: 상대방의 이야기에 방해가 되지 않게 최대한 반응은 하지 않는 것이 좋아.

18 다음 대화에 나타난 의사소통 방법의 효과로 옳지 않은 것은?

> • 동생: 오빠, 내가 만든 인형 어때?
> • 오빠: 와, 내 동생 실력이 많이 늘었는걸! 잘 만들었네.

① 상대방과 신뢰를 형성할 수 있다.
② 상대방의 기분을 좋게 만들 수 있다.
③ 상대방은 자신이 존중받는다고 느낀다.
④ 상대방이 인정받는다고 느껴 쉽게 마음을 열게 된다.
⑤ 상대방에게 전달하려고 한 의도가 제대로 전해지기 어렵다.

19 〈보기〉에서 '나' 전달법에 대한 설명으로 옳은 것을 모두 고른 것은?

보기
ㄱ. 상대방의 행동에 초점을 맞추어 비난한다.
ㄴ. 상대방의 행동이 나에게 끼치는 영향을 포함한다.
ㄷ. 상대방의 행동으로 느낀 나의 감정을 솔직하게 말한다.
ㄹ. 상대방이 해 주기를 원하는 행동을 우회적으로 전달한다.

① ㄱ, ㄴ ② ㄱ, ㄷ
③ ㄴ, ㄷ ④ ㄴ, ㄹ
⑤ ㄷ, ㄹ

20 언어적 의사소통과 비언어적 의사소통을 일치시켜 말해야 하는 이유로 가장 적절한 것은?

① 상대방의 이야기를 끝까지 경청할 수 있다.
② 친밀한 인간관계를 맺는 데 중요한 역할을 한다.
③ 상대방의 이야기를 듣고 자신이 바르게 이해했는지 확인할 수 있다.
④ 혼란을 줄이고 자신의 의사를 명확하고 효과적으로 전달할 수 있다.
⑤ 상대방의 기분을 상하지 않게 하면서 자신이 원하는 바를 전달할 수 있다.

21 〈보기〉에서 가족 갈등의 해결 방안에 대한 설명으로 적절한 것을 모두 고른 것은?

보기
ㄱ. 자신의 의견을 분명하게 표현한다.
ㄴ. 부부가 중심이 되어 해결 방안을 선택한다.
ㄷ. 가족 간의 갈등 상황을 있는 그대로 받아들인다.
ㄹ. 과거의 갈등부터 우선 해결하고 대화를 시작한다.

① ㄱ, ㄴ ② ㄱ, ㄷ
③ ㄴ, ㄷ ④ ㄴ, ㄹ
⑤ ㄷ, ㄹ

서술형 문제

22 건강 가정을 만들기 위한 방법을 5가지 이상 쓰시오.

23 '나' 전달법을 사용하여 대화하는 방법과 효과에 대해 쓰시오.

24 언어적 의사소통과 비언어적 의사소통을 일치시켜 말할 때와 그렇지 않을 때를 비교하여 쓰시오.

25 가족 간의 갈등을 원만하게 해결할 때 가족 구성원이 얻을 수 있는 장점을 쓰시오.

▶ **다음 글에서 나타난 가족 갈등의 원인을 찾고, 가족 갈등의 해결 방안에 대해 써 보자.**

(중략)

"당신도 살 도리를 좀 하셔요."

"……"

나는 또 '시작하는구나' 하는 생각이 번개같이 머리에 번쩍이며 불쾌한 생각이 벌컥 일어난다. 그러나 무어라고 대답할 말이 없이 묵묵히 있었다.

"우리도 남과 같이 살아 보아야지요!"

아내가 T의 양산에 단단히 자극(刺戟)을 받은 것이다. 예술가의 처 노릇을 하려는 독특(獨特)한 결심이 있는 그는 좀처럼 이런 소리를 입 밖에 내지 아니하였다. 그러나 무엇에 상당한 자극만 받으면 참고 참았던 이런 소리를 하게 되는 것이다. 나도 이런 소리를 들을 적마다 '그럴 만도 하다'는 동정심이 없지 아니하나 심사가 어쩐지 좋지 못하였다. 이번에도 '그럴 만도 하다'는 동정심이 없지 아니하되 또한 불쾌한 생각을 억제키 어려웠다. 잠깐 있다가 불쾌한 빛을 드러내며,

"급작스럽게 살 도리를 하라면 어찌할 수가 있소. 차차 될 때가 있겠지!"

"아이구, 차차란 말씀 그만두구려, 어느 천년에……."

아내의 얼굴에 붉은빛이 짙어지며 전에 없던 흥분한 어조로 이런 말까지 하였다. 자세히 보니 두 눈에 은은히 눈물이 괴었더라.

나는 잠시 멍멍하게 있었다. 성낸 불길이 치받쳐 올라온다. 나는 참을 수 없다.

"막벌이꾼한테 시집을 갈 것이지 누가 내게 시집을 오랬어! 저 따위가 예술가의 처가 다 뭐야!"

사나운 어조로 몰풍스럽게 소리를 꽥 질렀다.

"에그……!"

살짝 얼굴빛이 변해지며 어이없이 나를 보더니 고개가 점점 수그러지며 한 방울 두 방울 방울방울 눈물이 장판 위에 떨어진다.

나는 이런 일을 가슴에 그리며 그래도 내일 아침거리를 장만하려고 옷을 찾는 아내의 심중을 생각해 보니, 말할 수 없는 슬픈 생각이 가을 바람과 같이 설렁설렁 심골(心骨)을 분지르는 것 같다.

(중략)

– 현진건, 「빈처」

* '빈처'는 1921년에 발표된 현진건의 단편 소설이다. 당시의 가난한 예술인 부부와 물질적인 가치를 중시하는 은행원 T라는 인물들을 통해 생활과 예술 사이의 갈등을 사실적으로 그려내고 있다.

Ⅱ 창의적인 생활 문화

1. 균형 잡힌 식사 계획과 선택
2. 주거 가치관과 주생활 문화
3. 효율적인 주거 공간 구성과 활용

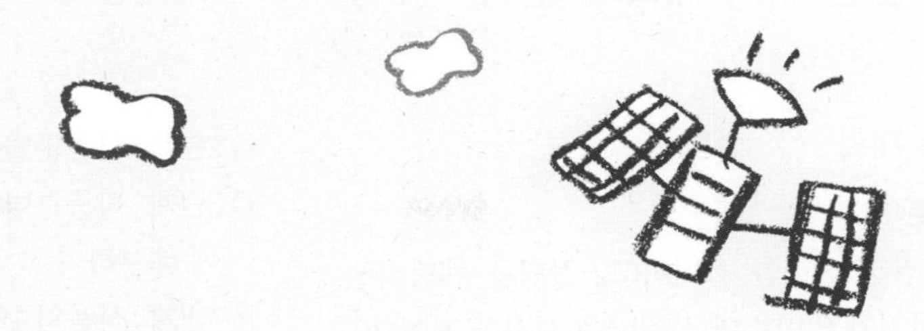

이 단원의 성취 기준과 학습 요소

섹션	성취 기준	학습 요소
1. 균형 잡힌 식사 계획과 선택	영양 섭취 기준과 식사 구성안을 고려하여 균형 잡힌 식사를 계획하고, 가족의 요구를 분석하여 식사를 선택한 후 평가한다.	– 균형 잡힌 식사 계획 – 가족의 식사 선택
2. 주거 가치관과 주생활 문화	주거 가치관의 변화를 이해하고, 다양한 생활 양식을 고려하여 이웃과 더불어 살아가는 주생활 문화를 실천한다.	– 주거 가치관의 변화 – 이웃과 더불어 살아가는 주생활 문화 – 지속 가능한 삶을 위한 주거
3. 효율적인 주거 공간 구성과 활용	효율적인 주거 공간 구성 방안을 탐색하여, 가족생활에 적합한 주거 공간 구성에 활용한다.	– 효율적인 주거 공간 구성 – 가족생활에 적합한 주거 공간 구성

1. 균형 잡힌 식사 계획

① 영양소 섭취 기준

㉠ 의미: 최적의 건강 상태를 유지하고, 질병을 예방하는 데 필요한 에너지와 영양소의 섭취량을 제시한 것이다.

㉡ 영양소 섭취 기준을 활용하면 영양소의 과잉 섭취나 섭취 부족을 막아 균형 잡힌 식사를 계획할 수 있다.

② 식사 구성안

㉠ 의미: 식품군별 대표 식품과 권장 식사 패턴을 이용하여 식사의 구성 개념을 설명한 것이다.

㉡ 영양소 섭취 기준을 충족할 수 있도록 만든 1일 식단 작성법이다.

③ 식품군별 대표 식품의 1인 1회 분량

㉠ 의미: 우리나라 사람들이 주로 섭취하는 식품을 보통 한 사람이 한 번에 먹는 분량으로 제시한 것이다.

㉡ 식품군 종류: 곡류, 고기·생선·달걀·콩류, 채소류, 과일류, 우유·유제품류, 유지·당류 (식품군: 식품의 종류와 영양소 함량에 따라 구분한다.)

④ 권장 식사 패턴

㉠ 의미: 개인의 1일 에너지 필요량에 따라 식품의 1인 1회 분량을 기준으로 식품군별 섭취 횟수를 제시한 것이다.

㉡ 권장 식사 패턴에 맞춰 작성된 식단으로 식사를 하면 하루에 필요한 영양소 섭취량을 충족할 수 있다.

㉢ 식사 계획 시 활용 방안: 식품군별 권장 섭취 횟수를 하루 세끼 식사와 간식에 균형 있게 배분하고, 각 식품군에 포함된 식품의 종류를 생각하며 식단을 구성한다.

㉣ 12~14세 식품군별 1일 권장 섭취 횟수

대상 \ 식품군	곡류	고기·생선·달걀·콩류	채소류	과일류	우유·유제품류	유지·당류
남 2,500 kcal	3.5	5.5	8	3	2	7
여 2,000 kcal	3	3.5	7	2	2	6

⑤ 식사 구성안을 활용한 식사 계획

㉠ 1단계: 자신의 성별과 연령에 따른 에너지 필요량 알기

㉡ 2단계: 식품군별 1일 권장 섭취 횟수 알기

㉢ 3단계: 식품군별 1일 권장 섭취 횟수를 세끼 식사와 간식에 배분하기 (유지·당류는 조리 시 소량씩 사용하여 필요량을 충족시키므로 별도로 먹지 않아도 된다.)

㉣ 4단계: 식품의 1인 1회 분량을 고려하여 식사 계획하기

⑥ 식품 구성 자전거

㉠ 의미: 권장 식사 패턴을 반영한 균형 잡힌 식단, 적당한 수분의 섭취, 규칙적인 운동이 건강을 유지하는 데에 중요함을 전달하고자 제작하였다.

㉡ 식품 구성 자전거 섭취 방법

- 곡류: 매일 2~4회 정도, 혼합 잡곡 섭취 권장
- 고기·생선·달걀·콩류: 매일 3~4회 정도, 동물성 지방이 적은 살코기 위주로 섭취 권장
- 채소류: 매 끼니 2가지 이상(나물, 생채, 쌈 등), 다양한 색의 채소 섭취 권장
- 과일류: 매일 1~2개, 제철 과일 섭취 권장
- 우유·유제품류: 매일 1~2잔, 저지방·저당류 유제품 섭취 권장
- 유지·당류: 조리 시 첨가되는 양으로 필요량을 충분히 충족함.

2. 가족의 식사 선택

(가족 식사 선택 시 고려 사항: 가족 구성원의 수, 생활 양식, 건강 상태, 기호도, 경제적인 면, 시간적 여건 등)

① 다양한 식사 형태

㉠ 가정 내에서 직접 조리·가공하여 가정 내에서 식사하는 형태 (우리나라의 전통적인 식사 형태)

㉡ 가정 밖에서 완제품이나 반제품을 구입하여 가정 내에서 식사하는 형태

㉢ 가정 내에서 조리하지 않고, 가정 밖에서 음식을 구입하여 식사하는 형태

② 조리된 음식 구입이나 외식이 늘어나는 이유

㉠ 인구의 고령화, 1인 가구의 증가 등으로 조리된 음식을 사서 먹는 편이 더 경제적이다.

㉡ 경제 활동 증가로 식사 준비에 드는 시간과 노력의 절약을 추구한다.

㉢ 여가 시간을 즐기는 문화가 확산되면서 가정 밖에서 식사할 기회가 늘어났다.

㉣ 생활 수준이 향상됨에 따라 다양한 요리를 먹고 싶다는 욕구가 증가하고 있다.

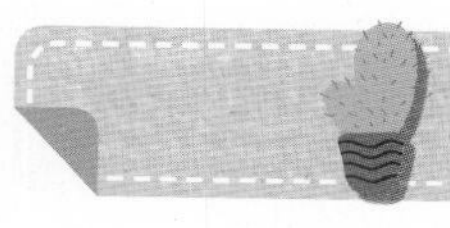

기초 문제

01 영양소 섭취 기준은 최적의 건강 상태를 유지하고, 질병을 예방하는 데 필요한 에너지와 영양소의 섭취량을 제시한 것이다.

(○ , ×)

정답 ○

02 다음에서 설명하는 개념은 무엇인지 쓰시오.

> 식품군별 대표 식품과 권장 식사 패턴을 이용하여 식사의 구성 개념을 설명한 것으로, 영양소 섭취 기준을 충족할 수 있도록 만든 1일 식단 작성법이다.

(   )

정답 식사 구성안

03 빈칸에 들어갈 알맞은 숫자는?

> 식품군별 대표 식품의 1인 1회 분량은 우리나라 사람들이 주로 섭취하는 식품을 보통 한 사람이 (   )번에 먹는 분량으로 제시한 것이다.

① 1 ② 2 ③ 3
④ 4 ⑤ 5

정답 ①

04 권장 식사 패턴은 개인의 1일 에너지 필요량에 따라 식품의 1인 1회 분량을 기준으로 식품군별 섭취 횟수를 제시한 것이다.

(○ , ×)

정답 ○

05 (   )은/는 권장 식사 패턴을 반영한 균형 잡힌 식단, 적당한 수분의 섭취, 규칙적인 운동이 건강을 유지하는 데에 중요함을 전달하고자 제작하였다.

정답 식품 구성 자전거

06 가족의 식사 선택 시 고려 사항으로 적절하지 않은 것은?

① 날씨 ② 건강 상태 ③ 생활 양식
④ 경제적인 면 ⑤ 가족 구성원의 수

정답 ①

이해 문제

01 〈보기〉에서 영양소 섭취 기준에 대한 설명으로 적절한 것을 모두 고른 것은?

보기
ㄱ. 에너지는 권장 섭취량으로 제시한다.
ㄴ. 건강을 유지하기 위해 필요한 에너지와 영양소의 섭취량을 제시한 것이다.
ㄷ. 단백질, 비타민 A, 칼슘은 영양소 섭취 기준에 제시된 영양소 중에 하나이다.
ㄹ. 12~14세 청소년의 영양소 섭취 기준은 남자 여자 구분 없이 공통으로 사용된다.
ㅁ. 비타민 A(㎍ RAE)의 RAE는 레티놀 활성 당량으로, 비타민 A의 효력을 나타내는 단위이다.

① ㄱ, ㄴ, ㄷ　② ㄱ, ㄹ, ㅁ　③ ㄴ, ㄷ, ㄹ
④ ㄴ, ㄷ, ㅁ　⑤ ㄷ, ㄹ, ㅁ

02 다음 설명에서 ㉠과 ㉡에 들어갈 말을 쓰시오.

식사 구성안은 영양소 섭취 기준을 충족할 수 있도록 만든 1일 식단 작성법이다. 식사 구성안은 (㉠)와/과 (㉡)을/를 이용하여 식사의 구성 개념을 설명한 것이다.

㉠ : (　　　　　　), ㉡ : (　　　　　　)

03 식품군별 대표 식품의 1인 1회 분량에 대한 설명으로 적절하지 않은 것은?

① 식품군은 식품의 종류와 영양소 함량에 따라 구분한다.
② 식품군별 대표 식품의 1인 1회 분량은 여섯 가지 식품군을 포함하고 있다.
③ 식품군별 대표 식품의 1인 1회 분량에서 *표시는 필수적으로 섭취해야 하는 음식이다.
④ 식품군은 곡류, 고기·생선·달걀·콩류, 채소류, 과일류, 우유·유제품류, 유지·당류로 분류된다.
⑤ 우리나라 사람들이 주로 섭취하는 식품을 보통 한 사람이 한 번에 먹는 분량으로 제시한 것이다.

04 다음 대화에서 권장 식사 패턴을 바르게 설명한 사람을 모두 고른 것은?

- 나연: 식품군별 1일 권장 섭취 횟수에 해당하는 식품군은 총 여섯 가지야.
- 은수: 식품군별 권장 섭취 횟수는 세끼 식사와 간식에 균형 있게 배분해야 해.
- 지원: 중학생은 14~19세에 해당하는 식품군별 1일 권장 섭취 횟수를 참고하면 돼.
- 현호: 3.5, 3 등 숫자는 청소년 남녀의 식품군별 3일 권장 섭취 횟수를 나타내지.

① 나연, 은수　② 나연, 지원
③ 은수, 지원　④ 은수, 현호
⑤ 지원, 현호

05 다음은 12~14세 식품군별 1일 권장 섭취 횟수이다. ㉠과 ㉡에 들어갈 말을 바르게 짝지은 것은?

식품군 / 대상		㉠				㉡
남	3.5	5.5	8	3	2	7
여	3	3.5	7	2	2	6

	㉠	㉡
①	곡류	유지·당류
②	곡류	우유·유제품류
③	채소류	우유·유제품류
④	고기·생선·달걀·콩류	과일류
⑤	고기·생선·달걀·콩류	유지·당류

06 식사 구성안을 활용한 식사 계획의 단계에 대한 설명으로 적절하지 않은 것은?

① 먼저 자신의 성별과 연령에 따른 에너지 필요량을 확인한다.
② 두 번째로 식품군별 1일 권장 섭취 횟수를 확인한다.
③ 세 번째로 식품군별 1일 권장 섭취 횟수를 한 끼 식사와 간식에 배분한다.
④ 마지막으로 식품의 1인 1회 분량을 고려하여 식사를 계획한다.
⑤ 식사 구성안을 활용한 식사 계획 시, 유지·당류는 따로 배분하지 않는다.

07 다음은 희연이의 식단이다. 모든 식품군을 골고루 균형 있게 섭취하기 위하여 추가하면 좋을 식품군은?

> 멸치국수, 어묵탕, 제육볶음, 새송이버섯볶음, 샐러드, 요구르트

① 곡류 ② 과일류
③ 채소류 ④ 우유·유제품류
⑤ 고기·생선·달걀·콩류

08 다음은 12~14세 청소년 여자의 식사 구성 계획 시 주의할 점에 대한 내용이다. (가)에 해당하는 식품군은?

> - 식단은 아침, 점심, 저녁, 간식으로 구분하여 계획할 거예요.
> - 식품군을 세끼 식사와 간식에 균형 있게 배분해요.
> - 식품군 배분 시 식품군별 1일 권장 섭취 횟수를 참고해요.
> - 아! ((가))는 요리할 때 소량씩 사용되니 따로 배분하지 않아도 돼요.

① 곡류 ② 채소류
③ 유지·당류 ④ 우유·유제품류
⑤ 고기·생선·달걀·콩류

09 <보기>에서 식품 구성 자전거가 중요시하는 요소들을 모두 고른 것은?

> 보기
> ㄱ. 규칙적인 운동
> ㄴ. 균형 잡힌 식단
> ㄷ. 적당한 수분의 섭취
> ㄹ. 식품군별 1인 1회 분량
> ㅁ. 식품군별 1일 권장 섭취 횟수

① ㄱ, ㄴ, ㄷ ② ㄱ, ㄷ, ㅁ
③ ㄴ, ㄷ, ㄹ ④ ㄴ, ㄷ, ㅁ
⑤ ㄷ, ㄹ, ㅁ

10 식품 구성 자전거의 식품군과 해당하는 음식을 짝지은 것으로 적절하지 않은 것은?

① 과일류 – 포도
② 곡류 – 고구마
③ 채소류 – 미역
④ 고기·생선·달걀·콩류 – 새우
⑤ 고기·생선·달걀·콩류 – 치즈

11 가족의 식사 선택에 대한 설명으로 옳지 않은 것은?

① 가족의 식사는 가족 구성원의 요구를 반영해야 한다.
② 우리나라의 전통적인 식사 형태는 가정 내에서 식사를 하는 것이다.
③ 여가를 즐기는 가족이 많아지면서 가정 밖에서의 식사 형태가 늘고 있다.
④ 식사 선택 시 생활 양식, 기호도, 경제적인 면, 시간적 여건 등을 고려해야 한다.
⑤ 1인 가구가 증가하면서 편리한 식생활을 추구함에 따라 가정 내에서 직접 조리를 하는 식사 형태가 늘고 있다.

12 조리된 음식 구입이나 외식이 늘어나는 이유를 바르게 짝지으시오.

경제 활동의 증가로	(가) •	• (1)	가정 밖에서 식사할 기회가 늘어났다.
생활 수준이 향상됨에 따라	(나) •	• (2)	조리된 음식을 사서 먹는 편이 더 경제적이다.
인구의 고령화, 1인 가구의 증가 등으로	(다) •	• (3)	다양한 요리를 먹고 싶다는 욕구가 증가하고 있다.
여가 시간을 즐기는 문화가 확산되면서	(라) •	• (4)	식사 준비에 드는 시간과 노력의 절약을 추구한다.

적용 문제

01 〈보기〉의 12~14세 청소년의 영양소 섭취 기준 요소 중에서 여자가 남자보다 많이 섭취해야 하는 것을 모두 고른 것은?

보기
ㄱ. 철
ㄴ. 수분
ㄷ. 칼슘
ㄹ. 단백질
ㅁ. 비타민 A
ㅂ. 비타민 C

① ㄱ, ㄷ ② ㄱ, ㅂ ③ ㄴ, ㄹ
④ ㄷ, ㄹ ⑤ ㄷ, ㅂ

02 다음 중 곡류 식품군의 대표 식품에 해당하지 않는 것은?

① 깨 ② 과자
③ 시리얼 ④ 보리밥
⑤ 국수 말린 것

중요

03 식품군별 대표 식품의 1인 1회 분량에 대한 수업 후 정리한 내용으로 옳지 않은 것을 모두 고른 것은?

오늘은 식품군별 대표 식품의 1인 1회 분량에 대해 배웠다. ㉠식품군별 대표 식품은 곡류, 고기·생선·달걀·콩류, 채소류, 과일류, 우유·유제품류로 분류된다. ㉡닭고기, 햄, 바지락, 두부는 고기·생선·달걀·콩류에 해당되는 식품이다. 내가 간식으로 즐겨 먹는 ㉢건포도는 과일류에 해당된다. 내가 싫어하는 ㉣토마토는 채소류에 해당된다. 달걀노른자와 식초로 만드는 ㉤마요네즈는 고기·생선·달걀·콩류에 해당된다.

① ㉠, ㉡ ② ㉠, ㉤ ③ ㉡, ㉢
④ ㉢, ㉣ ⑤ ㉣, ㉤

04 (가)~(라)에 들어갈 말을 바르게 짝지은 것은?

12~14세 식품군별 1일 권장 섭취 횟수에 따르면, 남자는 하루에 ((가))kcal를, 여자는 2,000kcal를 섭취하는 것이 이상적이다. 여섯 가지 식품군 중 다섯 가지 식품군은 ((나))보다 ((다))가 섭취 횟수가 많지만 ((라))의 식품군은 남자와 여자의 섭취 횟수가 동일하다.

	(가)	(나)	(다)	(라)
①	1,900	남자	여자	곡류
②	1,900	남자	여자	우유·유제품류
③	2,100	여자	남자	곡류
④	2,500	여자	남자	곡류
⑤	2,500	여자	남자	우유·유제품류

중요

05 12~14세 여학생의 고기·생선·달걀·콩류 식품군 1일 권장 섭취 횟수를 바르게 나타낸 것은?

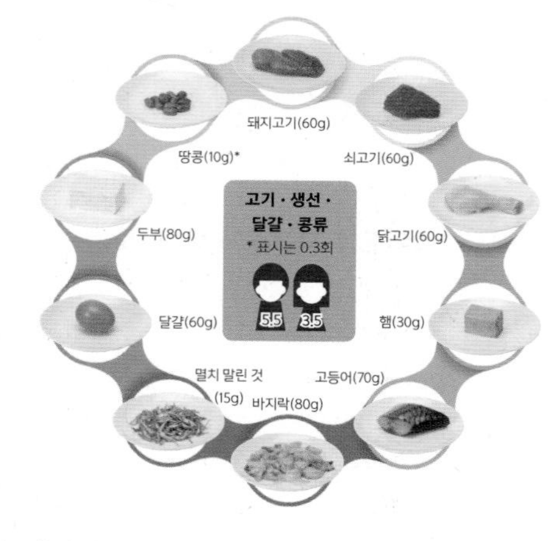

① 달걀 30g, 두부 40g, 바지락 120g
② 고등어 60g, 돼지고기 60g, 햄 60g
③ 돼지고기 60g, 달걀 60g, 바지락 120g
④ 멸치 말린 것 15g, 두부 80g, 쇠고기 60g
⑤ 달걀 120g, 닭고기 60g, 멸치 말린 것 30g

06 다음은 식사 구성안을 활용한 식사 계획의 단계를 나타낸 것이다. (가)에 공통으로 들어갈 말은?

> 1. 자신의 성별과 연령에 따른 에너지 필요량 알기
> 2. ((가)) 알기
> 3. ((가))을/를 세끼 식사와 간식에 배분하기
> 4. 식품의 1인 1회 분량을 고려하여 식사 계획하기

① 식사 구성안
② 권장 식사 패턴
③ 식품 구성 자전거
④ 영양소 섭취 기준
⑤ 식품군별 1일 권장 섭취 횟수

07 다음은 12~14세 남자 청소년의 권장 식단을 계획한 것이다. 식단 구성으로 적절하지 않은 것은?

아침	점심	저녁	간식
쌀밥 ㉠ 된장찌개 장조림 감자볶음	김치볶음밥 소시지볶음 ㉡ 열무김치	잡곡밥 미역국 제육볶음 ㉢ 상추쌈	㉣ 요구르트 ㉤ 꿀

① ㉠　② ㉡　③ ㉢ 
④ ㉣　⑤ ㉤

중요

08 다음의 곡류 권장 섭취 횟수를 참고하여 곡류의 1일 식사 계획을 적절히 구성한 것은?

곡류 섭취 횟수	1인 1회 분량
12~14세 여자: 3회	• 쌀밥 210g • 보리밥 210g • 시루떡 150g • 라면 사리 120g • 국수 말린 것 90g

① 시루떡 300g, 라면 사리 60g
② 보리밥 210g, 국수 말린 것 90g
③ 보리밥 210g, 시루떡 150g, 국수 말린 것 90g
④ 국수 말린 것 180g, 라면 사리 120g, 쌀밥 210g
⑤ 쌀밥 210g, 보리밥 210g, 라면 사리 120g, 국수 말린 것 90g

중요

09 식품 구성 자전거를 바르게 설명한 사람을 모두 고른 것은?

> • 슬기: 버섯과 미역은 과일류에 해당돼.
> • 예리: 오징어는 고기·생선·달걀·콩류에 해당돼.
> • 웬디: 식품 구성 자전거의 식품군은 다섯 가지로 구성되어 있어.
> • 조이: 곡류 식품군의 바퀴 면적이 제일 넓으니 곡류 식품군을 가장 많이 섭취해야 해.
> • 아이린: 식품 구성 자전거에 따르면, 건강하기 위해서 우리는 균형 잡힌 식사를 하고 물을 자주 마시며, 규칙적인 운동을 해야 해.

① 슬기, 예리, 웬디　② 슬기, 웬디, 조이
③ 예리, 웬디, 아이린　④ 예리, 조이, 아이린
⑤ 웬디, 조이, 아이린

10 다양한 식사 형태와 그 예시를 바르게 짝지은 것은?

① 가정 내에서 직접 조리: 초밥을 포장해 와서 집에서 먹었다.
② 가정 밖에서 완제품 구입: 중국집에 가서 짜장면을 먹었다.
③ 가정 밖에서 반제품 구입: 3분 카레라이스를 구입하여 집에서 먹었다.
④ 가정 밖에서 반제품 구입: 반찬 가게에서 반찬을 사서 집에서 먹었다.
⑤ 가정 밖에서 음식 구입 후 식사: 부모님께서 직접 해 주신 밥을 먹었다.

11 다양한 식사 형태에 대해 바르게 설명한 학생은?

① 희준: 경제 활동 증가로 식사 준비에 더 많은 시간과 노력을 쏟게 되었어.
② 토니: 생활 수준이 향상되면서 다양한 요리를 먹고 싶다는 욕구가 증가하였어.
③ 재원: 1인 가구가 증가하면서 가정 내에서 부모님이 직접 만들어 주신 음식을 더 많이 찾게 되었지.
④ 강타: 여가 시간을 즐기는 문화가 확산되면서 집에서 직접 요리를 만들어 먹는 가족이 늘어나고 있어.
⑤ 우혁: 인구의 고령화가 진행되면서 조리된 음식을 사서 먹는 것보다 집에서 직접 만들어 먹는 편이 더 경제적이게 되었어.

1. 주거 가치관의 변화

① 주거

㉠ 의미: 주택이라는(건축물 그 자체이다.) 건축물과 그 안에서 이루어지는 개인이나 가족의 생활, 거주 환경까지 포함한 개념이다.

㉡ 과거의 주거와 현재의 주거

- 과거의 주거: 비, 바람, 짐승 등과 같은 외부의 위험으로부터 자신을 보호하기 위한 공간
- 현재의 주거: 보호의 공간, 행복한 가정생활을 꾸려 나가는 곳, 이웃과 더불어 살아가는 공간

② 주거의 선택 기준

㉠ 안락

- 가족의 사생활이 보호되어야 한다.
- 휴식과 취미 활동이 가능해야 한다.

㉡ 안전

- 실내 공기 환경, 빛 환경, 열 환경 등이 건강에 도움이 되어야 한다.
- 자연재해나 도난, 화재 등 외부의 위험으로부터 안전해야 한다.

㉢ 아름다움

- 주거 내·외부가 아름다워야 한다.
- 실내의 색상이나 디자인이 조화로워야 한다.

㉣ 편리함

- 자녀의 학교 통학 거리가 가까워야 한다.
- 대중교통이나 편의 시설 이용이 잘 갖추어져야 한다.
- 주거의 내부 시설이 편리해야 한다.

㉤ 이웃과 친밀한 관계 유지

- 이웃과 더불어 살아갈 수 있어야 한다.

㉥ 경제적

- 주택의 가격과 관리비 부담이 크지 않아야 한다.

③ 주거 가치관

㉠ 의미: 주거를 선택할 때 판단의 기준이 되는 것이다.

㉡ 영향: 가족생활 주기, 가족의 생활 양식 등 가족의 특성에 따라 주거에 관한 요구가 달라진다.

④ 가족생활 주기에 따른 주거 가치관의 변화

㉠ 가족생활 주기에 따라 가족 구성원의 수, 성별, 연령, 주거 내의 생활 내용이 달라진다.

㉡ 가정 형성기(결혼하여 첫 자녀를 출산하기 전까지의 시기)

- 가족 수가 적어 주거 공간 규모가 크지 않다.
- 공간을 다목적으로 사용할 수 있도록 계획한다.
- 직장과 가깝고, 편의 시설이 많은 도심지를 선호하는 경향이 있다.

㉢ 가정 확대기(자녀를 출산하고, 자녀가 성장하여 독립하기 전까지의 시기) – 자녀가 어릴 때

- 가족 수의 증가로 주거 공간 규모가 확대된다.
- 안전한 놀이 공간, 수납공간이 필요하다.

㉣ 가정 확대기 – 자녀가 성장하였을 때

- 학습 공간, 성별에 따른 취침 공간이 필요하다.
- 독립성 확보를 위해 부모와 자녀의 공간을 분리한다.
- 친밀감 유지를 위한 공간을 확보한다.
- 좋은 교육 환경을 선호하는 경향이 있다.

㉤ 가정 축소기(자녀의 독립으로 노부부만 생활하는 시기)

- 가족 수가 줄어 주거 공간 규모가 축소된다.
- 노화로 신체 조건에 맞는 설비가 필요하다.
- 자녀의 방문에 대비한 여분의 공간이 필요하다.
- 쾌적한 주거 환경을 가진 교외 지역을 선호하는 경향이 있다.

⑤ 가족의 생활 양식에 따른 주거 가치관의 변화

㉠ 좌식(좌식 생활 양식은 주거 공간에 이불을 깔면 취침 공간이 되고, 밥상을 놓으면 식사 공간이 되므로 공간의 융통성이 크다.)

- 우리나라의 전통적인 생활 양식으로, 바닥에 앉아서 생활하는 방식이다.
- 공간을 융통성 있게 활용할 수 있어 소규모 주거 공간에 적합하지만, 공간의 독립성이 낮다.
- 앉고 서는 데 불편함이 있어 비활동적이다.

㉡ 절충식

- 좌식과 입식의 특성을 혼합한 형태이다.
- 일반적으로 안방, 노인방은 좌식으로, 거실, 식당, 부엌, 욕실 등은 입식으로 구성할 수 있다.

㉢ 입식(입식 생활 양식은 주거 공간에 침대가 놓여 있으면 취침 공간이고, 식탁이 놓여 있으면 식사 공간이므로 공간의 독립성이 크다.)

- 서구형 생활 양식으로, 침대, 소파, 식탁 등 가구를 사용하여 생활하는 방식이다.
- 각 공간의 구분이 뚜렷하여 공간의 독립성이 높지만, 좌식보다 넓은 주거 공간이 필요하다.
- 에너지 소모가 적고 활동적이다.

2. 이웃과 더불어 살아가는 주생활 문화

① 과거와 현재

㉠ 과거: 공동체 의식을 중요하게 여겨 이웃의 일을 서로서로 도와주며 이웃과 더불어 살았다.

㉡ 현재: 개인주의가 강해지면서 이웃 간의 교류가 단절되고 있다.

② 이웃을 위한 배려

㉠ 배경: 아파트와 연립 주택 등 공동 주거가 증가하였다.

㉡ 이웃 간의 갈등 유발 요인: 과거에 비해 이웃 간의 소통 부족, 층간 소음, 주차, 쓰레기 분리수거 등의 생활 문제

㉢ 해결 방법: 이웃과 교류하고 소통하는 일상생활의 작은 실천을 통해 서로 이해하고 협조하는 공동체 문화를 형성해 나가야 한다.

㉣ 실천 방법

- 이웃과 인사하기: 이웃사촌이라는 마음으로 서로 인사하며 친하게 지낸다.
- 공공질서 지키기: 층간 소음에 주의하고, 계단, 엘리베이터 등에서 질서를 잘 지킨다.
- 공공시설 소중히 다루기: 놀이터, 경로당, 공원 등의 시설을 다 같이 사용한다는 마음으로 소중히 사용한다.

③ 지역 사회 참여

㉠ 배경

- 지역 사회의 경제적, 사회적, 정서적 문제 등이 발생한다.
- 맞벌이 가족의 육아 문제, 노인들의 일거리 문제, 이웃 또는 동호인 간의 공동체 활동, 주거 환경 개선 등과 관련된 요구가 갈수록 커지고 있다.

㉡ 결과: 삶의 질이 향상되고 이웃 간의 공동체 의식을 높일 수 있으며, 더불어 살아가는 지역 사회를 만드는 데 기여할 수 있다.

㉢ 실천 방법

- 함께 만드는 공동체: 공동 육아, 자녀 돌봄 센터 등 주민이 원하는 공동체를 운영한다.
- 이웃 돌봄: 고령자 및 취약 계층에 일거리를 제공하거나 돌본다.
- 주거 환경 개선: 집수리, 벽화 그리기, 거리 청소 활동 등을 통해 주거 환경을 개선한다.

④ 공동체 주거의 활용

공동체: 공통의 생활 공간에서 상호 작용하며, 유대감을 공유하는 집단을 의미한다.

㉠ 배경

- 현대 사회에서 개인이나 가족의 문제가 발생한다.
- 단절된 이웃과의 소통 문제가 발생한다.

㉡ 결과: 이웃과의 친밀한 교류에 도움을 주며, 다양한 문제들을 해결할 수 있다.

㉢ 코하우징

코하우징: 공동 식당, 부엌, 세탁실, 회의실, 어린이 놀이방 등 공동생활 시설을 배치하여 개별 주택의 기능을 보완하고, 이웃 간에 유대감을 형성할 수 있다.

- 개별 가족이 독립된 주거 공간을 가지면서 부분적으로 이웃과 함께 사용하는 시설을 만들어 공동생활을 하는 주거 단지이다.
- 맞벌이 부부의 육아와 가사의 어려움, 독거노인의 소외 문제 등을 해결하기 위해 이용되기도 한다.

㉣ 셰어하우스

- 침실은 독립적인 공간으로 확보하여 사생활을 보장하고, 거실, 부엌 등은 다른 입주자와 함께 쓰는 공동 공간으로 생활하도록 고안된 주거 형태이다.
- 주거비를 절약할 수 있다.

3. 지속 가능한 삶을 위한 주거

① 유니버설 주거

㉠ 의미: 연령과 성별, 건강 상태, 장애 여부와 관계없이 모든 사람이 편리하고 안전하게 생활할 수 있는 주거이다.

㉡ 예시

- 안전 손잡이와 미끄럼 방지 타일을 설치한 욕실
- 높이 조절이 가능한 세면대
- 휠체어의 이동을 위해 문턱을 없애고 폭을 넓힌 출입문

② 친환경 주거

㉠ 의미: 친환경적인 건축 재료를 사용하고, 에너지와 자원을 환경친화적으로 이용하여 주변 환경과 조화를 이루는 주거이다.

㉡ 종류

- 태양열 주택: 지붕 위에 설치된 집열판을 통해 받아들인 태양열로 난방 또는 냉방을 한다.
- 한옥: 나무, 흙 등 자연에서 쉽게 구할 수 있는 건축 재료를 사용하고, 에너지 손실을 방지하기 위해 남향으로 건물을 배치한다.

기초 문제

01 주거는 주택이라는 건축물은 포함하지 않고, 그 안에서 이루어지는 개인이나 가족의 생활, 거주 환경만을 포함한 개념이다.

(○ , ×)

정답 ×

02 (   )은/는 주거를 선택할 때 판단의 기준이 되는 것이다.

정답 주거 가치관

03 다음에서 주거 가치관의 변화에 영향을 주는 요인을 모두 고른 것은?

ㄱ. 가족생활 주기	ㄴ. 주거 선택 기준
ㄷ. 가족의 생활 양식	ㄹ. 이웃과 더불어 사는 주생활

① ㄱ, ㄴ ② ㄱ, ㄷ ③ ㄴ, ㄷ
④ ㄴ, ㄹ ⑤ ㄷ, ㄹ

정답 ②

04 가족생활 주기는 (   ), 가정 확대기, 가정 축소기로 구분한다.

정답 가정 형성기

05 지역 사회에 참여하는 방법의 예시로 적절한 것은?

① 이웃과 인사하기 ② 공공질서 지키기
③ 태양열 주택에 살기 ④ 주거 환경 개선하기
⑤ 코하우징 주거에 살기

정답 ④

06 유니버설 주거와 한옥은 친환경 주거에 해당한다.

(○ , ×)

정답 ×

이해 문제

정답과 해설 7쪽

01 ㉠과 ㉡에 들어갈 말을 바르게 짝지은 것은?

> 주거는 (㉠)이라는 건축물뿐만 아니라 그 안에서 이루어지는 개인이나 가족의 생활, (㉡)까지를 포함한 개념이다.

	㉠	㉡
①	공간	거주 환경
②	주택	거주 환경
③	주택	편의 시설
④	주생활	거주 환경
⑤	주생활	편의 시설

02 은미의 말과 관련 있는 주거의 선택 기준은?

> • 은미: 나는 집을 선택할 때 사생활이 보호되는 게 중요한 것 같아. 또, 집은 내가 바쁜 하루를 보낸 후 푹 쉬는 곳이니까 편하게 휴식을 취할 수 있어야 해.

① 안락해야 한다.
② 안전해야 한다.
③ 아름다워야 한다.
④ 경제적이어야 한다.
⑤ 이웃과 친밀한 관계를 유지해야 한다.

03 (가)~(다)에 들어갈 말을 바르게 짝지은 것은?

> • 가정 형성기의 주거 공간 규모는 ((가)).
> • 가정 확대기의 주거 공간 규모는 ((나))된다.
> • 가정 축소기는 주거 공간 규모가 ((다))된다.

	(가)	(나)	(다)
①	크다	축소	축소
②	크다	확대	축소
③	크지 않다	축소	확대
④	크지 않다	확대	축소
⑤	크지 않다	확대	확대

04 가족의 생활 양식에 대한 설명으로 적절하지 않은 것은?

① 좌식은 공간을 융통성 있게 활용할 수 있다.
② 생활 양식의 유형에는 좌식, 입식, 절충식이 있다.
③ 절충식은 좌식과 입식의 장점을 적절히 섞은 것이다.
④ 입식은 공간의 독립성이 낮아 소규모 주거 공간에 적합하다.
⑤ 가족의 생활 양식에 따라 주거 공간의 구성 방식이나 공간 활용 방법이 달라진다.

05 이웃과 더불어 살아가는 주생활 문화가 강조되고 있는 이유로 적절하지 않은 것은?

① 맞벌이 가족의 육아 문제가 발생하고 있다.
② 개인주의가 강해지면서 이웃 간의 교류가 단절되고 있다.
③ 이웃과 동호인 간의 공동체 활동에 대한 요구가 커지고 있다.
④ 층간 소음, 주차, 쓰레기 분리수거 등 생활 문제가 대두되고 있다.
⑤ 공동 주거가 증가함에 따라 이웃 간의 소통이 점차 늘어나고 있는 추세이다.

06 〈보기〉에서 지속 가능한 삶을 위한 주거에 대한 설명으로 적절한 것을 모두 고른 것은?

> 보기
> ㄱ. 친환경적인 건축 재료를 사용한 주거가 예시이다.
> ㄴ. 아파트와 고층 빌딩이 조화를 이루는 주거가 예시이다.
> ㄷ. 현재와 미래 세대가 함께 공존할 수 있는 삶을 추구한다.
> ㄹ. 인간과 인간, 인간과 자연이 공존하는 삶에 대해 관심이 있다.
> ㅁ. 신체가 불편한 사람들이 편리하게 생활할 수 있도록 특별히 만든 주거가 예시이다.

① ㄱ, ㄴ, ㄷ　② ㄱ, ㄴ, ㄹ
③ ㄱ, ㄷ, ㄹ　④ ㄴ, ㄷ, ㅁ
⑤ ㄴ, ㄹ, ㅁ

적용 문제

정답과 해설 8쪽

01 과거와 현재의 주거에 대한 설명으로 옳지 않은 것은?

> (가) 과거의 주거는 비, 바람, 짐승 등과 같은 외부의 위험으로부터 자신을 보호하기 위한 기능만을 하였다. 그러나 (나) 현재는 주거의 의미가 과거에 비해 확대되었다. (다) 과거에는 보호의 기능이 있었지만, 현재에는 보호의 기능은 없다. 현재의 주거는 (라) 행복한 가정생활을 꾸려 나가는 공간, (마) 이웃과 더불어 살아가는 공간으로까지 그 의미가 확대되었다.

① (가) ② (나) ③ (다)
④ (라) ⑤ (마)

중요

02 주거의 선택 기준과 그 설명이 적절하지 않은 것은?

① 아름다워야 한다. – 주거 내·외부가 아름다워야 한다.
② 편리해야 한다. – 자녀의 학교 통학 거리가 가까워야 한다.
③ 안락해야 한다. – 실내의 색상이나 디자인이 조화로워야 한다.
④ 이웃과 친밀한 관계를 유지해야 한다. – 이웃과 더불어 살아갈 수 있어야 한다.
⑤ 안전해야 한다. – 자연재해나 도난, 화재 등 외부의 위험으로부터 안전해야 한다.

중요

03 가족생활 주기에 따른 주거 가치관의 변화에 대해 잘못 말한 사람은?

① 재환: 가정 축소기 때는 자녀의 방문에 대비하여 여분의 공간이 필요해.
② 성운: 가정 형성기 때는 공간을 다목적으로 사용할 수 있도록 계획해야 해.
③ 지훈: 가정 확대기 중 자녀가 어릴 때는 안전한 놀이 공간, 수납공간이 필요해.
④ 우진: 가정 형성기 때는 직장과 가깝고 편의 시설이 많은 도심지를 선호하는 경향이 있어.
⑤ 대휘: 가정 확대기 중 자녀가 성장하였을 때는 쾌적한 주거 환경을 가진 교외 지역을 선호하는 경향이 있어.

04 가족의 생활 양식에 따른 주거 가치관의 예시를 짝지은 것으로 적절하지 않은 것은?

① 좌식 – 거실에 이불을 깔고 잔다.
② 좌식 – 바닥에 앉아서 밥을 먹는다.
③ 입식 – 서재와 침실이 구분되어 있다.
④ 입식 – 공부방에는 책상이 있으며, 거실은 카펫을 깔고 바닥에서 생활한다.
⑤ 절충식 – 할머니, 할아버지께서는 바닥에서 주무시지만, 식사는 식탁에 앉아서 하신다.

05 이웃과 더불어 살아가는 주생활 문화 수업에 대한 대화 내용과 관련이 있는 것은?

> • 요니: 아파트와 연립 주택 등 공동 주거는 점점 증가하는 추세야.
> • 샘이: 맞아. 그런데 이웃이랑 인사하거나 교류하는 건 아직 많이 어색하지 않아?
> • 솔이: 처음에는 다 힘들어. 조그마한 것부터 실천하면 되지. 나는 우리 아파트 사람들이 공용으로 쓰는 놀이터 시설을 소중히 사용하려고 노력해.
> • 요니: 나는 층간 소음을 방지하기 위해 집에서 조심히 걸어. 샘이 너도 엘리베이터를 장시간 잡아두지 않는 등 사소한 질서부터 지켜 봐.
> • 샘이: 오늘부터 해 봐야겠다. 고마워!

① 지역 사회에 참여하는 것이다.
② 공동체 주거를 활용하는 방법이다.
③ 이웃을 위한 배려를 실천하는 것이다.
④ 지속 가능한 삶을 위한 주거에 대한 내용이다.
⑤ 가족생활 주기에 따른 주거 가치관에 대한 내용이다.

06 영미가 원하는 주택에 대한 설명으로 옳지 않은 것은?

> • 영미: 나는 요즘 자연과 지구를 살리기 위한 작은 행동들에 관심을 많이 갖게 되었어. 친환경적이고 자연과 조화를 이루는 집에서 살고 싶어.

① 집을 남향으로 짓는다.
② 나무, 흙 등의 건축 재료를 사용한다.
③ 욕실에 미끄럼 방지 타일을 설치한다.
④ 지붕 위에 태양열 집열판을 설치한다.
⑤ 우리나라 전통 주거인 한옥에서 산다.

1. 효율적인 주거 공간 구성

편리하고 능률적인 생활을 하기 위해서는 주거 공간을 효율적으로 구성해야 한다.

① 주거 공간의 구역화(조닝, zoning)

㉠ 의미: 주거 내에서 비슷한 성격을 가진 공간들을 하나의 영역으로 묶어 배치하는 것이다.

㉡ 효과: 동선을 절약할 수 있으며, 공간별 독립성이 유지되고, 유지 비용을 절약할 수 있다.

㉢ 주거 공간의 영역: 생활 내용에 따라 구분한다.

주거 공간의 영역	설명	예
공동생활 공간 (개방성)	가족 간의 대화, 식사 등 가족이 공동으로 사용하는 공간	거실, 식사실 등
개인 생활 공간 (독립성)	수면, 휴식, 공부 등 개인의 독립적인 생활이 이루어지는 공간	침실, 서재 등
가사 작업 공간	조리, 세탁 등 가사 작업이 이루어지는 공간	부엌, 세탁실, 다용도실 등
생리위생 공간	세면, 목욕, 용변 등이 이루어지는 공간	욕실, 화장실 등
기타 공간	통로로 쓰이는 공간	현관, 복도, 계단 등

② 동선의 절약

㉠ 동선의 의미: 주거 공간 내에서 사람들의 움직임을 선으로 표현한 것이다.

㉡ 적용 방법: 동선은 짧고 단순할수록 좋으며, 동선을 절약하기 위해서는 기능적으로 관련이 있는 공간을 가까이 배치한다. (예) 침실과 욕실, 식사실과 부엌)

㉢ 효과: 다른 공간으로의 이동이 쉽고 작업을 효율적으로 할 수 있어 일의 능률을 높일 수 있으며, 주거 공간의 독립성을 유지할 수 있다.

③ 공간의 입체적 활용

㉠ 의미: 주거 공간 내에서 잘 사용하지 않는 공간이나 벽 등을 이용하는 것이다.

㉡ 효과: 주거 공간을 효율적으로 활용할 수 있다.

㉢ 예시

- 계단 밑을 수납공간으로 활용한다.
- 침대 밑을 수납공간으로 활용한다.
- 벽에 선반을 설치하여 수납공간으로 활용한다.

④ 가구 배치 방법

㉠ 같은 주거 공간이라도 가구 배치 방법에 따라 공간의 활용도가 달라진다.

㉡ 효과: 동선이 편리해지고 작업 능률이 향상되며, 주어진 공간을 다양하게 활용할 수 있다.

㉢ 가구 배치 방법

한쪽 벽면에 가구를 배치하는 집중식 배치는 벽면에 가구를 붙여 배치하여 가구와 건물이 일체화된다.

집중식 배치	분산식 배치
비교적 좁거나 생활 내용이 분명한 공간에 적당하다.	비교적 넓거나 휴식을 위한 공간에 적당하다.
(예) 공부방	(예) 거실

분산식 배치는 실내가 정돈되어 보이나, 공간이 좁아 보이고 다용도로 활용하기 어렵다.

㉣ 가구를 배치할 때 고려할 점

- 큰 가구를 배치한 다음, 작은 가구를 배치한다.
- 문의 여닫기와 출입에 지장이 없도록 배치한다.
- 스위치나 콘센트를 가리지 않도록 배치한다.
- 가능한 한 벽면에 붙여 배치한다.
- 채광, 통풍에 방해되지 않도록 배치한다.
- 가구를 사용하는 데 필요한 여유 공간을 두고 배치한다.
- 가구의 폭과 높이를 맞추어 가능한 한 울퉁불퉁한 부분이 생기지 않도록 배치한다.

⑤ 생활용품의 정리 및 수납

수납공간은 한정되어 있으므로 불필요한 것은 적절한 방법으로 처분한다.

㉠ 개인 물건과 가족 공용 물건을 적절하게 정리하고 수납한다.

㉡ 효과: 생활이 편리해지며, 주거 공간을 효율적으로 활용할 수 있다.

㉢ 효율적인 생활용품의 정리 및 수납 방법

- 1단계: 주거 공간별 용도에 따라 관련된 물건을 분류한다.
- 2단계: 물건의 용도, 사용 빈도, 사용자의 동작 범위, 물건의 특성 등을 고려하여 수납한다.
  - 물건을 사용하는 공간 가까이에 수납한다.
  - 물건의 사용 빈도와 사용자의 동작 범위를 고려하여 수납한다.
  - 물건의 종류와 특성(크기, 모양, 무게, 재질 등)을 고려하여 수납한다.
  - 개인 물건과 가족 공용 물건을 구분하여 수납한다.
  - 수납 물품 목록을 작성하여 잘 보이는 곳에 붙인다.
- 3단계: 물건을 사용한 후에는 제자리에 갖다 놓는다.

㉣ 사용 빈도와 동작 범위를 고려한 수납 방법

- 물건의 사용 빈도에 따라 분류한 후, 자주 사용하는 것일수록 가까운 곳에 수납한다.
- 무거운 것은 아래쪽에, 작은 것은 칸막이로 구분하여 수납한다.

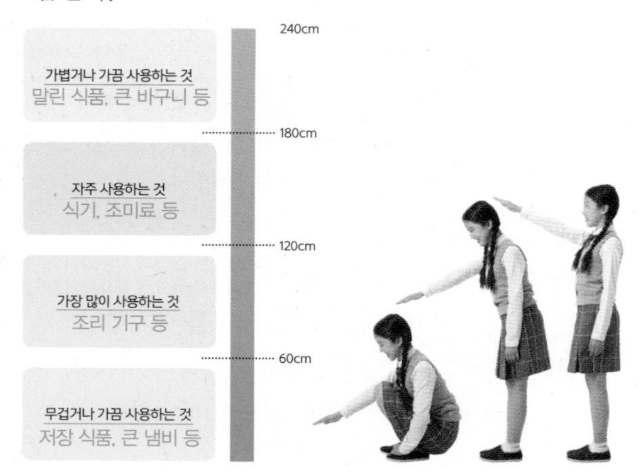

㉤ 주거 공간별 수납 방법

- 침실: 개인 침구, 의류 등 개인적인 물건을 사용 빈도, 물건의 특성에 따라 분류하여 수납한다.
- 거실: 가족 공용 물건은 수납 약속을 정하고, 자주 사용하는 것은 쉽게 찾을 수 있게 보이도록 수납한다.
- 욕실: 욕실에서 사용하는 물건은 청결을 생각하여 가족 공용 물건과 개인 물건을 용도별로 분류하여 수납한다.
- 부엌: 식기와 조리 도구는 사용 빈도, 용도에 따라 분류하고, 편리성을 위해 가능하면 보이도록 수납한다.

2. 가족생활에 적합한 주거 공간 구성

① **주거 공간 구성 시 고려할 것**: 가족생활 주기, 가족의 생활 양식, 가족 구성원의 요구

② **가족생활에 적합한 주거 공간 구성**

㉠ 부엌

- 식사실과 자연스럽게 연결되도록 배치한다.
- 작업대는 작업 순서에 맞게 배치하여 동선을 절약한다.
- 작업대는 준비대(다듬기 작업), 개수대(씻는 작업), 조리대(썰기 작업), 가열대(가열하는 작업), 배선대(음식을 담는 작업) 순으로 배치한다.

㉡ 식사실

- 부엌과 가까이 배치하여 동선을 절약한다.
- 식사실과 거실을 한 공간에 배치하고 부엌을 분리하면 안정된 분위기에서 식사를 할 수 있다.
- 식사실과 부엌을 한 공간에 배치하고 거실과 구분하면 작업 동선을 절약할 수 있다.
- 거실, 식사실, 부엌을 한 공간에 배치하면 좁은 공간을 활용할 수 있지만, 거실 분위기가 산만해질 수 있다.

㉢ 서재

- 독립성이 있는 조용한 공간에 배치한다.
- 책을 넣을 수 있는 수납 가구를 배치한다.

㉣ 침실

- 독립성이 있는 조용한 공간에 배치한다.
- 욕실 및 화장실이 가까운 곳에 배치한다.
- 공간이 좁을 때에는 침대보다는 바닥에 이불과 요를 깔고 취침한다.

㉤ 거실

- 다른 방과 연결이 잘 되도록 배치한다.
- 수납과 장식적 역할을 하는 가구를 배치한다.
- 공간이 좁을 때에는 소파보다는 바닥에 방석을 깔고 생활한다.
- 공간의 넓이를 고려하여 가구의 배치 방법을 선택한다.

㉥ 자녀 침실

- 자녀의 성장 발달에 맞추어 융통성 있게 계획한다.
- 학령기에 들어서면 학습을 위한 책상, 의자, 조명 기구 등을 마련하고, 가능한 한 자녀의 개성을 표현할 수 있도록 한다.

㉦ 욕실 및 화장실

- 침실과 가까운 곳에 배치한다.
- 벽에 선반이나 수납장을 설치하여 수납공간을 확보한다.

기초 문제

01 다음에서 설명하는 개념은 무엇인지 쓰시오.

> 주거 내에서 비슷한 성격을 가진 공간들을 하나의 영역으로 묶어 배치하는 것이다.

(   )

정답 주거 공간의 구역화(조닝)

02 동선은 주거 공간의 안과 주거 공간의 밖에서 사람들이 이동하는 움직임을 선으로 나타낸 것을 말한다.

(○ , ×)

정답 ×

03 공간의 (   ) 활용은 주거 공간 내에서 잘 사용하지 않는 공간이나 벽 등을 이용하는 것이다.

정답 입체적

04 가구 배치 방법에는 집중식 배치와 분산식 배치가 있다.

(○ , ×)

정답 ○

05 생활용품의 정리 및 수납 시 고려할 사항에 해당하지 <u>않는</u> 것은?

① 물건의 가격
② 물건의 용도
③ 물건의 특성
④ 물건의 사용 빈도
⑤ 사용자의 동작 범위

정답 ①

06 다음에서 가족생활에 적합한 주거 공간을 구성하는 데 영향을 주는 요인을 모두 고른 것은?

> ㄱ. 수납 양식　　ㄴ. 주변 환경
> ㄷ. 가족생활 주기　　ㄹ. 가족 구성원의 요구

① ㄱ, ㄴ　② ㄱ, ㄷ　③ ㄴ, ㄷ
④ ㄴ, ㄹ　⑤ ㄷ, ㄹ

정답 ⑤

이해 문제

01 주거 공간의 구역화에 대한 내용으로 옳지 않은 것은?

① 주거 공간의 구역화는 조닝과 같은 개념이다.
② 주거 공간 영역은 생활 내용에 따라 구분된다.
③ 주거 공간의 구역화를 통해 동선을 절약할 수 있다.
④ 주거 공간의 구역화가 잘 이루어지면 공간별 독립성이 유지된다.
⑤ 다른 성격을 가진 공간들을 하나의 영역으로 묶어 배치하는 것이다.

02 〈보기〉에서 주거 공간의 구역화에 대한 설명을 바르게 한 학생을 모두 고른 것은?

보기
- 서연: 기타 공간은 통로로 쓰이는 공간들을 의미해.
- 가영: 가사 작업 공간에서는 세면, 목욕 등이 이루어져.
- 호준: 생리위생 공간은 세탁, 설거지 등 집안일이 이루어지는 공간이야.
- 주영: 공동생활 공간은 엘리베이터처럼 아파트의 모든 사람들이 사용하는 공간이야.
- 채현: 개인 생활 공간은 공부, 휴식 등 개인의 독립적인 생활이 이루어지는 공간이야.

① 서연, 가영
② 서연, 채현
③ 가영, 호준
④ 호준, 주영
⑤ 주영, 채현

03 ㉠과 ㉡에 들어갈 말을 바르게 짝지은 것은?

동선을 절약하기 위해서 (㉠)이/가 관련된 공간을 가까이 배치한다. 침실과 욕실, 식사실과 (㉡)을 가까이 배치하는 것이 그 예이다.

	㉠	㉡
①	생활 내용	부엌
②	생활 내용	거실
③	생활 내용	다용도실
④	생활 주기	부엌
⑤	생활 주기	거실

04 공간의 입체적 활용을 적용할 수 있는 주거 내 공간을 쓰시오.

05 〈보기〉에서 가구를 적절하게 배치하면 나타나는 효과를 모두 고른 것은?

보기
ㄱ. 동선이 편리해진다.
ㄴ. 작업 능률이 향상된다.
ㄷ. 유지 비용을 절약할 수 있다.
ㄹ. 주거 공간의 독립성을 유지할 수 있다.

① ㄱ, ㄴ
② ㄱ, ㄷ
③ ㄴ, ㄷ
④ ㄴ, ㄹ
⑤ ㄷ, ㄹ

06 다음 그림과 관련된 가구 배치 방법은?

① 입식 배치
② 랜덤식 배치
③ 절충식 배치
④ 집중식 배치
⑤ 분산식 배치

07 가구를 배치할 때 고려할 점으로 적절하지 않은 것은?

① 채광, 통풍을 고려한다.
② 가구의 폭과 높이를 맞춘다.
③ 가능한 한 벽면과 떨어뜨려 배치한다.
④ 문의 출입에 지장이 없도록 배치한다.
⑤ 큰 가구를 배치한 후에 작은 가구를 배치한다.

08 생활용품의 정리 및 수납 방법에 대한 설명으로 적절하지 않은 것은?

① 물건의 사용 빈도를 고려하여 수납한다.
② 사용자의 동작 범위를 고려하여 수납한다.
③ 수납 물품 목록을 작성하여 잘 보이는 곳에 붙인다.
④ 개인 물건과 가족 공용 물건은 따로 구분하지 않는다.
⑤ 물건의 크기, 모양, 무게, 재질 등을 고려하여 수납한다.

09 〈보기〉의 효율적인 생활용품의 정리 및 수납 방법의 과정을 순서대로 나열하여 쓰시오.

보기
ㄱ. 물건을 사용한 후에는 제자리에 갖다 놓는다.
ㄴ. 주거 공간별 용도에 따라 관련된 물건을 분류한다.
ㄷ. 물건의 용도, 사용 빈도, 사용자의 동작 범위, 물건의 특성 등을 고려하여 수납한다.

10 ㉠과 ㉡에 들어갈 말을 바르게 짝지은 것은?

물건은 사용 빈도와 사용자의 동작 범위를 고려하여 수납한다. 자주 사용하는 것은 (㉠) 곳에 수납하고, (㉡) 것은 아래쪽에 수납한다.

	㉠	㉡
①	먼	무거운
②	먼	가벼운
③	가까운	무거운
④	가까운	가벼운
⑤	중간 거리인	가벼운

11 다음은 주거 공간의 수납 방법을 설명한 것이다. 이 주거 공간에 해당하는 것은?

가족 공용 물건은 수납 약속을 정하고, 자주 사용하는 것은 쉽게 찾을 수 있게 보이도록 수납한다.

① 침실 ② 거실 ③ 욕실
④ 부엌 ⑤ 서재

12 〈보기〉에서 가족생활에 적합한 주거 공간 구성에 대한 설명으로 적절한 것을 모두 고른 것은?

보기
ㄱ. 거실은 다른 방과 연결이 잘 되도록 배치한다.
ㄴ. 부엌과 식사실은 자연스럽게 연결되도록 한다.
ㄷ. 침실은 거실과 가까운 곳에 배치하여 개방적이게 사용한다.
ㄹ. 자녀의 침실은 부모의 취향이 반영된 집 전체 분위기에 맞춰 꾸민다.

① ㄱ, ㄴ ② ㄱ, ㄷ ③ ㄴ, ㄷ
④ ㄴ, ㄹ ⑤ ㄷ, ㄹ

적용 문제

중요

01 주거 공간의 영역과 그 예시가 바르게 짝지어진 것은?

① 기타 공간 – 욕실, 화장실
② 공동생활 공간 – 현관, 복도
③ 개인 생활 공간 – 침실, 서재
④ 가사 작업 공간 – 거실, 식사실
⑤ 생리위생 공간 – 세탁실, 다용도실

02 〈보기〉의 설명 중 거실과 식사실을 포함하는 주거 공간 영역에 관한 설명으로 적절한 것을 모두 고른 것은?

보기
ㄱ. 독립성을 필요로 한다.
ㄴ. 개방성을 필요로 한다.
ㄷ. 가족 간의 대화가 이루어지는 공간이다.
ㄹ. 수면, 공부 등 개인의 독립적인 생활이 이루어지는 공간이다.

① ㄱ, ㄴ ② ㄱ, ㄷ ③ ㄴ, ㄷ
④ ㄴ, ㄹ ⑤ ㄷ, ㄹ

03 동선에 대한 설명으로 적절하지 않은 것은?

① 동선은 짧고 복잡할수록 좋다.
② 동선을 고려하여 배치하면 다른 공간으로의 이동이 쉽다.
③ 동선은 주거 공간 내에서 사람들의 움직임을 선으로 표현한 것이다.
④ 동선을 고려하여 공간을 배치하면 주거 공간의 독립성을 유지할 수 있다.
⑤ 동선을 절약하면 작업을 효율적으로 할 수 있어 일의 능률을 높일 수 있다.

04 다음 그림과 관련된 효율적인 주거 공간 구성 방안은?

① 동선의 절약
② 가구 배치 방법
③ 주거 공간의 구역화
④ 공간의 입체적 활용
⑤ 가족생활에 적합한 공간 구성

05 주거 공간을 입체적으로 활용하기 위한 방법으로 적절하지 않은 것은?

① 빈 벽에 선반을 설치한다.
② 침대 밑에 서랍을 설치한다.
③ 계단 밑에 수납장을 설치한다.
④ 출입이 잦은 문에 선반을 설치한다.
⑤ 바닥부터 천장까지 이용한 붙박이장을 설치한다.

중요

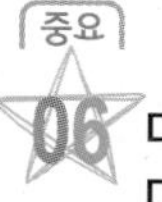

06 다음은 가구 배치 방법을 배운 후 정리한 가정 노트이다. 가구 배치에 대한 설명으로 적절하지 않은 것은?

(가) 같은 주거 공간이라도 가구 배치 방법에 따라 공간이 더 넓어 보일 수 있다. (나) 공부방처럼 생활 내용이 분명한 공간은 집중식 배치를 사용하여 가구를 배치하는 것이 좋다. (다) 거실처럼 휴식을 위한 공간에도 집중식 배치를 사용하는 것이 좋다. (라) 넓은 공간에는 분산식 배치를, (마) 좁은 공간에는 집중식 배치를 하는 것이 공간의 활용도를 높일 수 있는 방법이다.

① (가) ② (나) ③ (다)
④ (라) ⑤ (마)

07 호돌이에게 적합한 거실의 가구 배치 방법에 대한 조언으로 적절하지 않은 것은?

• 호돌: 우리 집은 비교적 넓은 편이고, 나는 휴식도 취할 수 있으면서 가족 간의 대화가 원활하게 이루어질 수 있는 거실을 만들고 싶어.

① 거실 중앙에 소파를 배치하는 건 어때?
② ㄷ자 형태로 의자를 배치하는 것도 좋겠다.
③ 이 가구 배치 방법을 적용하면 실내가 정돈되어 보일거야.
④ 거실의 한쪽 벽면에 가구를 붙이면 공간이 더 넓어 보일거야.
⑤ 이 가구 배치 방법을 적용하면 공간을 다용도로 활용하기는 어려울 거야.

중요

08 다음은 수경이가 자신의 방에 배치된 가구를 보고 쓴 글이다. 가구 배치 방법이 올바르게 된 것을 고르면?

• 수경: 기술·가정 시간에 가구 배치 방법에 대해서 배운 후에 내 방의 가구들은 잘 배치되어 있는지 확인해 보기로 했어. 가장 먼저 눈에 띈 건 (가) 내 책장 뒤에 반쯤 숨겨진 콘센트였어. (나) 책장, 서랍장, 옷장의 높낮이는 들쑥날쑥이었어. (다) 창문 밑에는 낮은 책상을 배치했는데 햇빛도 잘 들어오고 바람도 잘 통해. 창문 밖 풍경도 온전히 즐길 수 있지. 여기는 내가 내 방에서 가장 좋아하는 공간이기도 해. (라) 내 방 가구들은 모두 벽에서 조금 떨어져서 배치가 되어 있는 게 특징이야. (마) 아! 책상 밑에는 서랍장이 있는데, 의자를 산 이후로 서랍장을 열 수 있는 공간이 부족해서 사용을 못 하고 있어.

① (가) ② (나) ③ (다)
④ (라) ⑤ (마)

[09~10] 다음 그림을 보고, 물음에 답하시오.

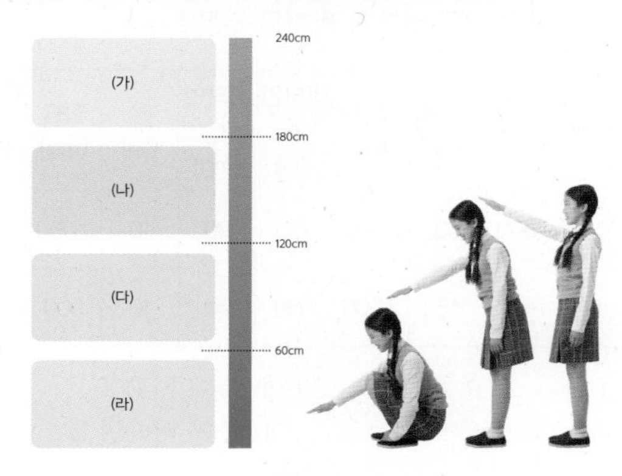

09 (가)~(라)에 들어갈 말을 바르게 짝지은 것은?

	(가)	(나)	(다)	(라)
①	가끔 사용하는 것	자주 사용하는 것	가장 많이 사용하는 것	가끔 사용하는 것
②	가끔 사용하는 것	가장 많이 사용하는 것	가끔 사용하는 것	자주 사용하는 것
③	가장 많이 사용하는 것	자주 사용하는 것	가끔 사용하는 것	가끔 사용하는 것
④	가장 많이 사용하는 것	가끔 사용하는 것	자주 사용하는 것	가끔 사용하는 것
⑤	자주 사용하는 것	가끔 사용하는 것	가장 많이 사용하는 것	가끔 사용하는 것

10 각 구간에 수납해야 할 물품의 예를 짝지은 것 중 옳지 않은 것은?

① (가) – 말린 식품 ② (나) – 그릇
③ (다) – 숟가락, 젓가락 ④ (라) – 큰 냄비
⑤ (라) – 큰 바구니

중요

11 가족생활에 적합한 주거 공간을 구성하는 방법에 대한 설명으로 적절하지 않은 것은?

① 서재는 독립성이 있는 조용한 공간에 배치한다.
② 침실과 가까운 곳에 욕실 및 화장실을 배치한다.
③ 자녀의 방에는 학습을 위한 책상, 의자를 배치한다.
④ 넓은 공간을 활용하기 위해 거실, 식사실, 부엌을 한 공간에 배치한다.
⑤ 부엌의 작업대는 준비대, 개수대, 조리대, 가열대, 배선대 순으로 배치한다.

실전 문제

틀리기 쉬운 문제

01 다음은 12~14세 청소년의 영양소 섭취 기준이다. ㉠~㉤에 들어갈 말을 바르게 짝지은 것은?

성별	㉠ (kcal)	단백질 (g)	수분 (mL)	비타민 A (㉢)	비타민 C (mg)	㉣ (μg)	칼슘 (mg)	㉤ (mg)
남	2,500	60	2,400	750	90	10	1,000	14
여	㉡	55	2,000	650	90	10	900	16

① ㉠ – 필요 추정량　② ㉡ – 1,900
③ ㉢ – mg　④ ㉣ – 비타민 B
⑤ ㉤ – 철

02 유지·당류 식품군에 해당하는 대표 식품을 바르게 제시한 학생은?

① 제욱: 깨와 버터가 해당됩니다.
② 운제: 과자와 설탕이 해당됩니다.
③ 태연: 땅콩과 콩기름이 해당됩니다.
④ 수현: 아이스크림과 꿀이 해당됩니다.
⑤ 지수: 건포도와 마요네즈가 해당됩니다.

자주 출제되는 문제

03 다음은 은주가 저녁에 먹은 음식들이다. 식품군별 대표 식품 중 은주가 가장 많이 섭취한 식품군은?

> • 식사: 보리밥, 쇠고기 미역국, 배추김치, 오이소박이, 감자볶음, 고등어조림
> • 후식: 요구르트, 귤

① 곡류　② 채소류
③ 과일류　④ 우유·유제품류
⑤ 고기·생선·달걀·콩류

04 빈칸에 들어갈 숫자는?

> 12~14세 식품군별 1일 권장 섭취 횟수에서 유일하게 남자와 여자의 섭취 횟수가 동일한 식품군은 우유·유제품류이다. 우유·유제품류는 청소년이 성장기인 것을 감안하여 (　　)회를 제시하였다.

① 0.5　② 1　③ 1.5
④ 2　⑤ 2.5

05 12~14세 남학생의 곡류 식품군 1일 권장 섭취 횟수를 바르게 나타낸 것은?

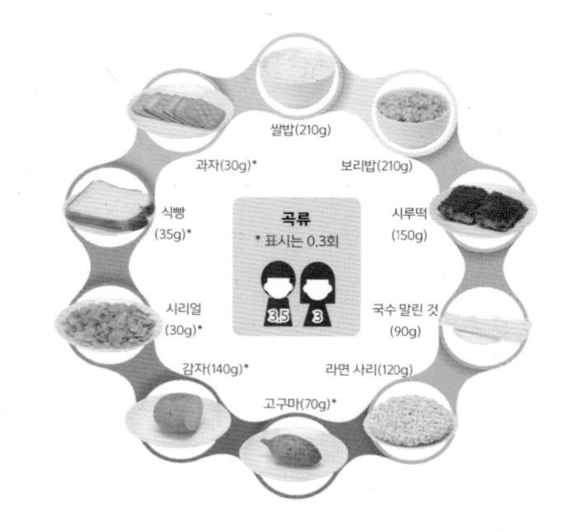

① 보리밥 210g, 쌀밥 210g, 식빵 140g, 과자 30g
② 보리밥 210g, 감자 280g, 고구마 140g, 과자 30g
③ 라면 사리 120g, 시리얼 60g, 쌀밥 210g, 고구마 70g
④ 국수 말린 것 90g, 라면 사리 120g, 감자 280g, 식빵 35g
⑤ 쌀밥 210g, 시루떡 300g, 국수 말린 것 90g, 라면 사리 120g

06 식사 구성안을 활용한 식사 계획 방법으로 옳은 것은?

① 과일류와 우유·유제품류는 식사에 배분해 준다.
② 동일한 식품군은 한 끼의 식사에 계획하는 것이 좋다.
③ 자신의 성별과 연령에 따른 에너지 충분 섭취량을 고려한다.
④ 다양한 식품군 사용보다는 여러 가지 반찬이 들어갈 수 있도록 계획한다.
⑤ 식품군별 1일 권장 섭취 횟수를 세끼 식사와 간식에 골고루 배분하는 것이 좋다.

07 다음은 식품 구성 자전거의 식품군별 섭취 방법을 정리한 것이다. 적절하지 않은 것을 모두 고른 것은?

> **기술·가정 노트**
> 〈식품 구성 자전거의 식품군별 섭취 방법〉
> 식품 구성 자전거는 균형 잡힌 식사를 중요시한다. 식품군별로 섭취하는 방법이 다른데, ㉠곡류는 탄수화물을 많이 섭취할 수 있는 흰 쌀밥을 먹는 것을 권장한다. ㉡고기 · 생선 · 달걀 · 콩류는 동물성 지방이 적은 살코기 위주로 먹는 것이 좋다. ㉢채소류는 매 끼니 2가지 이상 먹고, 다양한 색의 채소를 먹는 것을 권장한다. ㉣과일류는 제철 과일보다는 자신이 좋아하는 과일을 섭취하는 것이 좋으며, ㉤우유 · 유제품류는 저지방 · 저당류 유제품을 섭취할 것을 권장한다.

① ㉠, ㉡ ② ㉠, ㉣ ③ ㉡, ㉢
④ ㉡, ㉤ ⑤ ㉣, ㉤

08 다음은 은수네 가족에 대한 설명이다. 은수네 가족에게 가장 적절한 식사 형태는?

> 은수네 가족은 은수, 남동생, 언니, 부모님으로 구성되어 총 다섯 명이다. 부모님은 맞벌이를 하시는데 퇴근 시간이 늦으셔서 퇴근 후에는 많이 피곤해 하신다. 언니는 고등학생으로 하교 후 학원 시간 때문에 집에 머무는 시간은 20분 정도밖에 되지 않는다. 은수는 14살, 은수 남동생은 10살로 아직 요리를 할 줄 모른다. 은수네 가족은 저녁 식사를 어떻게 해결하면 좋을까?

① 가정 내에서 직접 조리하여 가정 내에서 식사하는 형태
② 가정 밖에서 완제품을 구입하여 가정 내에서 식사하는 형태
③ 가정 밖에서 반제품을 구입하여 가정 내에서 식사하는 형태
④ 가정 밖에서 반제품을 구입하여 가정 밖에서 식사하는 형태
⑤ 가정 내에서 조리하지 않고 가정 밖에서 음식을 구입하여 가정 밖에서 식사하는 형태

09 (가), (나)와 관련이 있는 주거의 선택 기준을 적절하게 짝지은 것은?

> 과거의 주거는 (가) 비, 바람, 짐승 등과 같은 외부의 위험으로부터 자신을 보호하기 위한 공간의 기능이 강하였다. 그러나 현대의 주거는 보호의 공간뿐만 아니라 행복한 가정생활을 꾸려 나가고, (나) 이웃과 더불어 살아가는 공간으로까지 그 의미가 확대되었다.

	(가)	(나)
①	편리해야 한다.	안락해야 한다.
②	안전해야 한다.	아름다워야 한다.
③	경제적이어야 한다.	안락해야 한다.
④	편리해야 한다.	이웃과 친밀한 관계를 유지해야 한다.
⑤	안전해야 한다.	이웃과 친밀한 관계를 유지해야 한다.

10 다음 그림의 집에 살고 있는 사람들이 선택한 주거의 기준으로 적절한 것은?

르네 마그리트
〈피레네의 성〉
• 집 밖의 경치가 좋다.

구스타프 클림트
〈아테제 호수의 캄머 성 Ⅲ〉
• 넓은 주거 공간이 있고, 아름다운 정원이 있다.

① 안전해야 한다. ② 안락해야 한다.
③ 편리해야 한다. ④ 아름다워야 한다.
⑤ 경제적이어야 한다.

실전 문제

틀리기 쉬운 문제

11 다음에 제시된 가족의 가족생활 주기에 따른 주거 가치관으로 적절하지 않은 것은?

> 영민이네 가족은 부모님과 고등학교 2학년 영민이, 중학교 3학년 수경이, 중학교 1학년 서연이 3남매가 함께 살고 있다. 3남매가 성장함에 따라 이에 알맞은 주거가 필요하다.

① 학습 공간이 필요하다.
② 성별에 따른 취침 공간이 필요하다.
③ 독립성 확보를 위한 공간이 필요하다.
④ 좋은 교육 환경을 선호하는 경향이 있다.
⑤ 친밀감 유지를 위해 부모와 자녀의 공간을 통합한다.

12 자녀가 모두 독립하여 노부부 둘이서 사는 집을 구할 때 고려해야 할 점으로 적절하지 않은 것은?

① 쾌적한 주거 환경을 가지고 있는가?
② 집의 규모가 예전보다 줄어들었는가?
③ 신체 조건에 맞는 설비가 설치되어 있는가?
④ 자녀의 방문을 대비한 여분의 방이 있는가?
⑤ 직장과 가깝고 편의 시설이 많은 도심지에 위치하였는가?

13 〈보기〉에서 절충식 주거 생활 양식에 대한 설명으로 적절한 것을 모두 고른 것은?

> 보기
> ㄱ. 서구형 생활 양식이다.
> ㄴ. 앉고 서는 데 불편함이 있어 비활동적이다.
> ㄷ. 소규모 주거 공간에서도 공간의 독립성을 높일 수 있다.
> ㄹ. 안방의 공간을 넓게 사용하기 위하여 바닥에서 자고, 거실에는 소파를 둔다.

① ㄱ, ㄴ　② ㄱ, ㄷ　③ ㄴ, ㄷ
④ ㄴ, ㄹ　⑤ ㄷ, ㄹ

자주 출제되는 문제

14 다음 그림에 나타난 주거 생활 양식에 대한 설명으로 적절한 것은?

① 넓은 주거 공간이 필요하다.
② 에너지 소모가 적고 활동적이다.
③ 우리나라의 전통적인 생활 양식이다.
④ 공간의 구분이 뚜렷하여 공간의 독립성이 높다.
⑤ 침대가 놓여져 있으면 침실이고, 식탁이 놓여져 있으면 식사 공간이다.

15 다음의 문제를 해결할 수 있는 방법으로 적절하지 않은 것은?

> 맞벌이 가족의 육아 문제, 노인들의 일거리 문제, 이웃 또는 동호인 간의 공동체 활동, 주거 환경 개선 등과 관련된 요구는 갈수록 커지고 있다.

① 공동 육아와 자녀 돌봄 센터 등을 운영한다.
② 벽화 그리기를 통하여 주거 환경을 밝게 만든다.
③ 집수리, 거리 청소 활동 등을 통해 주거 환경 개선을 한다.
④ 이웃을 돌보며 고령자 및 취약 계층에게 일거리를 제공한다.
⑤ 지역 사회의 경제적, 사회적, 정서적 문제는 개인의 능력으로 해결한다.

자주 출제되는 문제

16 다음은 코하우징 주거에 대한 홍보물이다. 코하우징 주거에 대한 설명으로 적절하지 않은 것은?

> 같이 함께 살아요, 미니J 코하우징
> "미니J 코하우징 입주자를 모집합니다"
> - ㉠ – 개별 가족이 독립된 공간을 가지고 있어 사생활이 보호돼요.
> - ㉡ – 이웃과 함께 사용하는 공동 어린이 놀이방, 공동 도서관 시설이 있어요.
> - ㉢ – 공동 식당과 부엌이 있어 식사 걱정을 하지 않아도 돼요.
> - ㉣ – 침실은 독립적인 공간으로 사용하고, 집의 거실, 부엌 등은 다른 입주자와 함께 쓰는 공동 공간으로 생활을 해요.
> - ㉤ – 맞벌이 부부의 육아와 가사 문제! 독거노인의 외로움 문제! 모두 해결해 드려요.

① ㉠ ② ㉡ ③ ㉢
④ ㉣ ⑤ ㉤

틀리기 쉬운 문제

17 다음은 2층 주택의 공간을 주거 공간의 구역화를 고려하여 배치한 것이다. 내용 중 적절하지 않은 것은?

> 2층 주택은 공간이 넓기 때문에 주거 공간의 구역화를 적용하기가 한결 수월하다. (가) 현관과 같은 기타 공간은 편리한 이동을 위해 1층에 배치하였다. (나) 부엌이 1층에 배치된 것을 고려하여 다용도실을 1층에 배치하였다. (다) 욕실과 화장실은 침실과 가족이 공동으로 생활하는 곳 가까이에 배치하였다. (라) 가족이 함께 모이고, 손님 방문 시 차를 마실 수 있는 거실은 2층에 배치하여 개방성을 강조하였다. (마) 침실은 2층에 배치하여 손님이 방문했을 때 개인의 사생활이 유지될 수 있도록 하였다.

① (가) ② (나) ③ (다)
④ (라) ⑤ (마)

18 솔지가 활용한 효율적인 주거 공간 구성 방안은?

> 솔지네 집에는 중학생 솔지, 부모님, 유치원생인 솔지의 동생이 살고 있다. 솔지가 중학생이 된 후 옷도 많아지고, 솔지 동생의 장난감 또한 늘고 있다. 생활용품은 늘고 있는데, 수납할 공간이 부족하여 고민하던 중 솔지가 침대 밑에 서랍을 만들어 수납 공간으로 쓰면 어떨까 하는 아이디어를 냈다.

① 동선의 절약
② 가구 배치 방법
③ 주거 공간의 구역화
④ 공간의 입체적 활용
⑤ 가족생활에 적합한 공간 구성

19 집중식 배치에 대한 설명으로 적절하지 않은 것은?

① 공간을 다용도로 활용하기 어렵다.
② 생활 내용이 분명한 공간에 적당하다.
③ 한쪽 벽에 책장, 책상, 서랍을 배치한다.
④ 넓은 공간의 면적이 필요할 때 적합하다.
⑤ 가구와 건축물이 일체화되는 효과가 있다.

20 〈보기〉에서 가구를 배치할 때 고려할 점으로 적절한 것을 모두 고른 것은?

> 보기
> ㄱ. 작은 가구를 배치한 후에 큰 가구를 배치한다.
> ㄴ. 가구를 사용하는 데 필요한 여유 공간을 두고 배치한다.
> ㄷ. 콘센트는 여러 개 있기 때문에 하나 정도는 가려도 괜찮다.
> ㄹ. 가구를 배치할 때는 높이를 맞추어 울퉁불퉁한 부분이 생기지 않도록 배치한다.

① ㄱ, ㄴ ② ㄱ, ㄷ ③ ㄴ, ㄷ
④ ㄴ, ㄹ ⑤ ㄷ, ㄹ

실전 문제

자주 출제되는 문제

21 효율적인 생활용품의 정리 및 수납 방법을 잘못 적용한 사람은?

① 인국: 교과서가 들어 있는 무거운 상자는 책장 가장 아래에 수납하였어.
② 승기: 우리 가족이 함께 쓰는 블루투스 스피커는 내 방 수납장에 정리해 놨어.
③ 승환: 오래도록 사용하지 않은 문구용품은 정리하여 알뜰 매장에 기부하였어.
④ 동률: 수납을 다 한 후에 수납 물품 목록을 거실 게시판에 잘 보이게 붙여 놨어.
⑤ 나얼: 내가 자주 사용하는 휴대 전화 충전기를 콘센트 바로 옆 서랍에 넣어 뒀어.

22 다음 그림과 관련된 주거 공간별 수납 방법에 대한 설명으로 적절한 것은?

① 가족 공용 물건은 수납 약속을 정한다.
② 식기와 조리 도구는 재질에 따라 분류한다.
③ 편리성을 위해 물건들을 가능하면 보이도록 수납한다.
④ 개인 침구, 의류 등 개인적인 물건을 사용 빈도에 따라 분류하여 수납한다.
⑤ 청결을 생각하여 가족 공용 물건과 개인 물건을 용도별로 분류하여 수납한다.

23 가족생활에 적합한 주거 공간을 구성하는 방법에 대한 설명을 짝지은 것 중 적절하지 않은 것은?

① 침실 – 공간이 좁을 때는 침대를 사용한다.
② 서재 – 책을 넣을 수 있는 수납 가구를 배치한다.
③ 거실 – 수납과 장식적 역할을 하는 가구를 배치한다.
④ 자녀 침실 – 자녀의 성장 발달에 맞춰 융통성 있게 계획한다.
⑤ 화장실 – 벽에 선반이나 수납장을 설치하여 수납공간을 확보한다.

서술형 문제

24 다음의 권장 섭취 횟수와 과일류 식품군 1인 1회 분량을 참고하여 13세 남자인 성재의 과일류 1일 식사 계획을 구성하시오.

• 12~14세 식품군별 1일 권장 섭취 횟수:
과일류 – 남 3회, 여 2회
• 과일류 식품군 1인 1회 분량

과일 주스	참외	사과	배	복숭아
100mL	150g	100g	100g	100g

건포도	키위	바나나	오렌지	귤
15g	100g	100g	100g	100g

아침	점심	저녁	간식

25 유니버설 주거의 의미와 그 예를 한 가지만 쓰시오.

26 율우네 가족의 요구를 반영하여 거실, 식사실, 부엌을 어떻게 배치하는 것이 적합할지 제시하고, 이 배치의 단점을 하나만 쓰시오.

율우네 집은 가족 수에 비해 공간이 많이 좁은 편이라 어떻게 하면 주거 공간을 효율적으로 사용할 수 있을지 많은 고민을 하는 중이다.

▶ 다음은 우리나라 전통 주거인 창덕궁 연경당의 평면도이다. 한옥의 각 공간들에 대한 설명을 읽고, 이를 바탕으로 생활 내용에 따라 주거 공간을 구분해 보자. 더불어 한옥의 동선을 절약하고 공간을 효율적으로 활용하기 위해 개선할 수 있는 부분을 적어 보자.

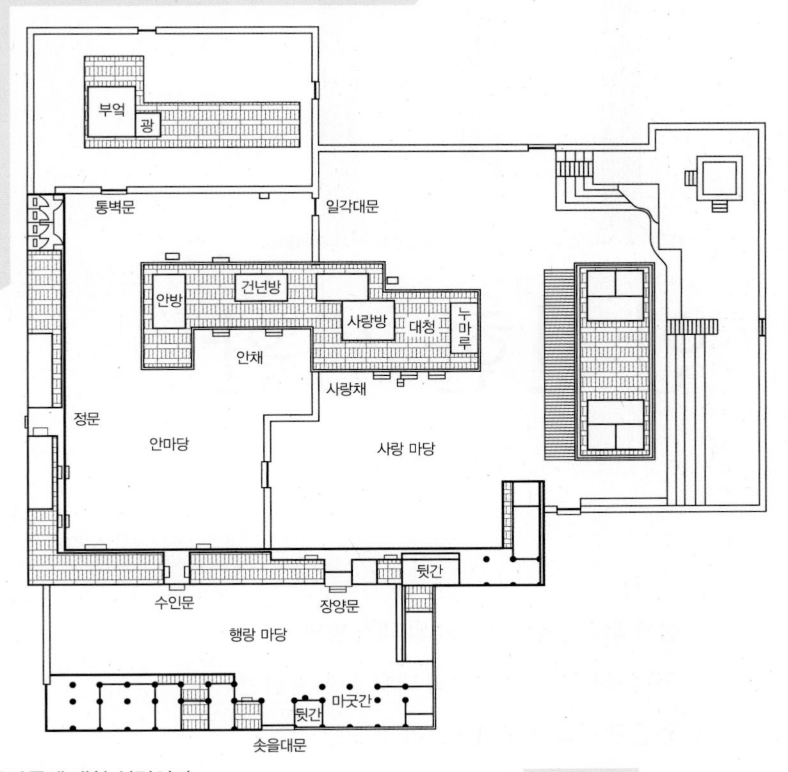

다음은 한옥의 각 공간들에 대한 설명이다.

- 안채: 집안의 여자 주인이나 주인의 아내를 비롯한 여성들이 생활하는 공간이다.
- 안방: 사랑방과 독립된 부인의 고유 영역으로, 안주인이 거주하며 대부분 부엌이 가까이 있다.
- 사랑채: 집안의 남자 주인이나 남편을 비롯한 남자들이 생활하는 공간이다.
- 사랑방: 안채와 독립된 남편의 고유 영역으로, 남자 주인이 거주하는 공간이다. 귀한 손님이 오시면 머무르는 공간이기도 하다.
- 누마루: 손님의 접객 공간이다(기단 없이 기둥만 설치된 공간으로, 원두막처럼 사방이 트인 공간).
- 대청마루: 방과 방 사이에 위치해 있으며, 가족들이 모여 식사도 하고 잠도 자는 곳이다. 오늘날의 거실과 같다.
- 건넌방: 대청마루 사이에 두고 있는 방으로, 안방의 맞은편에 있으며, 노인이나 어린 자녀가 생활하는 방이다.
- 광: 부엌 가까이에 있고 곡식이나 잡다한 기구를 넣어 두는 곳이다. 오늘날의 창고와 같다.
- 행랑 공간: 하인들이 살았던 공간이다.
- 뒷간: 오늘날의 화장실과 같다.

안전한 생활

1. 성폭력과 성폭력의 예방 및 대처 방안
2. 가정 폭력과 가정 폭력의 대처 및 지원 방안
3. 안전한 식품의 선택과 관리 및 보관
4. 가족의 식사 계획과 안전한 조리

이 단원의 성취 기준과 학습 요소

섹션	성취 기준	학습 요소
1. 성폭력과 성폭력의 예방 및 대처 방안	성적 의사 결정의 중요성을 이해하고, 성폭력의 원인과 영향을 개인 및 사회적 차원에서 분석하여 예방 및 대처 방안을 탐색한다.	– 성적 의사 결정의 중요성 – 성폭력의 원인과 영향 – 성폭력의 예방 및 대처 방안
2. 가정 폭력과 가정 폭력의 대처 및 지원 방안	가정 폭력의 사회·구조적인 원인과 영향을 분석하고, 가정 폭력과 관련된 다양한 문제 상황을 중심으로 대처 및 지원 방안을 탐색한다.	– 가정 폭력의 원인과 영향 – 가정 폭력의 대처 및 지원 방안
3. 안전한 식품의 선택과 관리 및 보관	가족의 건강과 환경을 고려한 식품 선택의 중요성을 이해하고, 식품을 안전하게 관리하고 보관하는 방법을 탐색하여 실생활에 활용한다.	– 가족의 건강과 환경을 고려한 식품 선택의 중요성 – 똑 부러지는 현명한 장보기 – 식품의 안전한 관리와 보관 방법
4. 가족의 식사 계획과 안전한 조리	가족 구성원의 요구, 영양적 균형을 고려한 한 끼 식사를 계획하고, 위생과 안전을 고려하여 조리한 후 평가한다.	– 식사 준비 과정 – 가족 식사 만들기(콩밥, 두부 된장찌개, 시금치나물, 생선전, 깍두기, 오미자 화채)

01 성폭력과 성폭력의 예방 및 대처 방안

1. 성적 의사 결정의 중요성

• **성적 의사 결정** — 성적 자기 결정권이라고도 하며, 이는 자신의 행동의 결과까지 책임지는 것을 포함한다.

㉠ 의미: 성적인 행동을 스스로 판단하여 결정하고 선택하는 것을 말한다.

㉡ 성적 의사 결정의 주체: 성적 의사 결정의 주체는 나 자신이어야 하며, 성적 의사 결정은 누구에게도 강요받을 수 없다.

2. 성폭력의 원인과 영향

① **성폭력** — 성폭력은 낯선 사람에 의해 일어나기도 하지만 가까운 사이에서도 발생한다.

㉠ 의미: 상대방의 동의 없이 일방적으로 성 욕구를 충족하기 위해 강제로 행해지는 모든 언어적, 육체적, 정신적인 강요 및 위압적인 행동을 말한다.

㉡ 성폭력의 유형

성폭행	성추행	성희롱
폭행 또는 협박 등을 통해 억지로 성관계를 하거나 시도하는 행위	성적 만족을 얻기 위하여 상대방에게 일방적으로 신체 접촉을 함으로써 상대방에게 성적 수치, 혐오의 감정을 불러일으키는 행위	성과 관계된 말과 행동으로 상대방에게 불쾌감, 굴욕감 등을 주어 피해를 입히는 행위

② **성폭력의 원인**

㉠ 개인적 원인

- 자신이나 타인의 성을 소중하게 생각하지 않고, 성 행동을 쾌락의 도구로만 생각하는 성 의식
- 자신보다 힘이 약한 사람을 함부로 대해도 된다는 생각
- 남녀의 성 심리 차이를 이해하지 못한 일방적인 성 행동
- 어린 시절의 성적 학대, 음란물 중독 등에 의한 왜곡된 성 가치관 형성

㉡ 사회적 원인

- 음성적으로 다뤄지는 왜곡된 성 문화
- 인간관계에서의 기본적인 배려 부족과 남녀의 성에 관한 의사소통 불일치
- 성 윤리 의식의 부족과 성 상품화
- 성폭력에 관한 사회의 인식 부족
- 현실과 동떨어진 성교육

③ **성폭력의 영향**

㉠ 피해자

신체적 후유증	심리적 후유증	사회적 후유증
신체적 손상, 임신, 낙태, 불임, 성매개 감염병, 두통, 복통, 근육통 등	불안, 우울, 좌절, 신경질, 의욕 상실, 수면 장애, 식욕 상실, 두려움, 죄의식, 낮은 자아 존중감, 부정적인 자기 인식 등	주의 집중 곤란 및 학업 부진, 대인 관계에서의 두려움, 학교생활 부적응 등

㉡ 피해자의 가족: 가해자를 향한 분노와 보복 심리, 무기력감, 통제감 상실, 불안, 죄의식 및 죄책감, 성적 혐오감, 피해자를 향한 비난 또는 피해자를 과잉보호함으로써 부자연스러운 가족 관계 형성

3. 성폭력의 예방 및 대처 방안

① **예방**

가해자 예방	피해자 예방
• 성적인 욕구는 스스로 조절하고 자제할 수 있다는 것을 명심한다. • 내가 성 행동을 원한다고 상대방도 이를 원할 것이라고 생각하지 않는다. • 친구끼리 모르고 한 행동이라도 잘못했다면 반드시 사과한다. • 내 감정과 느낌이 소중한 만큼 상대방의 감정과 느낌을 존중하여 상대방이 원하지 않는 성 행동을 강요하지 않는다. • 성 행동에 상대방이 침묵한다고 해서 이를 동의로 받아들이지 않는다.	• 성적 행동을 원하지 않으면 주저하지 말고 단호하게 "안 돼!"라고 분명히 말한다. • 버스나 지하철 등에서 불쾌한 성적 접촉이나 상황에 직면했을 때에는 강력하게 거부 의사를 표시하고, 112에 신고한다. • 늦은 밤에 혼자 다니지 않고, 골목길이 아닌 큰길로 다닌다. • 늦은 시간 이어폰을 꽂고 음악을 들으며 걷는 것에 주의한다. 누가 와도 알아차리지 못해 범죄의 대상이 될 수 있다.

② **대처 방안**

㉠ 부모님께 알린다. 학교에서는 담임 선생님, 보건실, 상담실 등을 찾아가 이야기한다.

㉡ 경찰(112), 여성긴급전화(1366), 청소년상담전화(1388), 안전Dream(117) 등에 신고한다.

㉢ 증거물을 확보해야 하므로 씻거나 속옷을 빨지 않는다. 법을 통해 문제를 해결한다.

㉣ 부모님과 병원에 방문하여 진찰을 받고, 치료와 상담을 통해 안정을 취한다.

기초 문제

01 (   )(이)란 성적인 행동을 스스로 판단하여 결정하고 선택하는 것을 말한다.

정답 성적 의사 결정

02 (   )(이)란 폭행 또는 협박 등을 통해 억지로 성관계를 하거나 시도하는 행위를 말한다.

정답 성폭행

03 성추행은 성과 관계된 말과 행동으로 상대방에게 불쾌감, 굴욕감 등을 주어 피해를 입히는 행위를 말한다.

(○ , ×)

정답 ×

04 다음에서 설명하는 개념은 무엇인지 쓰시오.

> 성적 만족을 얻기 위하여 상대방에게 일방적으로 신체 접촉을 함으로써 상대방에게 성적 수치, 혐오의 감정을 불러일으키는 행위

(   )

정답 성추행

05 성폭력의 사회적 원인으로 적절하지 않은 것은?

① 성 윤리 의식 부족
② 현실과 동떨어진 성교육
③ 성폭력에 관한 사회 인식 부족
④ 어린 시절 화목하게 자란 가정 배경
⑤ 음성적으로 다뤄지는 왜곡된 성 문화

정답 ④

06 대인 관계에서의 두려움, 학교생활 부적응은 성폭력의 심리적 후유증에 해당한다.

(○ , ×)

정답 ×

07 성 행동에 상대방이 침묵한다면 이를 동의로 받아들인다.

(○ , ×)

정답 ×

08 성폭력이 발생하였을 때 여성긴급전화 (   )에 신고하여 피해 사실을 알린다.

정답 1366

정답과 해설 12쪽

01 다음과 같은 상황에서 올바른 성적 의사 결정을 내린 사람은?

이성 친구가 부적절한 성 접촉을 원할 때

① 수지: 성적인 감정을 말로 표현하기 어려워.
② 미연: 무엇을 원하는지 구체적으로 묻지 못하겠어.
③ 소리: 나는 기쁨, 슬픔, 불안함 같은 감정을 잘 모르겠어.
④ 경인: 내가 좋아하는 친구인데, 거절하면 사이가 멀어질지도 몰라.
⑤ 영수: 부적절하고 일방적인 요구에 대해 부당한 점을 이야기하겠어.

02 〈보기〉의 행위와 성폭력의 유형이 바르게 연결된 것은?

보기
ㄱ. 협박을 가하여 강제로 성관계를 한 행위
ㄴ. 원하지 않는데 상대방이 몸을 만지는 행위
ㄷ. 언어적으로 성적 굴욕감을 느끼게 한 행위

① ㄱ – 성추행 ② ㄱ – 성희롱
③ ㄴ – 성희롱 ④ ㄷ – 성폭행
⑤ ㄷ – 성희롱

03 〈보기〉에서 성폭력의 심리적 후유증에 해당하는 것을 모두 고른 것은?

보기
ㄱ. 죄의식
ㄴ. 성매개 감염병
ㄷ. 부정적인 자기 인식
ㄹ. 대인 관계에서의 두려움

① ㄱ, ㄴ ② ㄱ, ㄷ ③ ㄴ, ㄷ
④ ㄴ, ㄹ ⑤ ㄷ, ㄹ

04 성폭력 피해를 예방하기 위한 행동으로 적절한 것은?

① 늦은 밤이나 새벽에 혼자 다닌다.
② 늦은 밤에는 골목길이 아닌 큰길로 다닌다.
③ 버스나 지하철 등에서 성적 접촉을 당하면 참는다.
④ 늦은 시간에 이어폰을 꽂고 음악을 크게 들으며 걷는다.
⑤ 원하지 않는 성적 행동은 자신보다 타인의 입장에서 생각한다.

05 성적 욕구를 조절하는 방법으로 적절하지 않은 것은?

① 학업에 집중하여 성취감을 얻는다.
② 음란물을 가까이하여 성적 욕구를 해결한다.
③ 성 지식은 성교육 전문가에게 교육을 받는다.
④ 자신의 미래, 성공에 관해 자주 상상하고 준비한다.
⑤ 취미 생활, 봉사, 예술 활동 등으로 정서적 기쁨을 얻는다.

06 성폭력이 발생했을 때 대처 방안으로 옳지 않은 것은?

① 피해 상황을 즉시 알린다.
② 피해자의 잘못이 아님을 명심한다.
③ 병원에 방문하여 치료와 상담을 받는다.
④ 몸을 깨끗이 씻고 경찰서에서 조사를 받는다.
⑤ 경찰서에서 조사를 받을 시 보호자와 함께 진술할 수 있는 권리를 행사한다.

07 다음 상황에서의 대처 방안으로 적절한 것은?

나는 남자인데 화장실에서 소변을 볼 때마다 우리 반 힘이 센 남자애들이 내 생식기를 보고 놀린다. 요즘 나는 화장실 가는 것도 두렵다. 어떻게 해야 할까?

① 친한 친구에게만 알린다.
② 선생님, 가족 등에게 도움을 청한다.
③ 자신의 잘못이 무엇인지 반성해 본다.
④ 피해 사실을 덮어 두고 그 친구들을 괴롭힌다.
⑤ 동성 친구 사이에서 벌어진 일이므로 그냥 넘어간다.

적용 문제

정답과 해설 12쪽

01 다음은 어떤 능력을 측정하기 위한 지표인가?

- 나는 성적인 감정과 욕구를 말로 표현할 수 있다.
- 나는 원하지 않는 신체적 접촉은 싫다고 말할 수 있다.
- 나는 좋아하는 사람이 생겼을 때 좋아한다고 표현할 수 있다.

① 성적 통제 ② 성적 이해력
③ 성 역할 조정 ④ 성적 충동 조절
⑤ 성적 의사 결정

중요

02 다음과 같은 상황에 처했을 때 성적 의사 결정으로 바르지 않은 것은?

(가) 음란물을 보자고 유혹을 받았을 때
(나) 이성 친구가 집에 아무도 없다며 성 접촉을 원할 때
(다) "너는 왜 이렇게 가슴이 작니?"라는 불쾌한 성적인 표현을 들었을 때

① (가) – 내가 원하지 않을 경우 분명하게 거절하는 태도를 가진다.
② (나) – 상대방과의 관계 유지를 위해 주저하며 그대로 행동에 옮긴다.
③ (나) – 성 행동을 하는 것이 진심으로 사랑해서인지, 단순한 호기심 때문인지 신중하게 생각한다.
④ (다) – 불쾌감이나 굴욕감을 주는 언행은 성희롱에 해당함을 알린다.
⑤ (다) – 부당함을 분명히 말하고 더 심해질 경우 신고한다.

03 성폭력의 원인 중 그 성격이 다른 하나는?

① 현실과 동떨어진 성교육
② 성폭력에 관한 사회의 인식 부족
③ 성 윤리 의식의 부족과 성 상품화
④ 음성적으로 다뤄지는 왜곡된 성 문화
⑤ 성 행동을 쾌락의 도구로만 생각하는 성 의식

중요

04 성폭력에 대한 설명으로 적절한 것은?

① 성폭력은 신체적인 피해만 준다.
② 성폭력은 피해자 가족에게는 영향을 끼치지 않는다.
③ 성적인 농담 등과 같은 언어적 폭력은 성폭력에 해당하지 않는다.
④ 성적인 욕구는 스스로 조절할 수 없는 사람이 대부분이어서 성폭력이 많이 발생한다.
⑤ 성폭력은 어린이 및 친족 성폭력, 직장 내 성폭력, 데이트 성폭력, 사이버 성폭력 등 사회 문제로 확산될 수 있다.

05 다음은 나민이가 수업 시간에 성폭력에 관한 ○, × 문제를 푼 것이다. 나민이가 맞힌 문제 수로 옳은 것은?

ㄱ. 성폭력은 낯선 사람에 의해 발생한다. (×)
ㄴ. 성폭행, 성추행, 성희롱은 성폭력이다. (○)
ㄷ. 성적인 욕구는 스스로 조절할 수 있다. (○)
ㄹ. 성폭력을 예방하기 위해서는 여자가 스스로 조심하는 방법밖에 없다. (×)
ㅁ. 피해자는 성폭력을 당한 즉시 몸을 씻고, 옷을 갈아입은 후 경찰에 신고한다. (×)

① 1문제 ② 2문제 ③ 3문제
④ 4문제 ⑤ 5문제

06 다음 중 성적 욕구 조절에 대해 잘못된 태도를 가진 사람은?

- 수정: 나의 미래, 성공에 대해 자주 상상하고 있어.
- 연서: 학생으로서 학업에 집중하여 성취감을 얻는 것이 좋겠어.
- 은진: 주위 사람들과 건전한 대화를 통해 고민을 해결할 거야.
- 수혁: 운동, 예술 활동, 봉사 활동 등을 통해 기쁨을 얻는 것이 좋아.
- 진호: 성에 대한 관심은 은밀하게 표현하고, 주로 인터넷에서 지식을 얻고 있어.

① 수정 ② 연서 ③ 은진
④ 수혁 ⑤ 진호

02 가정 폭력과 가정 폭력의 대처 및 지원 방안 | Ⅲ. 안전한 생활 |

1. 가정 폭력의 원인과 영향

가정 폭력은 심각한 범죄로, 적극적으로 대처해야 한다.

① 가정 폭력

가정 폭력의 특성
- 은폐되는 폭력
- 지속되는 폭력
- 중복되는 폭력
- 순환되는 폭력

㉠ 의미: 가족 구성원이 다른 구성원에게 신체적 · 정신적 또는 재산상의 피해를 주는 모든 행위를 말한다.

㉡ 가정 폭력의 유형
- 신체적, 물리적 폭력: 폭행, 감금, 신체적 억압, 자유를 구속하거나 기물을 파손하는 등의 폭력 행위
- 통제적 폭력: 학교생활, 친구 관계를 통제하거나 관계를 의심하는 행동
- 정서적 폭력: 폭언, 무시, 모욕과 같은 언어적 학대, 정신적 학대
- 방임적 폭력: 무관심, 냉담, 위험 상황에서 방치하는 행동 (최소한의 돌봄이 이루어지지 않는 것으로, 물리적 방임, 정서적 방임, 의료적 방임 등이 있다.)
- 경제적 폭력: 경제 활동을 통제하는 행위
- 성적 폭력: 지속적인 성적 학대

② 가정 폭력의 원인

㉠ 개인·가정적 원인
- 자존감이 낮고, 지나치게 의존적인 성격
- 어린 시절의 폭력과 학대 경험
- 우울증과 같은 정신 장애나 성격 장애
- 사회적 고립이나 경제적 문제
- 부모 역할에 관한 지식 부족
- 자녀를 향한 비현실적 기대
- 술, 약물 등의 중독

㉡ 사회·문화적 원인
- 가부장제하에서 아내와 자녀를 내 마음대로 할 수 있다는 소유 의식
- 남의 집 일에 끼어들면 안 된다는 잘못된 사회적 인식
- 사회의 폭력 허용 분위기
- 피해자를 위한 법적 보호의 미비

③ 가정 폭력의 영향

㉠ 피해자
- 멍, 골절 등의 신체적 피해를 입는다.
- 자살을 시도할 수 있다.
- 두려움, 불안감, 증오심 등을 느낀다.
- 공격적이거나 의기소침해져 문제 행동을 보인다.
- 가해자의 감시와 통제로 고립될 수 있다.
- 폭력이 대물림될 수 있다.

㉡ 가해자
- 피해자로부터 사랑과 존경을 잃게 된다.
- 가족 전체를 잃을 수 있다.
- 피해자로부터 보복을 당할 수 있다.

㉢ 가정
- 가해자에게 느끼는 두려움으로 안정된 가정생활을 유지하기 어렵다.
- 가족 간의 갈등으로 가족 해체의 가능성이 높다.

㉣ 사회
- 가족 해체로 사회 불안정을 일으킨다.
- 가정 폭력에 의한 신체적, 정신적 피해로 여러 가지 사회 문제를 일으킬 수 있다.

2. 가정 폭력의 대처 및 지원 방안

① 가정 폭력 대처 방법

㉠ 안전을 위해 일단 피한다.

㉡ 112, 1366에 전화하여 도움을 받는다.

㉢ 즉시 치료를 받는다.

㉣ 피해 사실을 믿을 만한 사람에게 알린다.

㉤ 증거 자료를 보존한다(진료 기록, 사진 자료 등).

㉥ 가정 폭력 전문 상담 기관에 상담하고, 법적 대응을 준비한다.

② 가정 폭력의 지원 방안

㉠ 신고 시, 경찰관의 현장 출동 및 조사를 통해 긴급히 임시 조치를 할 수 있다. 임시 조치란 피해자 보호를 위해 임시적으로 피해자와 가해자를 분리시키는 것을 말한다.

㉡ 폭행 가해자를 24시간 임시로 분리시킬 수 있다.

㉢ 경찰관 출동이 의무화되고, 전문 상담가가 동행할 수 있다.

㉣ 부부간의 폭행일 때에는 부부 상담을 실시하고, 자녀를 볼 수 있는 권한을 제한할 수 있다.

㉤ 보호 시설이 멀리 떨어진 곳은 임시 보호소를 마련해 준다.

㉥ 피해자의 직업 훈련비를 지원하여 자립할 수 있도록 도와준다.

기초 문제

01 (　　　　)은/는 가족 구성원이 다른 구성원에게 신체적·정신적 또는 재산상의 피해를 주는 모든 행위를 말한다.

정답 가정 폭력

02 가정 폭력의 특성으로 적절하지 않은 것은?

① 일회성 폭력　② 은폐되는 폭력
③ 중복되는 폭력　④ 순환되는 폭력
⑤ 지속되는 폭력

정답 ①

03 다음에 해당하는 가정 폭력의 유형은?

> "애가 당신을 닮아서 말도 안 듣고 공부도 못하는 것이라고요!"

① 신체적 폭력　② 통제적 폭력
③ 정서적 폭력　④ 방임적 폭력
⑤ 경제적 폭력

정답 ③

04 다음 중 가정 폭력의 사회·문화적 원인으로 적절하지 않은 것은?

① 피해자를 위한 철저한 법적 보호
② 사회에서 가정 폭력을 허용하는 분위기
③ 남의 집 일에 끼어들면 안 된다는 잘못된 사회적 인식
④ '부부 싸움은 칼로 물 베기'처럼 가볍게 여기는 분위기
⑤ 가부장제하에서 아내와 자녀를 내 마음대로 할 수 있다는 소유 의식

정답 ①

05 가정 폭력이 있는 가정은 가해자에게 느끼는 두려움으로 안정된 가정생활을 유지하기 어렵다.

(○ , ×)

정답 ○

06 가정 폭력 발생 시 증거 자료로 진료 기록이나 사진 자료 등을 보존한다.

(○ , ×)

정답 ○

07 가정 폭력이 발생하였을 때, 경찰관의 현장 출동 및 조사를 통해 긴급히 (　　　　)을/를 할 수 있다. 이것은 피해자 보호를 위해 임시적으로 피해자와 가해자를 분리시키는 것을 말한다.

정답 임시 조치

이해 문제

정답과 해설 12쪽

01 가정 폭력에 대한 설명으로 적절한 것은?

① 외부로 잘 드러나지 않는다.
② 성적 폭력은 포함되지 않는다.
③ 다른 피해와 연관되지 않는다.
④ 가정 폭력 발생 수는 매해 줄어들고 있다.
⑤ 사회 문제라기보다는 가정의 문제로만 보아야 한다.

02 〈보기〉에서 가정 폭력에 해당하는 것을 모두 고른 것은?

보기
ㄱ. 감금, 기물 파손 등의 폭력 행위
ㄴ. 저축, 소비 등을 자유롭게 하는 행위
ㄷ. 무관심, 위험 상황에서 방치하는 행동
ㄹ. 학교생활, 친구 관계에 관심을 갖는 행동
ㅁ. 폭언, 무시, 모욕과 같은 언어적, 정신적 학대

① ㄱ, ㄴ, ㄷ ② ㄱ, ㄷ, ㄹ
③ ㄱ, ㄷ, ㅁ ④ ㄴ, ㄷ, ㄹ
⑤ ㄱ, ㄴ, ㄷ, ㄹ, ㅁ

03 〈보기〉에서 가정 폭력의 개인·가정적 원인으로 적절한 것을 모두 고른 것은?

보기
ㄱ. 지나치게 의존적인 성격
ㄴ. 행복한 유년 시절의 경험
ㄷ. 자녀를 향한 긍정적인 기대
ㄹ. 사회적으로 원만하지 못하고 고립된 상태

① ㄱ, ㄴ ② ㄱ, ㄹ ③ ㄴ, ㄷ
④ ㄴ, ㄹ ⑤ ㄷ, ㄹ

04 〈보기〉에서 가정 폭력의 피해자가 받을 수 있는 고통으로 적절한 것을 모두 고른 것은?

보기
ㄱ. 가족 전체를 잃을 수 있다.
ㄴ. 두려움, 불안감, 증오심 등을 느낀다.
ㄷ. 멍, 골절 등의 신체적 피해를 입는다.
ㄹ. 더 이상의 폭력으로 이어지지 않는다.

① ㄱ, ㄴ ② ㄱ, ㄷ ③ ㄴ, ㄷ
④ ㄴ, ㄹ ⑤ ㄷ, ㄹ

05 가정 폭력이 발생하였을 때 대처 방법으로 알맞지 않은 것은?

① 즉시 치료를 받는다.
② 안전을 위해 일단 그 자리를 피한다.
③ 주변 사람들에게 알리지 않고 혼자 해결한다.
④ 112에 신고하거나 1366에 전화하여 도움을 받는다.
⑤ 치료를 받은 후 진료 기록과 사진 자료 등을 증거 자료로 보존한다.

06 가정 폭력의 지원 방안으로 적절하지 않은 것은?

① 부부간의 폭행일 때에는 부부 상담을 실시한다.
② 경찰관 출동이 의무화되고 전문 상담가가 동행할 수 있다.
③ 보호 시설이 멀리 떨어진 곳은 임시 보호소를 마련해 준다.
④ 피해자의 직업 훈련비를 지원하여 자립할 수 있도록 돕는다.
⑤ 조사 완료 전까지는 피해자와 가해자를 강제로 분리시키지 않고 조사한다.

적용 문제

정답과 해설 13쪽

01 가정 폭력에 대한 내용으로 적절하지 않은 것은?

① 가정 폭력은 심각한 범죄이다.
② 세대 간 대물림의 위험이 높다.
③ 또 다른 폭력 피해와 사회 문제로 이어질 수 있다.
④ 가정 폭력은 한 가정의 문제로 사회가 고민해야 할 문제는 아니다.
⑤ 가족 구성원이 다른 구성원에게 신체적, 정신적 또는 재산상의 피해를 주는 모든 행위를 말한다.

02 다음 중 가정 폭력에 대해 잘못된 태도를 가진 사람은?

- 수미: 아이가 생긴다면 남편의 폭력성은 줄어들 거야.
- 연재: 폭력을 당한 피해자에게 책임을 떠넘겨서는 안 돼.
- 은진: 폭력은 대물림되어 또 다른 폭력을 만들 수 있다고 생각해.
- 수혁: 가정 폭력의 가해자는 특별한 사람이 아니라 누구라도 될 수 있어.
- 진호: 성 역할 고정 관념에서 벗어나 가족 구성원이 인간으로서 서로를 존중하고 배려해야 해.

① 수미　② 연재　③ 은진
④ 수혁　⑤ 진호

03 가정 폭력의 원인 중 그 성격이 다른 하나는?

① 술, 약물 등의 중독
② 어린 시절의 폭력과 학대 경험
③ 피해자를 위한 법적 보호의 미비
④ 우울증과 같은 정신 장애나 성격 장애
⑤ 낮은 자존감과 지나치게 의존적인 성격

04 <보기>에서 가정 폭력이 사회에 끼치는 영향으로 적절한 것을 모두 고른 것은?

보기
ㄱ. 사회의 질서 유지에 기여한다.
ㄴ. 가족 해체로 사회 불안정을 일으킨다.
ㄷ. 피해자를 외면하면 폭력의 확대를 근절할 수 있다.
ㄹ. 가정 폭력에 의한 신체적, 정신적 피해로 여러 가지 사회 문제를 일으킬 수 있다.

① ㄱ, ㄴ　② ㄱ, ㄹ　③ ㄴ, ㄷ
④ ㄴ, ㄹ　⑤ ㄷ, ㄹ

05 다음과 같은 상황에서 이웃의 태도로 적절하지 않은 것은?

어린 자녀를 집에 홀로 방치하거나 독감에 걸린 자녀를 병원에 데려가지 않는 부모의 방임, 학대로 자녀가 위험한 상황에 처해 있다.

① 112에 신고한다.
② 이웃에 관심을 가지고 잘 지켜 보며 돕는다.
③ 1366에 전화하여 사실을 알리고 도움을 청한다.
④ 아이의 훈육은 그 부모의 마음대로 할 수 있다고 생각한다.
⑤ 주변 사람의 관심과 시선이 가해자에게 감시 효과를 줄 수 있다고 생각한다.

06 다음과 같은 상황에 처했을 때 지원 방안으로 적절하지 않은 것은?

A씨는 그만하자는 말을 여러 번 했음에도 불구하고 남편은 계속 A씨에게 비난, 폭언 및 폭행을 일삼는다. A씨는 남편을 가정 폭력으로 신고하였다.

① 피해자를 보호하기 위해 임시 조치를 한다.
② 개인과 가족을 위한 전문 상담 서비스를 제공한다.
③ 경찰관은 의무적으로 현장에 출동하고 조사를 한다.
④ 피해자가 보호 시설에서 생활할 수 있도록 지원한다.
⑤ 폭행 가해자와 접촉을 원하지 않아도 소통의 장을 마련해 준다.

1. 가족의 건강과 환경을 고려한 식품 선택의 중요성

식품을 선택할 때에는 가족의 건강과 환경을 고려하여 식품 성분 표시, 식품 인증 마크 등을 확인하고, 로컬 푸드를 선택하도록 한다.

① 식품 성분 표시

㉠ 의미: 소비자들이 자신에게 적합한 식품을 선택할 수 있도록 식품의 원재료명 및 함량, 제조 연월일 및 유통 기한, 영양 정보, 내용량, 보관 및 취급 방법 등에 관한 정보를 제품의 포장이나 용기에 표시한 것을 말한다.

㉡ 유통 기한: 제조일로부터 소비자에게 판매가 허용되는 기한을 말한다.

- 설탕과 소금 등은 미생물 번식 우려가 거의 없기 때문에 제조 일자만 표시한다.
- 편의점에서 판매하는 김밥, 샌드위치 등은 상하기 쉬우므로 유통 기한뿐만 아니라 제조 일자, 제조 시간까지 표기한다.

㉢ 영양 정보: 소비자가 자신의 건강에 도움이 되는 제품을 선택할 수 있도록 가공식품의 영양적 특성을 표시한 것을 말한다.

영양정보	총 내용량 00g 000kcal
총 내용량당	1일 영양성분 기준치에 대한 비율
나트륨 00mg	00%
탄수화물 00g	00%
당류 00g	
지방 00g	00%
트랜스지방 00g	
포화지방 00g	00%
콜레스테롤 00mg	00%
단백질 00g	00%
1일 영양성분 기준치에 대한 비율(%)은 2,000kcal 기준이므로 개인의 필요 열량에 따라 다를 수 있습니다.	

- 하루에 섭취해야 할 영양 성분 양의 몇 %를 식품이 함유하는지 알 수 있다.
  예) 지방의 비율이 16%이면 1일 영양 성분 기준치의 16%에 해당한다. 따라서 건강을 위해서는 그날 다른 식품을 통해 나머지 84%를 확보하는 것이 바람직하다.
- 소비자 관심도가 높은 영양 성분순으로 표시한다.
  예) 나트륨 → 탄수화물 → 지방 → 콜레스테롤 → 단백질 순

② 식품 인증 마크

㉠ 의미: 식품의 품질을 일정한 기준으로 검사하여 그 우수성과 안전성을 인증하는 표시 제도를 말한다.

㉡ 식품 인증 마크는 식품이 안전하게 재배되고 위생적으로 가공되었는지 알아볼 수 있도록 정보를 제공해 주므로, 식품을 선택할 때 식품 인증 마크를 확인하도록 한다.

㉢ 식품 인증 마크의 종류

유기 농산물 마크	유기 가공식품 마크	전통 식품 인증 마크
유기농 (ORGANIC) 농림축산식품부	유기가공식품 (ORGANIC) 농림축산식품부	전통식품 (TRADITIONAL FOOD) 농림축산식품부
합성 농약과 화학 비료를 사용하지 않고 재배한 농산물에 부여한다.	유기 농축산물을 95% 이상 이용하되, 모든 제조 과정이 철저히 인증된 가공식품에 부여한다.	우리 농산물로 만들어 안전하고, 전통의 맛과 향이 살아 있는 우수한 제품에 부여한다.
무농약 농산물 인증 마크	**농산물 우수 관리 인증 마크**	**HACCP**
무농약 (NON PESTICIDE) 농림축산식품부	GAP (우수관리인증) 농림축산식품부	안전관리인증 HACCP 식품의약품안전처
합성 농약은 사용하지 않고, 화학 비료는 권장량의 1/3 이하로 사용하여 재배한 농산물에 부여한다.	농산물 생산에서 제품화 단계까지 농약, 중금속, 미생물 등 위해 요소 관리가 우수한 농산물에 부여한다.	식품의 원재료에서부터 제조, 가공, 보존, 조리, 유통 등 모든 과정에서 위해 요소를 규명하고 위생적으로 관리된 식품에 부여한다.

③ 로컬 푸드(local food)

㉠ 의미: 지역에서 재배되고 생산·가공된 먹을거리를 말한다.

㉡ 장점

- 신선도가 높고 맛이 좋다.
- 식품의 운송 거리가 짧아 에너지 소비가 적고, 이산화탄소 발생량이 줄어들게 된다.
- 소비자는 신선하고 저렴한 식품을 살 수 있다.

㉢ 푸드 마일리지: 먹을거리가 이동하는 거리를 말한다.

푸드 마일리지를 줄이면 이산화탄소의 발생이 줄어들어 지구 온난화의 속도를 늦출 수 있다.

2. 똑 부러지는 현명한 장보기

① 식품 구매

㉠ 구매 순서 및 방법

- 생활 잡화를 먼저 구매하고, 식품은 나중에 구매한다.
- 식품의 구매는 1시간 이내로 한다.
- 장보기를 마치면 시간을 지체하지 말고 바로 귀가하여 냉장고에 보관한다.
- 샌드위치, 김밥, 떡볶이와 같은 즉석식품은 구매 후 바로 먹는다.

ⓒ 식품 구매 순서: 냉장이 필요 없는 식품 → 과일, 채소류 → 냉장이 필요한 가공식품 → 육류 → 어패류

② 식품별 확인 사항

㉠ 곡류: 낟알이 고르고 반투명한 것, 잘 건조되어 광택이 나는 것

㉡ 감자류: 알이 굵고 고르며, 단단하고 상처가 없는 것, 싹이 나지 않고 녹색을 띠지 않는 것

감자의 싹에는 솔라닌이라는 독소가 있으므로, 싹이 나지 않고 녹색을 띠지 않는 것을 선택해야 한다.

㉢ 콩류: 벌레 먹지 않은 것, 크기가 고르고 통통한 것, 단단하고 광택이 나는 것

㉣ 채소류: 제철에 생산된 것, 빛깔이 선명하고 싱싱한 것, 상처가 없고 단단한 것

㉤ 알류: 껍데기가 까슬까슬하고 광택이 없는 것, 흔들어 보았을 때 소리가 나지 않는 것, 깨뜨렸을 때 흰자와 노른자가 넓게 퍼지지 않고 모두 볼록하며, 탄력이 있는 것

㉥ 육류: 쇠고기와 돼지고기는 숙성된 것, 쇠고기는 선명한 붉은색을 띠고 탄력이 있는 것, 돼지고기는 살코기가 연분홍색을 띠고 지방이 희며 탄력과 윤기가 있는 것, 닭고기는 껍질이 크림색이고 탄력이 있으며 광택이 있는 것

㉦ 과일류: 제철에 생산된 것으로 알맞게 익은 것, 고유의 색과 향이 있고 윤기가 나는 것, 모양이 고르고 상처가 없는 것, 꼭지 부분이 신선한 것

㉧ 어패류: 살이 단단하고 탄력이 있는 것, 눈알이 맑고 튀어나온 것, 아가미가 선홍색을 띠는 것, 비린내가 나지 않는 것, 조개는 껍데기를 만졌을 때 즉시 오므리는 것

㉨ 가공식품: 식품 성분 표시 내용 확인, 식품의 포장에 표시된 기준대로 보관된 것, 용기나 포장 상태가 좋은 것

안전한 식품을 구매하려면!

- 상점 내부가 청결하고 정리가 잘 되어 있어 신뢰가 가는 곳에서 구입한다.
- 유통 기한을 확인하여 날짜가 많이 남아 있는 식품을 고른다.
- 캔, 용기 등의 포장이 파손되거나 움푹 들어간 것, 오염되어 있는 것은 피한다.
- 곰팡이가 있거나 변색되는 등 상한 것으로 보이는 식품은 피한다.
- 따뜻한 식품이 식어 있으면 구입하지 않는다.
- 카운터 위에 뚜껑 없이 판매하는 조리된 식품은 사지 않는다.

3. 식품의 안전한 관리와 보관 방법

① 식품 변질

㉠ 의미: 식품을 그대로 두었을 때, 식품의 특성과 외관, 품질이 점점 변하여 먹기에 적당하지 않은 상태로 나쁘게 변하는 것을 말한다.

㉡ 식품에 따른 식품 변질

종류	식품 변질 내용	원인
우유 및 유제품	산패, 냉장 중 쓴맛, 가스 발생	미생물, 효소, 수분 손실 등에 의한 화학 반응
육류, 알류 및 육가공품	부패, 변색, 악취	
어패류	비린내(부패취)	
채소 및 과일류 가공품	김치의 악취, 잼의 변패	

㉢ 식품 변질을 방지하는 방법

- 수분 조절: 탈수, 건조, 염장, 당장법
- 온도 조절: 냉장·냉동 보관
- pH 조절: 초절임
- 가열 살균: 통조림, 병조림, 레토르트 식품
- 기타: 자외선 조사, 방사선 조사, 산소 제거(진공 포장, 가스 치환), 훈연법, 식품 첨가물 사용

② 식품 위해 요소

㉠ 의미: 식품의 안전과 인체의 건강을 해할 우려가 있는 요소를 말한다.

㉡ 종류: 식중독균, 곰팡이, 농약, 항생 물질, 유해 화학 물질, 방사능 물질, 중금속 등

③ 식중독

주로 여름철에 많이 발생하지만, 선선한 날씨에도 발생하므로 항상 주의해야 한다.

㉠ 의미: 인체에 유해한 미생물 또는 유독 물질이 들어 있는 식품 섭취에 의해 발생하는 질환을 말한다.

㉡ 식중독이 발생하기 쉬운 식품: 도시락, 샐러드, 어패류, 육류 등

㉢ 식중독을 예방하는 세 가지 습관

- 손 씻기
- 익혀 먹기
- 끓여 먹기

㉣ 식중독을 예방하는 3원칙

- 청결: 식품을 청결하게 취급하여 조리하고 가공한다.
- 신속: 조리된 식품은 빠른 시간 안에 섭취한다.
- 보관: 저장이 어려울 때에는 냉각 또는 가열해야 한다.

01 (   )은/는 소비자들이 자신에게 적합한 식품을 선택할 수 있도록 식품의 원재료명 및 함량, 제조 연월일 및 유통 기한, 영양 정보, 내용량, 보관 및 취급 방법 등에 관한 정보를 제품의 포장이나 용기에 표시한 것을 말한다.

정답 식품 성분 표시

02 유통 기한은 제조일로부터 소비자에게 판매가 허용되는 기한을 말한다.

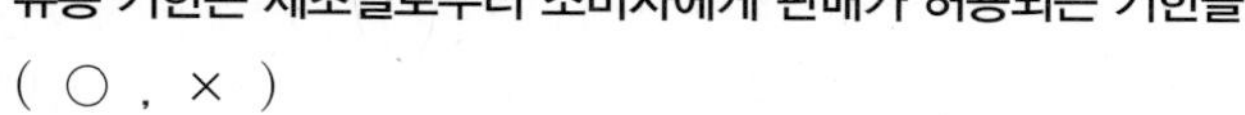

정답 ○

03 다음 중 식품 인증 마크가 나타내는 의미로 적절한 것은?

① 합성 농약은 사용하지 않고, 화학 비료는 권장량의 1/3 이하로 사용하여 재배한 농산물

② 합성 농약과 화학 비료를 사용하지 않고 재배한 농산물

③ 농산물 생산에서 제품화 단계까지 위해 요소 관리가 우수한 농산물

④ 식품의 원재료부터 유통까지 모든 과정에서 위해 요소를 규명하고 위생적으로 관리된 식품

⑤ 우리 농산물로 만들어 안전하고 전통의 맛과 향이 살아 있는 우수한 제품

정답 ④

04 식품 구매 방법에 대한 설명으로 적절한 것은?

① 식품의 구매 시간은 길면 길수록 좋다.
② 식품은 육류와 어패류를 가장 먼저 구매한다.
③ 식품을 먼저 구매하고 생활 잡화는 나중에 구매한다.
④ 장보기를 마치면 시간을 지체하지 말고 바로 귀가한다.
⑤ 샌드위치, 김밥, 떡볶이 등의 즉석식품은 오래 보관이 가능하다.

정답 ④

05 다음 중 식품 변질을 방지하는 방법이 아닌 것은?

① 건조 ② 냉동 ③ 초절임
④ 훈연법 ⑤ 상온 보관

정답 ⑤

06 인체에 유해한 미생물 또는 유독 물질이 들어 있는 식품 섭취에 의해 발생하는 질환을 무엇이라고 하는지 쓰시오.

(   )

정답 식중독

이해 문제

정답과 해설 13쪽

01 식품 성분 표시에서 확인할 수 있는 정보가 아닌 것은?

① 내용량　② 폐기율
③ 영양 정보　④ 보관 방법
⑤ 제조 연월일

02 영양 정보에 표시되는 영양소의 표시 순서로 옳은 것은?

① 탄수화물 → 지방 → 콜레스테롤 → 단백질 → 나트륨
② 탄수화물 → 단백질 → 지방 → 콜레스테롤 → 나트륨
③ 나트륨 → 탄수화물 → 지방 → 콜레스테롤 → 단백질
④ 나트륨 → 지방 → 콜레스테롤 → 단백질 → 탄수화물
⑤ 단백질 → 지방 → 콜레스테롤 → 탄수화물 → 나트륨

03 영양 정보에 대한 설명으로 적절한 것은?

① 제품의 포장이나 용기에 표시되어 있다.
② 식품의 원재료명 및 함량이 표시되어 있다.
③ 식품 첨가물의 허용 기준치를 제시하고 있다.
④ 식품군별 1일 권장 섭취 횟수가 표시되어 있다.
⑤ 소비자가 식품을 믿고 구매할 수 있도록 국가 기관에서 식품의 안전성과 우수성을 인증하는 표시 제도이다.

04 다음에서 설명하는 식품에 부여되는 인증 마크는?

> 생산에서 제품화 단계까지 농약, 중금속, 미생물 등 위해 요소 관리가 우수한 농산물

① 

② 

③ 

④ 

⑤ 

05 로컬 푸드의 장점으로 적절하지 않은 것은?

① 맛과 영양이 좋다.
② 다른 지역의 식품보다 값이 저렴하다.
③ 신선도가 높은 식품을 구입할 수 있다.
④ 유통, 운송 과정에서 에너지 소비가 적다.
⑤ 수입 농산물에 비해 이산화탄소 발생량이 많다.

06 푸드 마일리지에 대한 설명으로 적절하지 않은 것은?

① 먹을거리가 이동하는 거리를 말한다.
② 운송량(t) × 운송 거리(km)로 계산한다.
③ 로컬 푸드는 푸드 마일리지가 적은 식품이다.
④ 푸드 마일리지는 줄이면 지구 온난화 속도를 늦출 수 있다.
⑤ 먹을거리의 이동 거리가 가까울수록 이산화탄소 배출량이 늘어난다.

07 신선한 식품의 선택 방법으로 적절하지 않은 것은?

① 곡류 – 낟알이 고르고 반투명한 것
② 육류 – 쇠고기와 돼지고기는 숙성된 것
③ 감자류 – 알이 굵고 고르며 녹색을 띠는 것
④ 알류 – 껍데기가 까슬까슬하고 광택이 없는 것
⑤ 과일류 – 제철에 생산된 것으로 알맞게 익은 것

08 다음 중 식품 위해 요소가 아닌 것은?

① 농약　② 곰팡이
③ 항생 물질　④ 식품 첨가물
⑤ 유해 화학 물질

적용 문제

중요

01 식품 성분 표시를 확인해야 하는 이유를 잘못 말한 학생은?

① 민이: 자신의 건강에 도움이 되는 제품을 선택할 수 있어.
② 신나: 품질이 우수하고 안전한 식품을 선택하여 건강한 식생활을 할 수 있어.
③ 혁준: 고혈압인 아버지를 위해 영양 정보에서 나트륨 함량을 꼭 확인해야 해.
④ 명수: 유통 기한을 확인해서 제조된 지 오래되지 않은 신선한 식품을 선택하고 싶어.
⑤ 영희: 식품 첨가물의 허용치가 표시되어 있어서 기능성이 높은 식품을 선택할 수 있어.

02 다음에서 설명하는 식품 인증 마크는?

> 합성 농약은 사용하지 않고, 화학 비료는 권장량의 1/3 이하로 사용하여 재배한 농산물에 부여한다.

① GAP ② HACCP
③ 유기 농산물 마크 ④ 전통 식품 인증 마크
⑤ 무농약 농산물 인증 마크

중요

03 로컬 푸드와 푸드 마일리지에 대한 설명으로 적절하지 않은 것은?

① 로컬 푸드로 안전성과 신뢰도가 높은 식품을 선택할 수 있다.
② 로컬 푸드는 푸드 마일리지가 크고 유통 과정에서 에너지 소비가 많다.
③ 지역 농산물이나 직거래 장터를 이용하거나 텃밭을 가꾸면 푸드 마일리지를 줄일 수 있다.
④ 푸드 마일리지를 통해 식품이 생산된 곳에서 식탁에 오르기까지 이동한 거리를 알 수 있다.
⑤ 건강과 환경을 위해 식품에 표시된 원산지 및 생산지를 확인하여 식품의 이동 거리가 짧은 식품을 선택한다.

04 다음 중 장보기를 할 때 가장 마지막에 구입해야 하는 식품은?

① 우유 ② 식용유
③ 고등어 ④ 냉장 닭가슴살
⑤ 라면, 즉석 카레

05 <보기>에서 신선한 식품의 선택 방법으로 적절한 것을 모두 고른 것은?

> 보기
> ㄱ. 곡류 – 낟알이 고르고 반투명한 것
> ㄴ. 채소류 – 같은 크기일 경우 가벼운 것
> ㄷ. 콩류 – 벌레 먹지 않고 단단하며 광택이 나는 것
> ㄹ. 어패류 – 조개는 껍데기를 만졌을 때 움직이지 않는 것
> ㅁ. 알류 – 깨뜨렸을 때 흰자와 노른자가 넓게 퍼지지 않고 볼록한 것

① ㄱ, ㄴ ② ㄱ, ㄷ
③ ㄱ, ㄷ, ㄹ ④ ㄱ, ㄷ, ㅁ
⑤ ㄱ, ㄴ, ㄷ, ㅁ

06 쇠고기와 돼지고기를 선택할 때 품질이 좋은 고기의 색을 옳게 짝지은 것은?

	쇠고기	돼지고기
①	갈색	갈색
②	분홍색	선명한 붉은색
③	암적색	선명한 붉은색
④	선명한 붉은색	암적색
⑤	선명한 붉은색	연분홍색

07 품질이 좋은 가공식품이 아닌 것은?

① 냉장 보관된 소시지
② 포장 상태가 좋은 즉석 카레
③ 유통 기한이 많이 남은 게맛살
④ 용기의 보관 상태가 좋은 꽁치 통조림
⑤ 포장 안에 얼음 조각이 많은 냉동 만두

08 안전한 식품을 구매하는 방법으로 적절하지 않은 것은?

① 따뜻한 식품이 식어 있으면 구입하지 않는다.
② 유통 기한이 임박하여 할인 판매하는 식품을 구입한다.
③ 상점 내부가 청결하고 정리가 잘 되어 있는 곳에서 구입한다.
④ 카운터 위에 뚜껑 없이 판매하는 조리된 식품은 사지 않는다.
⑤ 곰팡이가 있거나 변색되는 등 상한 것으로 보이는 식품은 피한다.

09 식품 변질에 대한 설명으로 적절하지 않은 것은?

① 어패류는 비린내가 심해진다.
② 우유는 산패되고 쓴맛이 난다.
③ 잼은 변질되면 변패가 일어난다.
④ 육류는 부패하고 변색되며 악취가 난다.
⑤ 발효된 김치는 부패하거나 변질되지 않는다.

10 다음 식품들의 식품 변질 방지 방법은?

통조림, 병조림, 레토르트 식품

① 훈연법　② 건조법
③ 염장법　④ pH 조절
⑤ 가열 살균

11 〈보기〉에서 식중독을 예방하는 방법으로 적절한 것을 모두 고른 것은?

보기
ㄱ. 손을 물로만 씻는다.
ㄴ. 물은 60~70℃로 따뜻하게 데워 마신다.
ㄷ. 조리된 식품은 빠른 시간 안에 섭취한다.
ㄹ. 식품 가공을 위해서 식품을 청결하게 취급한다.
ㅁ. 음식의 저장이 어려울 때에는 냉각 또는 가열한다.

① ㄱ, ㄴ, ㄷ　② ㄱ, ㄷ, ㅁ
③ ㄱ, ㄹ, ㅁ　④ ㄴ, ㄷ, ㄹ
⑤ ㄷ, ㄹ, ㅁ

중요

12 냉장고의 사용법과 식품 보관에 대한 설명으로 적절하지 않은 것은?

① 채소는 검은색 비닐에 넣어 보관한다.
② 생선은 내장 제거 후 씻어서 보관한다.
③ 조리된 반찬은 냉장실 가운데에 보관한다.
④ 문 쪽은 온도 변화가 크므로 달걀을 금방 먹을 것만 보관한다.
⑤ 금방 먹을 어패류는 씻어서 밀폐 용기에 담아 냉장고의 신선실에 보관한다.

1. 식사 준비 과정

① 계획하기

㉠ 만들 음식을 정하고, 필요한 재료와 분량, 조리 도구, 조리 순서 등을 계획한다.

㉡ 조리 순서 계획의 장점: 식사 준비에 드는 시간과 노력을 절약할 수 있다.

㉢ 교차 오염

- 교차 오염은 식품에 따라 매번 교체할 수 없는 개수대와 도마에서 가장 많이 일어나기 때문에 식재료의 종류에 따라 조리 순서를 정하는 것이 매우 중요하다.
- 채소류 → 육류 → 어류 순서로 조리하는 것이 가장 안전하다.

② 준비하기

㉠ 손 씻기: 위생적인 조리를 위해 손을 철저히 씻는다. (잘 안 씻기는 부위는 비누를 사용하여 더 신경 써서 씻는다.)

㉡ 머릿수건, 앞치마를 착용한다.

㉢ 재료, 주방 기기와 조리 도구 등을 준비한다.

㉣ 다양한 조리 방법

- 생조리: 식품을 날것 그대로 조리하는 방법(예 생채, 샐러드, 회 등)
- 데치기: 식품을 끓는 물에 넣어 짧은 시간에 익히는 방법(예 시금치나물, 콩나물 등)
- 끓이기: 식품을 물에 넣고 가열하는 방법(예 국, 찌개 등)
- 굽기: 식품에 직접 열을 가하여 식품 자체 내의 수분에 의해 익히는 방법(예 너비아니, 생선구이 등)
- 찌기: 수증기의 열을 이용하여 식품을 익히는 방법(예 떡, 만두, 계란찜 등)
- 부치기: 프라이팬에 기름을 두르고 얄팍한 재료를 넣어서 지지며 익히는 방법(예 전, 부침개 등)
- 볶기: 프라이팬에 기름을 두르고 재료를 이리저리 저으며 짧은 시간에 익히는 방법(예 호박볶음, 멸치볶음 등)
- 튀기기: 끓는 기름 속에서 식품을 가열하는 방법(예 생선튀김, 새우튀김 등)

③ 조리하기

㉠ 계량하기 (액체는 투명한 계량컵을 사용하면 편리하고, 액체 표면과 눈높이를 맞추어 눈금을 읽는다.)

- 계량컵: 1C=200mL
- 계량스푼: 1Ts=15mL, 1ts=5mL
- 조리용 저울: 저울 중앙에 식품을 놓고 무게를 잰다. (저울은 편평한 곳에 놓고, 숫자를 '0'에 맞춘 후 잰다.)
- 가루는 윗면을 편평하게 깎아 잰다.

㉡ 다듬기/씻기: 식품의 필요 없는 부분을 제거하고, 식품에 있는 오염 물질을 흐르는 물에 깨끗이 씻는다.

㉢ 썰기

- 재료에 따른 썰기 방법

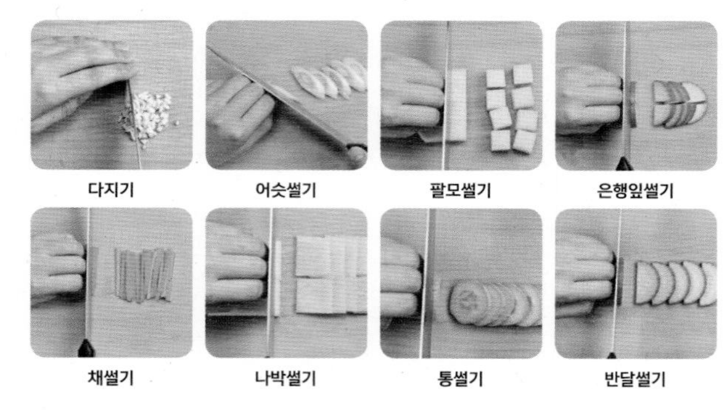

다지기 어슷썰기 팔모썰기 은행잎썰기 채썰기 나박썰기 통썰기 반달썰기

- 안전하게 칼 다루기: 칼을 사용할 때에는 손을 베이지 않도록 주의하고, 칼을 들고 장난쳐서는 안 된다.

㉣ 가열하기/맛 내기

- 식품에 맞는 가열 방법을 선택한다.
- 가열 방법에 따라 가열 시간이나 온도에 주의한다.
- 양념은 설탕 → 소금 → 식초 → 장류(간장, 고추장, 된장 등)의 순서로 넣어 맛을 낸다.

㉤ 담기: 그릇에 보기 좋게 담는다.

④ 뒷정리하기

㉠ 남은 음식은 뚜껑을 덮어 냉장고에 보관한다.

㉡ 설거지는 기름이 묻은 그릇과 묻지 않은 그릇으로 분류하고, 음식이 눌어붙은 그릇은 물에 불려 둔다. 깨지기 쉽고 기름기가 없는 그릇부터 먼저 씻는다.

㉢ 세제는 적당량만 사용하며, 세제가 남지 않도록 깨끗하게 헹군다.

㉣ 설거지를 마친 그릇들은 같은 크기와 종류끼리 엎어 놓고, 물기가 마르면 제자리에 넣어 둔다.

㉤ 설거지가 끝나면 조리대와 개수대 주변을 정리하고 개수대 거름망을 깨끗이 비운다.

㉥ 행주와 수세미를 깨끗이 빨아 햇볕에 말린다.

2. 가족 식사 만들기

① 콩밥

콩밥을 지을 때 불린 쌀과 콩을 냄비에 넣고 물을 부어 센 불에 끓이고, 끓어오르면 중간 불, 쌀알이 퍼지면 약한 불로 낮춘다.

㉠ 쌀에 콩을 섞어서 지은 밥이다.

㉡ 쌀에 부족한 단백질을 콩이 보완하는 역할을 한다.

㉢ 쌀만으로 지은 밥보다는 보리, 콩, 조 등 곡식을 섞거나 채소류, 해산물 등을 섞으면 영양적으로 우수하다.

㉣ 밥물의 양은 보통 쌀 부피의 1.2~1.5배로 하고, 불린 쌀로 할 경우 쌀과 물의 양을 1:1로 한다.

㉤ 쌀을 불렸던 물을 그대로 밥물로 이용하면, 밥물에 녹은 수용성 비타민의 손실을 방지할 수 있다.

② 두부 된장찌개

㉠ 두부, 호박 등 다양한 재료를 넣고 된장으로 간을 하여 끓이는 한국의 대표적인 국물 음식이다.

㉡ 찌개는 국보다 국물이 적은 음식으로 육류, 어패류, 채소류 등을 함께 넣어 끓이는 것이 특징이다.

㉢ 된장은 발효 식품으로 항암 효과가 있으며, 주원료인 콩은 양질의 식물성 단백질이 풍부하다.

㉣ 쌀뜨물을 이용하여 국물을 만들면 훨씬 더 구수한 맛을 낼 수 있다.

㉤ 국물용 멸치는 내장을 뺀 후 사용해야 쓴맛이 나지 않는다.

㉥ 해감한 조개를 넣어 끓여도 국물 맛이 좋다.

㉦ 조개를 넣을 때에는 소금물에 30분 정도 담가 해감한 후 사용한다.

③ 시금치나물

㉠ 시금치는 비타민 A, 비타민 C, 철분, 칼슘 등이 풍부한 녹색 채소이다.

㉡ 녹색 채소를 데칠 때에는 채소가 잠길 정도의 충분한 양(채소 무게의 5배)의 물에 데쳐 단시간에 익힌다.

㉢ 녹색 채소를 데칠 때에는 유기산이 휘발할 수 있도록 뚜껑을 열고 단시간에 데쳐야 한다. 소금을 조금 넣고 데친 후 찬물에 재빨리 헹구면 누렇게 변하는 것을 방지할 수 있다.

㉣ 시금치는 오래 데치면 질감이 물러지므로, 넣을 때는 끓는 물에 뿌리 쪽부터 넣어 숨이 죽으면 바로 꺼내는 것이 좋다.

④ 생선전

㉠ 전은 육류, 생선, 채소 등을 얇게 저미거나 다져 밀가루와 달걀 푼 것을 씌워 기름에 부쳐낸 음식으로, 초간장을 곁들여 낸다.

㉡ 생선전감으로는 비린내가 심하지 않고 연한 동태, 대구, 민어 등의 흰 살 생선을 주로 이용한다.

㉢ 생선전이 타지 않도록 불의 세기를 중간 불에서 약한 불로 조절한다.

⑤ 깍두기

㉠ 무를 팔모썰기하여 고춧가루와 갖은 양념을 넣고 버무려 만든 김치이다.

㉡ 무에는 소화 효소가 들어 있어 소화를 도와준다.

㉢ 특히 가을철 무는 단단하고 자체에 단맛이 있어 깍두기를 만들기에 적당하다.

㉣ 김치에 따라 젓갈의 종류를 다르게 사용한다.

㉤ 깍두기와 백김치를 만들 때에는 깔끔한 맛을 내는 새우젓이 적당하고, 배추김치와 총각김치는 진한 감칠맛을 내는 멸치 액젓에 새우젓을 섞은 것이 적당하다.

㉥ 국물이 없는 깍두기를 만들려면 무를 썬 후, 소금을 넣고 한 시간 동안 절였다가 물을 버리고 사용한다.

⑥ 오미자 화채

㉠ 말린 오미자 열매를 찬물에 담가 물을 우려낸 후, 설탕이나 꿀을 넣고 과일을 띄워 먹는 음식으로, 여름철에 주로 먹으며 피로 해소에 좋다.

㉡ 오미자를 더운물에 불리거나 끓이면 떫은맛과 신맛이 강해지므로 찬물에서 서서히 우려낸다.

㉢ 설탕 대신 꿀을 넣어 단맛을 내기도 한다.

㉣ 계절에 따라 배 대신 앵두, 딸기 등을 이용할 수 있다.

㉤ 배는 갈변을 막기 위해 설탕물에 담가 둔다.

아스코르브산을 녹인 물에 담근다.

기초 문제

01 (　　　　)은/는 식품에 따라 매번 교체할 수 없는 개수대와 도마에서 가장 많이 일어난다. 따라서 식재료의 종류에 따라 조리 순서를 정하는 것이 매우 중요하다.

정답 교차 오염

02 조리를 준비하는 자세로 적절하지 않은 것은?

① 손을 씻는다.
② 조리대를 깨끗하게 준비한다.
③ 머릿수건, 앞치마를 착용한다.
④ 재료, 주방 기기와 조리 도구 등을 준비한다.
⑤ 생선과 고기는 조리 직전에 해동할 준비를 한다.

정답 ⑤

03 식품을 끓는 물에 넣어 짧은 시간에 익히는 조리 방법은 무엇인지 쓰시오.

정답 데치기

04 (　　　　)(이)란 너비아니처럼 식품에 직접 열을 가하여 식품 자체 내의 수분에 의해 익히는 조리 방법이다.

정답 굽기

05 조리용 저울을 사용할 때에는 식품을 저울 가장자리에 놓고 무게를 잰다.
(○ , ×)

정답 ×

06 (　　　　)을/를 잴 때에는 윗면을 편평하게 깎아 잰다.

정답 가루

07 다음 양념들을 넣는 순서대로 쓰시오.

> 소금, 식초, 장류, 설탕

(　　　　→　　　　→　　　　→　　　　)

정답 설탕, 소금, 식초, 장류

08 설거지는 기름이 묻은 그릇과 묻지 않은 그릇으로 분류하고, 깨지기 쉽고 기름기가 없는 그릇을 나중에 씻는다.
(○ , ×)

정답 ×

09 콩밥은 쌀에 부족한 (   )을/를 콩이 보완하는 역할을 한다.

정답 단백질

10 콩밥을 지을 때 불린 쌀과 콩을 냄비에 넣고 물을 부어 (   ) 불에서 끓인다. 끓어오르면 (   ) 불, 쌀알이 퍼지면 (   ) 불로 낮춘다.

정답 센, 중간, 약한

11 된장은 (   ) 식품으로 항암 효과가 있다.

정답 발효

12 된장찌개에 쌀뜨물을 이용하여 국물을 만들면 훨씬 더 구수한 맛을 낼 수 있다.
(○ , ×)

정답 ○

13 녹색 채소를 데칠 때 뚜껑을 닫으면 (   )이/가 휘발하지 못해 누렇게 변색되므로, 뚜껑을 열고 단시간에 데쳐야 한다.

정답 유기산

14 전은 육류, 생선, 채소 등을 얇게 저미거나 다져 밀가루와 달걀 푼 것을 씌워 기름에 부쳐 낸 음식으로, (   )을/를 곁들여 낸다.

정답 초간장

15 깍두기와 백김치를 만들 때에는 깔끔한 맛을 내는 새우젓이 적당하다.
(○ , ×)

정답 ○

16 오미자를 더운물에 불리거나 끓이면 떫은맛과 신맛이 강해지므로 찬물에서 서서히 우려내는 것이 좋다.
(○ , ×)

정답 ○

이해 문제

01 식사 계획에 대한 설명으로 적절하지 않은 것은?

① 영양적으로 균형을 갖춘 식사를 계획한다.
② 가족의 경제 상황을 고려하여 예산에 맞게 계획한다.
③ 만들 음식을 정하고 필요한 재료와 분량을 계획한다.
④ 가족 구성원의 건강 상태는 고려하지만, 요구나 기호는 고려하지 않는다.
⑤ 합리적으로 식사 계획을 하면 식사 준비에 드는 시간과 노력을 절약할 수 있다.

02 위생과 안전을 고려한 조리를 위한 방법으로 적절한 것은?

① 손을 물로만 씻는다.
② 식재료의 종류에 따라 조리 순서를 정한다.
③ 칼을 사용할 때에는 손가락을 펴서 재료를 자른다.
④ 머릿수건과 앞치마는 조리하다가 필요할 때 착용한다.
⑤ 교차 오염 방지를 위해 어류, 육류, 채소류 순서로 조리한다.

03 (가)와 (나)의 조리 방법을 바르게 짝지은 것은?

(가) 식품을 날것 그대로 조리하는 방법
(나) 프라이팬에 기름을 두르고 재료를 이리저리 저으며 짧은 시간에 익히는 방법

	(가)	(나)
①	찌기	볶기
②	굽기	부치기
③	생조리	찌기
④	생조리	볶기
⑤	생조리	튀기기

04 조리 방법과 그 예가 적절하게 연결된 것은?

① 볶기 – 부침개
② 끓이기 – 찌개
③ 굽기 – 떡, 만두
④ 찌기 – 너비아니
⑤ 생조리 – 시금치나물

05 〈보기〉에서 계량에 대한 설명으로 적절한 것을 모두 고른 것은?

보기
ㄱ. 1ts은 15mL이다.
ㄴ. 1C은 330mL이다.
ㄷ. 가루는 윗면을 편평하게 깎아 잰다.
ㄹ. 저울은 편평한 곳에 놓고 숫자를 '0'에 맞춘 후 잰다.

① ㄱ, ㄴ ② ㄱ, ㄹ ③ ㄴ, ㄷ
④ ㄴ, ㄹ ⑤ ㄷ, ㄹ

06 (가)와 (나)의 썰기 방법을 바르게 짝지은 것은?

(가)	(나)

	(가)	(나)
①	채썰기	통썰기
②	통썰기	반달썰기
③	나박썰기	반달썰기
④	나박썰기	은행잎썰기
⑤	팔모썰기	은행잎썰기

07 식사의 뒷정리하기에 대한 설명으로 적절하지 않은 것은?

① 세제는 적당량만 사용한다.
② 기름기가 있는 그릇부터 먼저 설거지한다.
③ 행주와 수세미를 깨끗이 빨아 햇볕에 말린다.
④ 남은 음식은 뚜껑을 덮어 냉장고에 보관한다.
⑤ 설거지를 마친 그릇들은 같은 크기와 종류끼리 엎어 놓는다.

08 콩밥에 대한 설명으로 적절하지 않은 것은?

① 쌀만으로 지은 밥보다 영양적으로 우수하다.
② 쌀에 부족한 단백질을 콩이 보완하는 역할을 한다.
③ 쌀과 콩은 씻어서 각각 30분, 3시간 동안 물에 불린다.
④ 중간 불 – 약한 불 – 센 불의 순서로 밥을 지어 녹말의 호화가 잘되게 한다.
⑤ 쌀을 불렸던 물을 그대로 밥물로 이용하여 수용성 비타민의 손실을 방지한다.

09 〈보기〉에서 된장찌개에 대한 설명으로 적절한 것을 모두 고른 것은?

보기
ㄱ. 된장은 발효 식품으로 항암 효과가 있다.
ㄴ. 된장은 숟가락으로 떠 넣고 저어 주면 잘 풀어진다.
ㄷ. 멸치는 내장을 빼지 않고 사용해야 진한 맛이 우러난다.
ㄹ. 된장찌개에 조개를 넣을 때에는 소금물에 30분 정도 담가 해감한 후 사용한다.

① ㄱ, ㄴ ② ㄱ, ㄹ ③ ㄴ, ㄷ
④ ㄴ, ㄹ ⑤ ㄷ, ㄹ

10 〈보기〉에서 시금치를 데칠 때 녹색을 선명하게 유지하기 위한 방법으로 적절한 것을 모두 고른 것은?

보기
ㄱ. 설탕을 조금 넣고 데친다.
ㄴ. 채소 무게의 2배 정도의 물에 데친다.
ㄷ. 데친 시금치를 찬물에 재빨리 헹군다.
ㄹ. 유기산이 휘발할 수 있도록 뚜껑을 열고 데친다.

① ㄱ, ㄴ ② ㄱ, ㄹ ③ ㄴ, ㄷ
④ ㄴ, ㄹ ⑤ ㄷ, ㄹ

11 생선전감으로 적절하지 않은 생선은?

① 동태 ② 대구 ③ 민어
④ 광어 ⑤ 고등어

12 〈보기〉에서 깍두기에 대한 설명으로 적절한 것을 모두 고른 것은?

보기
ㄱ. 무에는 소화 효소가 들어 있어 소화를 도와준다.
ㄴ. 무 껍질에는 영양 성분이 없으므로 모두 벗겨 낸다.
ㄷ. 고춧가루는 쪽파, 마늘, 새우젓과 함께 넣어 버무린다.
ㄹ. 가을무는 단단하고 단맛이 있어 깍두기를 담그기에 적합하다.

① ㄱ, ㄴ ② ㄱ, ㄹ ③ ㄴ, ㄷ
④ ㄴ, ㄹ ⑤ ㄷ, ㄹ

13 오미자 화채를 만드는 방법으로 적절한 것은?

① 오미자를 더운물에 우려낸다.
② 잣은 고깔을 떼지 않고 띄운다.
③ 화채에 띄우는 잣은 많을수록 좋다.
④ 설탕 대신 꿀을 넣어 단맛을 내기도 한다.
⑤ 오미자를 우려낸 후 오미자 열매를 그대로 띄운다.

14 〈보기〉에서 화채에 넣을 배의 갈변을 막는 방법으로 적절한 것을 모두 고른 것은?

보기
ㄱ. 끓는 물에 데친다.
ㄴ. 더운물에 담가 둔다.
ㄷ. 설탕물에 담가 둔다.
ㄹ. 아스코르브산을 녹인 물에 담근다.

① ㄱ, ㄴ ② ㄱ, ㄹ ③ ㄴ, ㄷ
④ ㄴ, ㄹ ⑤ ㄷ, ㄹ

01 **다음의 가족 구성원의 요구와 영양적 균형을 고려한 식사 계획으로 적절한 것은?**

> • 동생: 나는 다이어트 중이에요.
> • 아버지: 나는 단 음식을 먹으면 안 된다.
> • 할머니: 나는 씹는 것이 힘들어서 부드러운 재료를 넣어 만든 것이 좋겠구나.

① 동생을 위해 양념을 많이 넣어 조리한다.
② 아버지를 위해 과일을 많이 넣어 조리한다.
③ 할머니를 위해 콩을 불리지 않고 밥을 짓는다.
④ 아버지를 위해 설탕 대신 꿀을 사용하여 조리한다.
⑤ 동생을 위해 기름지지 않은 음식, 신선한 채소, 잡곡밥을 만든다.

02 **식사를 준비할 때 미리 해 두면 좋은 작업으로 짝지은 것은?**

① 썰기, 데우기　　② 다듬기, 담기
③ 맛 내기, 썰기　　④ 익히기, 무치기
⑤ 불리기, 해동하기

03 **〈보기〉에서 위생적인 조리에 대한 설명으로 적절한 것을 모두 고른 것은?**

> 보기
> ㄱ. 행주와 수세미를 깨끗이 빨아 햇볕에 말린다.
> ㄴ. 행주는 한 개를 이용하여 여러 가지 용도에 사용한다.
> ㄷ. 도마는 세척을 한 후 물기가 있는 상태에서 보관한다.
> ㄹ. 조리대가 더러울 때는 깨끗한 행주나 키친타월로 닦는다.
> ㅁ. 칼과 도마는 고기용, 생선용, 채소용으로 구분하여 사용한다.

① ㄱ, ㄴ, ㄷ　　② ㄱ, ㄷ, ㅁ
③ ㄱ, ㄹ, ㅁ　　④ ㄴ, ㄷ, ㅁ
⑤ ㄱ, ㄴ, ㄷ, ㄹ, ㅁ

04 **조리 과정을 순서대로 바르게 나열한 것은?**

① 계량하기 → 다듬기·씻기 → 썰기 → 가열하기·맛 내기 → 담기
② 계량하기 → 썰기 → 다듬기·씻기 → 가열하기·맛 내기 → 담기
③ 계량하기 → 가열하기·맛 내기 → 썰기 → 다듬기·씻기 → 담기
④ 다듬기·씻기 → 계량하기 → 썰기 → 가열하기·맛 내기 → 담기
⑤ 다듬기·씻기 → 썰기 → 계량하기 → 가열하기·맛 내기 → 담기

05 **〈보기〉에서 조리 과정에 대한 설명으로 적절한 것을 모두 고른 것은?**

> 보기
> ㄱ. 가열 방법에 따라 가열 시간이나 온도에 주의한다.
> ㄴ. 식품은 용도에 맞게 썬 후 흐르는 물에 깨끗이 씻는다.
> ㄷ. 칼을 사용할 때에는 손가락을 곧게 펴 베이지 않도록 주의한다.
> ㄹ. 양념은 설탕→소금→식초→장류(간장, 고추장, 된장 등)의 순서로 넣어 맛을 낸다.

① ㄱ, ㄴ　　② ㄱ, ㄹ　　③ ㄴ, ㄷ
④ ㄴ, ㄹ　　⑤ ㄷ, ㄹ

06 **〈보기〉에서 식사의 뒷정리하기에 대한 설명으로 적절한 것을 모두 고른 것은?**

> 보기
> ㄱ. 음식이 눌어붙은 그릇은 물에 불려 둔다.
> ㄴ. 깨지기 쉬운 그릇은 가장 나중에 씻는다.
> ㄷ. 설거지가 끝나면 개수대 거름망을 깨끗이 비운다.
> ㄹ. 세제의 양과 세척력은 비례하므로 세제를 많이 사용한다.
> ㅁ. 설거지를 마친 그릇들은 물기가 마르면 제자리에 넣어 둔다.

① ㄱ, ㄴ, ㄷ　　② ㄱ, ㄷ, ㅁ
③ ㄱ, ㄹ, ㅁ　　④ ㄴ, ㄷ, ㄹ
⑤ ㄷ, ㄹ, ㅁ

중요

07 **음식을 만드는 방법에 대한 설명으로 적절한 것은?**

① 콩밥: 불을 끄고 10분 정도 뜸을 들여야 맛이 좋다.
② 깍두기: 진한 감칠맛을 내는 멸치 액젓이 적당하다.
③ 시금치나물: 시금치는 끓는 물에 식초를 약간 넣고 데친다.
④ 두부 된장찌개: 끓는 물에 멸치와 다시마를 넣고 15분 정도 두었다가 건져 낸다.
⑤ 생선전: 밑간을 해 둔 동태에 물기가 있는 상태에서 바로 식용유를 두르고 지져 낸다.

08 **두부 된장찌개를 만드는 방법으로 적절한 것은?**

① 국물의 간은 간장으로 한다.
② 호박은 팔모썰기 하여 넣는다.
③ 조개는 설탕물에 담가 해감을 토하게 한다.
④ 국물용 멸치는 내장을 뺀 후 사용해야 쓴맛이 나지 않는다.
⑤ 국물이 끓으면 두부를 넣고, 그다음 호박과 양파를 넣어 끓인다.

09 **생선전에 곁들여 내는 초간장의 재료와 비율로 바른 것은?**

① 간장 : 식초 : 물 = 1 : 1 : 1
② 간장 : 식초 : 물 = 1 : 2 : 3
③ 간장 : 고추장 : 물 = 1 : 2 : 1
④ 간장 : 고추장 : 식초 = 1 : 1 : 1
⑤ 간장 : 고추장 : 식초 = 1 : 2 : 3

10 **〈보기〉에서 생선전을 만드는 방법으로 적절한 것을 모두 고른 것은?**

보기
ㄱ. 전과 함께 초간장을 곁들인다.
ㄴ. 생선포에 설탕과 소금을 뿌려 밑간을 한다.
ㄷ. 생선살에 간이 배면 밀가루를 묻히고 달걀물을 입힌다.
ㄹ. 처음에는 약한 불로 하다가 센 불로 불의 세기를 조절한다.

① ㄱ, ㄴ ② ㄱ, ㄷ ③ ㄴ, ㄷ
④ ㄴ, ㄹ ⑤ ㄷ, ㄹ

11 **깍두기를 만들 때 무에 고춧가루를 넣고 10분 정도 두는 이유를 가장 타당하게 설명한 사람은?**

① 선영: 간이 배도록 하기 위해서야.
② 미선: 붉은색이 배어들도록 하기 위해서야.
③ 경민: 국물이 없는 깍두기를 만들기 위해서야.
④ 문영: 깍두기의 맛을 깔끔하게 하기 위해서야.
⑤ 호준: 삼투 현상을 일으켜서 수분이 빠져나오도록 하기 위해서야.

12 **〈보기〉에서 카나페를 만드는 방법으로 적절한 것을 모두 고른 것은?**

보기
ㄱ. 오이는 채썰기 한다.
ㄴ. 견과류와 같이 잘 붙지 않는 재료는 물을 묻혀 올린다.
ㄷ. 햄과 치즈는 포장을 벗겨 크래커 모양에 맞게 4등분한다.
ㄹ. 크래커 위에 햄, 치즈, 오이를 색을 맞추어 올린 후 방울토마토, 삶은 메추리알, 무순으로 장식한다.

① ㄱ, ㄴ ② ㄱ, ㄹ ③ ㄴ, ㄷ
④ ㄴ, ㄹ ⑤ ㄷ, ㄹ

실전 문제

틀리기 쉬운 문제

01 다음에서 설명하는 의사 결정과 관련하여 바람직하지 않은 태도는?

> 성적인 행동을 스스로 판단하여 결정하고 선택하는 것

① 나의 감정에 대해 잘 알고 표현할 수 있다.
② 성 행동의 결과를 책임질 수 있는지 생각한다.
③ 상대방이 거절하는 성 행동에 대해 일방적으로 강요하지 않는다.
④ 상대방이 의사 표현을 하지 않으면 성 행동을 원하는 것으로 생각한다.
⑤ 좋아하다가 싫어지는 감정이 생길 수 있다는 것을 인정하고 받아들일 수 있다.

02 〈보기〉에서 성폭력에 관한 잘못된 지식을 모두 고른 것은?

> 보기
> ㄱ. 남성의 성 충동은 억제하기 어렵다.
> ㄴ. 끝까지 저항하면 성폭력은 불가능하다.
> ㄷ. 여성이 스스로 몸가짐을 조심해야 한다.
> ㄹ. 음란한 말을 하는 것은 성폭력이 아니다.
> ㅁ. 성폭력의 가해자는 정신적으로 이상이 있다.

① ㄱ, ㄷ ② ㄱ, ㄷ, ㅁ
③ ㄱ, ㄴ, ㄹ, ㅁ ④ ㄱ, ㄷ, ㄹ, ㅁ
⑤ ㄱ, ㄴ, ㄷ, ㄹ, ㅁ

03 다음에서 설명하는 성폭력의 유형은?

> 성과 관계된 말과 행동으로 상대방에게 불쾌감, 굴욕감 등을 주어 피해를 입히는 행위

① 강간 ② 방임 ③ 성폭행
④ 성추행 ⑤ 성희롱

04 각 차원에서 성폭력의 영향을 제시한 것으로 적절한 것은?

① 신체적 후유증 – 죄의식
② 신체적 후유증 – 의욕 상실
③ 심리적 후유증 – 성매개 감염병
④ 사회적 후유증 – 부정적인 자기 인식
⑤ 사회적 후유증 – 대인 관계에서의 두려움

05 〈보기〉에서 성폭력 가해자 예방 방법으로 적절한 것을 모두 고른 것은?

> 보기
> ㄱ. 상대방이 원하지 않는 성 행동을 강요하지 않는다.
> ㄴ. 성 행동에 상대방이 침묵한다면 동의로 받아들인다.
> ㄷ. 친구끼리 모르고 한 행동이라면 사과하지 않아도 된다.
> ㄹ. 성적인 욕구는 스스로 조절하고 자제할 수 있다는 것을 명심한다.
> ㅁ. 내가 성 행동을 원한다고 상대방도 이를 원할 것이라고 생각하지 않는다.

① ㄱ, ㄴ, ㄷ ② ㄱ, ㄷ, ㅁ
③ ㄱ, ㄹ, ㅁ ④ ㄴ, ㄷ, ㄹ
⑤ ㄷ, ㄹ, ㅁ

06 〈보기〉에서 성폭력 피해를 당한 친구에 대한 대응 방법으로 적절한 것을 모두 고른 것은?

> 보기
> ㄱ. "너의 잘못이 아니야."라고 잘 위로해 준다.
> ㄴ. "나라면 안 그랬을 텐데."라고 잘 위로해 준다.
> ㄷ. 친구의 말을 믿어 주고 전문 기관의 도움을 받도록 권유한다.
> ㄹ. 가능한 한 깨끗하게 씻고 속옷을 빤 후, 경찰서로 갈 수 있도록 안내한다.

① ㄱ, ㄴ ② ㄱ, ㄷ ③ ㄴ, ㄷ
④ ㄴ, ㄹ ⑤ ㄷ, ㄹ

07 다음에 속하는 가정 폭력의 유형은?

> 김 씨는 6살 자녀를 돌보지 않고 집에 혼자 방치해 두었다.

① 성적 폭력
② 정서적 폭력
③ 방임적 폭력
④ 경제적 폭력
⑤ 통제적 폭력

자주 출제되는 문제

08 가정 폭력의 영향으로 적절하지 않은 것은?

① 가정 폭력이 대물림될 수 있다.
② 가족 해체의 가능성이 낮아진다.
③ 멍, 골절 등의 신체적 피해를 입는다.
④ 두려움, 불안감, 증오심 등을 느끼게 된다.
⑤ 신체적, 정신적 피해로 여러 가지 사회 문제를 일으킬 수 있다.

09 다음과 같은 문제에 대한 대처 방법과 지원 방안으로 적절하지 않은 것은?

> 나이가 들어 가벼운 중풍과 치매 증상이 있어 거동이 불편한 할아버지가 아들로부터 상습적으로 폭행을 당해 왔다.

① 증거 자료를 보존한다.
② 피해 사실을 숨기고 신고하지 않는다.
③ 가정 폭력 전문 상담 기관에서 상담한다.
④ 경찰관이 현장 출동하여 조사하고 임시 조치를 할 수 있다.
⑤ 보호 시설이 멀리 떨어져 있을 경우 임시 보호소를 마련해 준다.

10 〈보기〉에서 식품 성분 표시에 대한 설명으로 적절한 것을 모두 고른 것은?

> 보기
> ㄱ. 제품의 포장이나 용기에 표시한다.
> ㄴ. 원재료 함량과 원재료 가격을 표시한다.
> ㄷ. 내용량, 유통 기한, 보관 방법 등을 표시한다.
> ㄹ. 소비자가 자신에게 적합한 식품을 선택할 수 있도록 정보를 표시한 것이다.

① ㄱ　　② ㄱ, ㄷ　　③ ㄴ, ㄷ
④ ㄴ, ㄹ　　⑤ ㄱ, ㄷ, ㄹ

틀리기 쉬운 문제

11 영양 정보에 대한 설명을 잘못 말한 사람은?

영양정보	총 내용량 00g 000kcal
총 내용량당	1일 영양성분 기준치에 대한 비율
나트륨 00mg	00%
탄수화물 00g	00%
당류 00g	
지방 00g	00%
트랜스지방 00g	
포화지방 00g	00%
콜레스테롤 00mg	00%
단백질 00g	00%
1일 영양성분 기준치에 대한 비율(%)은 2,000kcal 기준이므로 개인의 필요 열량에 따라 다를 수 있습니다.	

① 민주: 하루에 섭취해야 할 영양 성분 양의 몇 %를 식품이 함유하는지 알 수 있어.
② 진수: 맞아. 그건 1일 영양 성분 기준치를 2,000kcal로 했어.
③ 미진: 그리고 지방은 불포화 지방의 양까지 확인할 수 있어서 도움이 많이 돼.
④ 소미: 소비자의 관심도가 높은 나트륨이나 탄수화물, 지방을 우선 확인할 수 있지.
⑤ 지헌: 다이어트를 할 때 식품의 열량을 확인하고 고를 수 있어서 유용해.

실전 문제

12 〈보기〉에서 식품 인증 마크에 대해 옳게 말한 사람은?

보기
- 소미: 수입 농산물로 만들어도 '전통 식품 인증 마크'를 부여할 수 있어.
- 민지: '유기 가공식품 마크'는 유기 농축산물을 50% 이상 이용했다는 것을 뜻해.
- 혜수: 식품 인증 마크가 있는 식품이라면 위생적으로 가공되었다고 믿을 수 있어.
- 범수: '무농약 농산물 인증 마크'는 합성 농약은 사용하지 않고, 화학 비료는 권장량의 1/3 이하로 사용해 재배한 농산물이라는 것을 뜻해.

① 소미, 민지　② 소미, 혜수
③ 소미, 범수　④ 민지, 혜수
⑤ 혜수, 범수

13 로컬 푸드를 이용해야 하는 이유를 잘못 말한 사람은?

① 민주: 신선도가 높고 맛과 영양이 풍부하기 때문입니다.
② 진수: 살충제, 방부제 등 유해 물질을 적게 사용하기 때문입니다.
③ 미진: 푸드 마일리지를 줄여 환경 오염을 감소시키기 때문이에요.
④ 소미: 지역 농산물을 소비함으로써 지역 경제가 활성화되기 때문이에요.
⑤ 지헌: 이산화탄소 배출량이 늘어나 지구 온난화를 늦출 수 있기 때문입니다.

14 영미가 한 행동의 의의로 적절하지 않은 것은?

영미는 푸드 마일리지가 16,580(t · km)인 호주산 밀가루로 만든 빵 대신, 푸드 마일리지가 0.742(t · km)인 국산 밀가루로 만든 빵을 선택하였다.

① 지역 경제를 활성화시킬 수 있다.
② 신선도가 높은 식품을 섭취할 수 있다.
③ 맛과 영양보다는 환경만을 고려한 식품 선택이다.
④ 온실가스의 배출량을 줄여 환경 오염을 감소시킨다.
⑤ 유해 물질의 사용이 적은 안전한 식품을 섭취할 수 있다.

15 신선한 식품을 바르게 선택한 것은?

① 육류 – 눌러 보았을 때 탄력이 없는 것
② 곡류 – 낟알이 불투명한 흰색이며 촉촉한 것
③ 어패류 – 눈알이 붉고 비린내가 충분히 나는 것
④ 과일류 – 거의 익지 않고 껍질에 윤기가 없는 것
⑤ 채소류 – 빛깔이 선명하고 단단하며 상처가 없는 것

16 육류의 선택 방법에 대한 설명으로 적절하지 않은 것은?

① 쇠고기와 돼지고기는 갓 잡은 것을 선택한다.
② 쇠고기는 선명한 붉은색을 띠는 것을 선택한다.
③ 돼지고기는 살코기가 연분홍색을 띠는 것을 선택한다.
④ 닭고기는 껍질이 크림색이고 광택이 있는 것을 선택한다.
⑤ 돼지고기는 지방이 희고 탄력과 윤기가 있는 것을 선택한다.

틀리기 쉬운 문제

17 〈보기〉에서 식품 변질에 대한 설명으로 적절한 것을 모두 고른 것은?

보기
ㄱ. 어패류는 변질되면 가스가 발생한다.
ㄴ. 식품 변질에는 산패, 부패, 변패 등이 있다.
ㄷ. 통조림, 레토르트 식품은 pH를 조절하여 변질을 방지한 식품이다.
ㄹ. 미생물, 효소, 수분 손실 등에 의한 화학 반응으로 식품 변질이 일어난다.
ㅁ. 식품을 그대로 두었을 때 식품의 특성과 외관, 품질이 점점 변하여 먹기에 적당하지 않은 상태로 나쁘게 변하는 것을 말한다.

① ㄱ, ㄴ, ㄷ　② ㄱ, ㄷ, ㅁ
③ ㄴ, ㄷ, ㄹ　④ ㄴ, ㄹ, ㅁ
⑤ ㄷ, ㄹ, ㅁ

18 다음에서 설명하는 개념은?

> • 식품의 안전과 인체의 건강을 해할 우려가 있는 요소를 말한다.
> • 식중독균, 곰팡이, 농약, 항생 물질, 유해 화학 물질, 방사능 물질, 중금속 등이 있다.

① 교차 오염
② 식품 첨가물
③ 유기 가공식품
④ 식품 위해 요소
⑤ 식품 안전 관리 인증 기준

19 ㉠과 ㉡에 들어갈 말을 알맞게 연결한 것은?

> (㉠)은 인체에 유해한 미생물 또는 유독 물질이 들어 있는 식품 섭취에 의해 발생하는 질환을 말한다. 특히 (㉡)철에 많이 발생한다.

	㉠	㉡
①	식중독	겨울
②	식중독	여름
③	교차 오염	겨울
④	교차 오염	여름
⑤	식품 변질	여름

20 〈보기〉에서 냉장고의 식품 보관 방법으로 적절한 것을 모두 고른 것은?

> 보기
> ㄱ. 상하기 쉬운 식품은 냉장실 문 쪽에 보관한다.
> ㄴ. 식품은 냉장고 전체 용량의 70% 이하로 채운다.
> ㄷ. 감자, 고구마, 바나나는 냉장고 안쪽에 보관한다.
> ㄹ. 생선 핏물은 생선을 빨리 상하게 하므로 씻어서 보관한다.
> ㅁ. 금방 먹을 어패류는 씻어서 밀폐 용기에 넣어 냉장실(신선실)에 보관한다.

① ㄱ, ㄴ　② ㄱ, ㄷ　③ ㄱ, ㄷ, ㄹ
④ ㄴ, ㄷ, ㅁ　⑤ ㄴ, ㄹ, ㅁ

자주 출제되는 문제

21 〈보기〉의 조리 방법과 그 명칭을 알맞게 연결한 것은?

> 보기
> ㄱ. 수증기의 열을 이용하여 식품을 익히는 방법
> ㄴ. 식품을 끓는 물에 넣어 짧은 시간에 익히는 방법
> ㄷ. 식품에 직접 열을 가하여 식품 자체 내의 수분에 의해 익히는 방법
> ㄹ. 프라이팬에 기름을 두르고 재료를 이리저리 저으며 짧은 시간에 익히는 방법

① ㄱ – 끓이기　② ㄴ – 데치기
③ ㄷ – 부치기　④ ㄹ – 굽기
⑤ ㄹ – 튀기기

22 다음 각 음식에 사용된 조리 방법이 바르게 연결된 것은?

① 보리밥 – 찌기
② 깍두기 – 생조리
③ 생선전 – 튀기기
④ 시금치나물 – 끓이기
⑤ 두부 된장찌개 – 데치기

틀리기 쉬운 문제

23 다음 음식에 대한 조리상의 유의점을 설명한 것으로 적절하지 않은 것은?

① 두부 된장찌개 – 국물용 멸치는 내장을 제거하지 않아야 쓴맛이 나지 않는다.
② 생선전 – 비린내가 심하지 않고 연한 동태, 대구, 민어 등의 흰 살 생선을 이용한다.
③ 콩밥 – 밥물의 양은 보통 쌀 부피의 1.2~1.5배로 하고, 불린 쌀은 쌀과 물의 양을 1:1로 한다.
④ 깍두기 – 국물이 없는 깍두기를 만들려면 무를 썬 후, 소금을 넣고 한 시간 동안 절였다가 물을 버리고 사용한다.
⑤ 시금치나물 – 시금치는 오래 데치면 질감이 물러지므로, 넣을 때 끓는 물에 뿌리 쪽부터 넣고 숨이 죽으면 바로 꺼낸다.

24 〈보기〉에서 콩밥에 대한 내용으로 적절한 것을 모두 고른 것은?

보기
ㄱ. 씻은 쌀은 5시간 정도 물에 불린다.
ㄴ. 쌀과 콩을 세게 문질러 깨끗이 씻는다.
ㄷ. 센 불로 끓이다가 중간 불, 약한 불로 불의 세기를 조절한다.
ㄹ. 쌀알이 퍼지면 불을 약하게 낮추고, 불을 끈 후 10분 정도 뜸을 들인다.

① ㄱ, ㄴ ② ㄱ, ㄷ ③ ㄴ, ㄷ
④ ㄴ, ㄹ ⑤ ㄷ, ㄹ

25 〈보기〉에서 생선전에 대한 내용으로 적절하지 <u>않은</u> 것을 모두 고른 것은?

보기
ㄱ. 생선살에 간이 배면 달걀물을 입힌 후 밀가루를 묻힌다.
ㄴ. 식용유를 두르고 팬을 달구어 생선살을 노르스름하게 지져 낸다.
ㄷ. 생선전이 타지 않도록 불의 세기를 중간 불에서 약한 불로 조절한다.
ㄹ. 생선을 얇게 저며 밀가루와 달걀 푼 것을 씌워 기름에 부쳐낸 음식이다.

① ㄱ, ㄴ ② ㄱ, ㄷ ③ ㄴ, ㄷ
④ ㄴ, ㄹ ⑤ ㄷ, ㄹ

26 카나페에 대한 설명으로 적절하지 <u>않은</u> 것은?

① 만드는 동안 크래커에 물기가 생기도록 한다.
② 모양이 작고, 집어 먹기 편하게 만드는 음식이다.
③ 빵이나 크래커 위에 다양한 재료들을 얹어 만든다.
④ 견과류와 같이 잘 붙지 않는 재료에는 버터나 마요네즈를 사용한다.
⑤ 햄, 치즈, 달걀, 채소류, 육류, 어패류 등을 올려서 만드는 전채 요리 중 하나이다.

서술형 문제

27 가정 폭력의 사회·문화적 원인을 두 가지 이상 쓰시오.

28 로컬 푸드를 먹어야 하는 이유를 쓰시오.

29 식사 후, 안전과 위생을 고려하여 뒷정리하는 방법을 세 가지 이상 쓰시오.

30 시금치나물을 만들기 위해 시금치를 데칠 때 시금치의 선명한 녹색을 유지하기 위한 방법을 쓰시오.

▶ 다음 동화 속 이야기에 나타나는 가정 폭력의 모습을 찾고, 문제점을 적어 보자.

<헨젤과 그레텔>

가난한 헨젤과 그레텔의 부모는 먹을 것이 부족해지자 아이들을 깊은 산속으로 데려가 버리고 왔다.

IV

미래를 위한 생애 설계

1. 저출산·고령 사회 ~ 2. 일과 가정의 양립

3. 생애 설계 ~ 4. 진로 탐색과 설계

이 단원의 성취 기준과 학습 요소

섹션	성취 기준	학습 요소
1. 저출산·고령 사회	저출산·고령 사회가 개인 및 가정생활에 미치는 영향을 인식하고, 가족 친화 문화의 필요성을 인식한다.	– 저출산·고령 사회의 영향 – 가족 친화 문화의 필요성
2. 일과 가정의 양립	일·가정을 양립하는 과정에서 나타날 수 있는 문제를 개인 및 사회·문화적 차원에서 비판적으로 분석하여 해결 방안을 제안한다.	– 일·가정 양립의 문제 – 일·가정 양립의 문제 해결 방안
3. 생애 설계	생애 설계의 중요성을 이해하고, 생애 주기별 발달 과업을 중심으로 자신의 생애를 설계하고 평가한다.	– 생애 설계의 중요성 – 생애 주기별 생애 설계
4. 진로 탐색과 설계	전 생애적 관점에서의 진로 설계의 필요성을 인식하고, 건전한 직업 가치관을 바탕으로 자신의 적성에 맞는 진로를 탐색하고 설계한다.	– 진로 탐색과 설계

01 저출산·고령 사회 ~ 02 일과 가정의 양립

01 저출산·고령 사회

1. 저출산·고령 사회의 영향

저출산·고령 사회: 태어나는 사람은 적어지고, 나이 든 사람이 점점 많아지는 사회이다.

① 저출산·고령 사회

저출산: 출산율이 저하하는 현상이다.

㉠ 의미: 출산율은 낮아지고, 65세 이상의 고령자 수가 증가하여 전체 인구에서 고령자의 비율이 높은 사회이다.

㉡ 현재 우리나라는 급격한 속도로 저출산·고령 사회로 바뀌고 있다.

- 미래의 우리 사회에 매우 심각한 문제가 될 것으로 예측된다.
- 가정생활의 모습은 더욱 다양해질 것이다.
- 변화하는 사회에 적응하면서 개인도 다양한 가정생활을 경험할 가능성이 커지고 있다.

② 저출산·고령 사회의 원인과 영향 및 대비

㉠ 저출산·고령 사회의 원인

- 여성의 사회 활동 참여 증가
- 결혼 가치관의 변화
- 자녀에 관한 가치관 변화
- 자녀 양육비 및 교육비 부담
- 평균 수명의 증가

㉡ 저출산·고령 사회의 영향

- 건강, 경제 문제로 불안한 노후를 맞이할 수 있다.
- 외로운 노후 생활을 할 수 있다.
- 전통적인 가족 구조가 변화한다.
- 가족의 기능이 약화되고 있다.
- 인구 고령화로 노동 인구가 감소한다.
- 저축, 투자, 소비 위축 등으로 경제 성장이 둔화된다.
- 젊은 세대는 노인 부양 책임과 자신의 노후 대비로 부담이 커진다.

㉢ 저출산·고령 사회의 대비책

- 결혼과 자녀 출산에 관해 긍정적인 생각을 갖는다.
- 자신의 적성에 맞는 진로를 탐색하고 직업 준비를 하며, 전 생애적인 관점에서 생애 설계를 하고 안정적인 노후를 준비한다.
- 가족에게 필요하고 이용 가능한 정책을 찾아 적극적으로 활용한다.
- 다양한 출산 장려, 보육 지원 정책을 마련한다.
- 가족 친화 문화, 양성평등 사회 문화를 조성한다.
- 노인 인구의 경제 생산 활동 참여를 확대한다.
- 노후 생활 보장 및 고령 친화적인 사회 환경을 조성한다.

2. 가족 친화 문화의 필요성

① 가족 친화 문화

㉠ 의미: 일과 가정생활의 균형을 유지할 수 있도록 모두가 가족을 배려하는 분위기를 만들고, 가족의 소중함에 관한 가치를 공유하며 지원하는 문화이다.

㉡ 가족 친화 문화를 조성하고 확산하기 위해서는 개인, 직장, 지역 사회, 국가가 모두 함께 노력해야 한다.

② 가족 친화 문화 조성을 위한 노력

02 일과 가정의 양립

1. 일·가정 양립의 문제

양립의 문제: 개인의 삶의 질 향상과 사회의 발전을 위해서 일과 가정생활을 균형 있게 유지할 수 있어야 하지만, 현실은 그렇지 못할 때가 많다.

① 일·가정 양립: 개인의 일과 가정생활이 조화롭게 균형을 유지하고 있는 상태이다.

② 일·가정 양립 과정에서 나타날 수 있는 문제

㉠ 개인·가족 차원의 문제

- 가족 가치관의 충돌: 가족 개개인의 가치관이 다르기 때문에 생기는 갈등이다.

- 역할 및 일정 갈등
  - 역할 갈등: 한 사람이 여러 가지 역할을 동시에 수행함으로써 오는 갈등
  - 일정 갈등: 여러 가지 일정이 겹치면서 오는 갈등
- 자녀 양육 문제
- 경제생활 관리 문제: 각자의 수입을 각자 관리하거나, 수입원이 둘이라는 생각으로 과소비나 계획성 없는 소비를 하거나, 씀씀이가 커져서 합리적인 가계 관리가 안 되는 문제이다.

㉡ 사회·문화 차원의 문제

- 생산성 저하: 일 우선주의로 직무 집중도 및 능률이 저하된다.
- 높은 퇴사율: 자녀 양육 문제나 자녀와 함께하는 시간 부족으로 직업을 포기한다.
- 경력 단절로 전문 인력 낭비: 전문 교육을 받고, 업무에 관한 전문성이 확보된 상태에서 일을 그만두게 됨으로써 전문 인력이 낭비된다.
- 출산 기피로 저출산: 아이에게 들어가는 경제적인 부담 등으로 출산을 기피한다.

2. 일·가정 양립의 문제 해결 방안

일·가정 양립의 문제를 사회적 문제로 인식하여 사회 구성원 모두가 적극적으로 대처하려는 노력이 필요하다.

① 개인·가족 차원의 문제 해결

㉠ 가족 가치관의 충돌 해결

- 성 역할 고정 관념에서 벗어난다.
- 가족 구성원 모두가 평등하게 역할을 분담한다.
- 가족 구성원 간에 원만히 의사소통을 하고, 솔직하게 감정을 표현하여 문제를 해결한다.
- 가족 구성원 간에 배려와 존중을 통해 서로에게 정신적 지지와 지원을 보낸다.

㉡ 역할 및 일정 갈등 해결

- 일과 가정에서의 역할을 명확히 구분하고 우선순위를 정한다.
- 한 사람이 여러 가지 역할을 동시에 수행할 수 없음을 인정한다.
- 시간 관리를 합리적이고, 효율적으로 하여 역할을 수행한다.
- 가족 구성원 각자의 상황과 능력에 맞추어 가사 노동을 분담한다.
- 가족 구성원 간에 충분히 의사소통을 하여 서로의 일정을 미리 파악한다.

㉢ 자녀 양육 문제 해결

- 부부가 자녀 양육의 역할을 평등하게 분담한다.
- 알맞은 보육 시설을 이용한다.
- 보육 시설의 확대를 사회에 요구한다.
- 가족에게 적합한 사회적 지원 방안을 찾아 활용한다.

㉣ 경제생활 관리 문제 해결

- 각자의 수입과 지출을 공개하고, 공동 관리한다.
- 소비 형태를 점검하고, 합리적인 소비 생활을 한다.
- 가계부를 작성하여 과다한 지출 항목을 점검한다.
- 장기적인 경제 계획과 단기적인 계획을 함께 세운다.

② 사회·문화 차원의 문제 해결

㉠ 해결 방안

- 가족 친화 문화를 조성한다.
- 시간 선택제, 시차 출퇴근제, 재택 근무제 등을 통해 근무 시간 및 근무 장소를 유연하게 조정한다.
- 육아 휴직, 돌봄 휴직 등을 잘 지킨다.
- 경영자가 먼저 일·가정 양립의 역할 모델이 된다.
- 일·가정 지원에 관한 법률을 제정한다.
- 일·가정 지원 정책과 제도를 시행한다.
- 가족 친화 문화를 적극 장려하고, 가족 친화 인증 제도를 실시한다.
- 양성평등 사회를 실현하기 위해 노력한다.
- 사회 전체가 일·가정 양립을 위한 관심과 배려가 필요하다.

㉡ 가족 친화 인증 제도: 가족 친화 문화를 모범적으로 조성하고 있는 기업을 정부가 심사를 통해 인증을 부여해 혜택을 주는 제도이다.

기초 문제

01 오늘날 저출산의 원인이 되고 있는 결혼과 출산의 기피는 여성의 사회 활동 참여와 밀접한 관련이 있다.

(○ , ×)

정답 ○

02 다음에서 설명하는 개념은 무엇인지 쓰시오.

> 일과 가정생활의 균형을 유지할 수 있도록 모두가 가족을 배려하는 분위기를 만들고, 가족의 소중함에 관한 가치를 공유하며 지원하는 문화를 말한다.

(　　　　　　　　　　)

정답 가족 친화 문화

03 가족 친화 문화를 조성하기 위해 가정에서는 (　　　　)한 가치관을 토대로 가족이 함께 능률적인 역할 분담으로 가사를 처리하고, 가족 모두가 육아와 돌봄에 참여하도록 한다.

정답 양성평등

04 일·가정 양립 과정에서 나타날 수 있는 사회·문화 차원의 문제로 적절한 것은?

① 생산성 저하
② 자녀 양육 문제
③ 역할 및 일정 갈등
④ 가족 가치관의 충돌
⑤ 경제생활 관리 문제

정답 ①

05 역할 및 일정 갈등을 해결하기 위해서는 일과 가정에서의 역할을 명확히 구분하고 (　　　　)을/를 정하며, 시간 관리를 합리적이고 효율적으로 하여 역할을 수행해야 한다.

정답 우선순위

06 맞벌이 부부는 수입원이 둘이라는 생각으로 과소비나 계획성 없는 소비를 하거나, 씀씀이가 커져서 합리적인 가계 관리가 안 되는 문제를 해결하기 위해서 각자 수입을 관리해야 한다.

(○ , ×)

정답 ×

07 (　　　　　　　)(이)란 유연 근무제 및 육아 휴직 등 일과 가정생활 양립을 위한 가족 친화 문화를 모범적으로 조성하고 있는 기업을 정부가 심사를 통해 인증을 부여해 혜택을 주는 제도이다.

정답 가족 친화 인증 제도

이해 문제

정답과 해설 18쪽

01 저출산·고령 사회의 영향과 그에 대한 대비책을 연결한 것으로 적절하지 않은 것은?

① 경제 성장의 둔화 – 평균 수명의 증가
② 노동 인구의 감소 – 노인 인구 일자리 확충
③ 젊은 세대의 노인 부양 부담 – 안정적인 노후 준비
④ 외로운 노후 생활 – 고령 친화적인 사회 환경 조성
⑤ 가족의 기능 약화 – 출산 장려, 보육 지원 정책 마련

02 가족 친화 문화의 필요성으로 가장 적절한 것은?

① 모든 가족은 자신의 가족을 소중하게 생각하고 서로 배려한다.
② 행복한 삶을 위하여 일과 가정생활 중 한 가지만 전념할 필요가 있다.
③ 저출산 문제를 해결하기 위해서 가족을 배려하는 분위기를 만들어야 한다.
④ 현대 가족의 다양한 문제는 개인이나 가족 구성원의 힘만으로 해결할 수 있다.
⑤ 가족의 문제를 해결하기 위해서 직장, 지역 사회, 국가가 공동으로 노력할 필요는 없다.

03 행복한 노후 생활을 위해서 지역 사회가 할 수 있는 가족 친화 문화 조성을 위한 노력으로 적절하지 않은 것은?

① 독거노인 자매결연
② 직장 정년 시기의 단축
③ 저소득 노인 건강 진단
④ 노인 돌보미 사업 실시
⑤ 노인 복지관 및 요양 시설 확충

04 일·가정 양립 과정에서 나타날 수 있는 개인 및 가족 차원의 문제로 적절하지 않은 것은?

① 자녀 양육 문제
② 역할 및 일정 갈등
③ 경제생활 관리 문제
④ 가족 가치관의 충돌
⑤ 가족의 집안일 협조 및 역할 분담

05 다음의 해결 방안과 관련된 일·가정 양립의 문제는?

- 알맞은 보육 시설 이용하기
- 사회에 보육 시설의 확대 요구하기
- 부부가 자녀 양육 역할을 평등하게 분담하기

① 일정 갈등
② 역할 갈등
③ 자녀 양육 문제
④ 가사 노동 문제
⑤ 경제생활 관리 문제

06 역할 및 일정 갈등을 해결하기 위한 방법으로 적절하지 않은 것은?

① 시간 관리를 합리적이고 효율적으로 하여 역할을 수행한다.
② 일과 가정에서의 역할을 명확히 구분하고 우선순위를 정한다.
③ 한 사람이 여러 가지 역할을 동시에 수행할 수 있음을 자각한다.
④ 가족 구성원 각자의 상황과 능력에 맞추어 가사 노동을 분담한다.
⑤ 가족 구성원 간에 충분히 의사소통하여 서로의 일정을 미리 파악한다.

적용 문제

01 〈보기〉에서 저출산·고령 사회의 원인을 모두 고른 것은?

보기
ㄱ. 평균 수명의 감소
ㄴ. 결혼 가치관의 변화
ㄷ. 자녀 양육비 및 교육비 부담
ㄹ. 여성의 사회 활동 참여 감소

① ㄱ ② ㄴ ③ ㄱ, ㄹ
④ ㄴ, ㄷ ⑤ ㄷ, ㄹ

중요

02 저출산·고령 사회 문제 해결에 대한 설명으로 적절하지 않은 것은?

① 결혼과 자녀 출산에 관해 부정적인 생각을 한다.
② 가족이 이용 가능한 정책을 찾아 적극적으로 활용한다.
③ 자신의 적성에 맞는 진로를 탐색하고 직업 준비를 한다.
④ 전 생애적인 관점에서 생애 설계를 하고 안정적인 노후를 준비한다.
⑤ 개인이나 가족 차원을 넘어 직장, 지역 사회, 국가가 함께 노력해야 한다.

03 〈보기〉에서 일과 가정생활의 균형을 위한 노력에 대해 알맞게 이야기한 사람은?

보기
• 혜수: 집안일은 여자가 도맡아 해야 해.
• 민지: 중대한 의사 결정은 가족 모두가 공동으로 참여해서 결정해야 한다고 생각해.
• 소미: 출산과 동시에 직장 생활을 그만두어야 할 수도 있으니 임신은 포기하는 게 맞아.
• 범수: 우리 마을 돌봄 공동체와 함께 공동육아에 적극 참여해 보자.

① 혜수, 민지 ② 혜수, 소미 ③ 민지, 소미
④ 민지, 범수 ⑤ 소미, 범수

04 〈보기〉에서 마을 돌봄 공동체의 특징으로 적절한 것을 모두 고른 것은?

보기
ㄱ. 공동육아 및 공동 돌봄에 참여한다.
ㄴ. 한 가족이 대표로 돌봄 기능을 수행한다.
ㄷ. 소통과 만남보다는 개인의 삶과 성취를 중요시 한다.
ㄹ. 가족의 돌봄 기능을 지역 사회와 함께 나눌 수 있다.

① ㄱ, ㄴ ② ㄱ, ㄹ ③ ㄴ, ㄷ
④ ㄴ, ㄹ ⑤ ㄷ, ㄹ

05 다음 그림에 나타난 일과 가정생활을 함께하는 여성이 겪을 수 있는 어려움은?

① 자녀 양육 문제로 직장의 퇴사 문제
② 업무의 전문성 확보를 위한 시간 부족 문제
③ 일 우선주의로 직무 집중도 및 능률의 저하 문제
④ 한 사람이 여러 가지 역할을 동시에 수행함으로써 오는 역할 갈등
⑤ 맞벌이 부부로 씀씀이가 커져서 합리적인 가계 관리가 안 되는 문제

[06~07] 다음을 읽고, 물음에 답하시오.

> 맞벌이가 일반화된 오늘날에도 여전히 집안일은 여성의 몫으로 여기는 경우가 많다. 신혼 초, A씨의 남편은 물을 마시러 주방으로 가던 중 방으로 다시 돌아와서는 A씨에게 “나 결혼했지. 여보, 물 갖다 줘.”라고 말했다고 한다. 또 결혼한 지 얼마 되지 않은 맞벌이 여성에게 아무리 바빠도 남편 아침밥은 꼭 챙겨야 한다는 시어머니도 있다. 이러한 상황에서 맞벌이 남편의 가사 노동 시간은 47분으로, 이는 아내의 20%에 불과하다. 이러한 통계 결과는 맞벌이 아내의 고충을 보여 준다.

06 윗글에 나타난 일·가정 양립을 어렵게 하는 요인 두 가지를 고르면?

① 장시간 근로 환경
② 가족 구조의 변화
③ 성 역할 고정 관념
④ 가족 가치관의 충돌
⑤ 사회적 지원의 부족

07 윗글에 나타난 일·가정 양립 과정에서 나타날 수 있는 문제는?

① 자녀와 함께하는 시간 부족으로 직업 포기
② 일 우선주의로 직무 집중도 및 능률의 저하
③ 개개인의 가치관 차이로 인한 가사 노동 분담의 문제
④ 씀씀이가 커져서 합리적인 가계 관리가 안 되는 문제
⑤ 일에 대한 전문성이 확보된 상태에서 일을 그만두게 되는 문제

08 일·가정 양립을 어렵게 하는 문제 중 경제생활 관리 문제에 해당하는 사례는?

① 일 때문에 또 늦을 것 같아.
② 남자가 집안일 하면 큰일 난다.
③ 마땅한 어린이집 구하기가 정말 어렵네.
④ 외식비랑 교육비 지출이 너무 많은 것 같아.
⑤ 아이 학교 행사가 있는 날인데 중요한 회의가 잡혔네.

09 일·가정 양립의 문제 중 경제생활 관리 문제를 해결하기 위한 방안으로 적절하지 않은 것은?

① 소비 형태를 점검한다.
② 합리적인 소비 생활을 한다.
③ 가계부를 작성하여 과다한 지출 항목을 점검한다.
④ 장기적인 경제 계획과 단기적인 계획을 함께 세운다.
⑤ 부부가 자신의 수입과 지출을 공개하지 않고 개인적으로 관리한다.

10 맞벌이 부부의 자녀 양육 문제를 해결하기 위한 노력 방안으로 가장 적절한 것은?

① 자기 관리 능력을 향상한다.
② 부모 교육 프로그램을 운영한다.
③ 일 중심 기업 문화 조성을 요구한다.
④ 실질적인 보육 정책 마련에 참여한다.
⑤ 가족에게 적합한 사회적 양육 지원 방안을 찾아 활용한다.

11 〈사례〉에 해당하는 일·가정 양립을 위한 사회 및 문화 차원의 노력으로 가장 적절한 것은?

> 사례
> ○○ 기업에서는 임산부 휴게실, 모유 수유실 등을 운영하고, 매주 수요일을 ‘가정의 날’로 정하여 전 직원이 6시에 퇴근하여 가족과 함께 저녁 식사를 하며 시간을 보내도록 배려하고 있다.

① 보육 시설을 확충한다.
② 가사 노동을 사회화한다.
③ 자녀 보육비를 지원한다.
④ 직장 내 역할과 책임을 동료와 나눈다.
⑤ 가족 친화 문화를 적극적으로 장려한다.

03 생애 설계 ~ 04 진로 탐색과 설계

03 생애 설계

1. 생애 설계의 중요성

• **생애 설계** 개인과 가족의 행복한 삶을 위해서는 반드시 계획과 준비가 있어야 한다.

㉠ 배경: 개인이나 가족이 행복하고 성공적인 삶을 살아가기 위해서는 시간의 흐름에 따라 겪게 될 일들을 예측해 보고, 그에 따른 합리적이고 체계적인 설계를 해야 한다.

㉡ 의미: 개인이나 가족이 일생을 어떻게 살아갈 것인지를 계획하는 것이다.

㉢ 결혼 계획, 자녀 교육, 노후 생활 등에 관한 설계와 이에 따른 경제 계획을 세워 보는 것이다.

㉣ 청소년기에 자신의 진로를 생각하여 생애 계획을 세워 보는 것은 매우 중요하다.

㉤ 효과

- 미래에 만족스러운 삶을 영위할 수 있다.
- 예측하지 못한 일에 현명하게 대처할 수 있어 안정되고 행복한 노후를 맞이할 수 있다.

㉥ 생애 설계를 했을 때: 개인과 가족에게 생길 수 있는 변화 요인들을 예측하고 준비할 수 있으며, 미래에 어떤 일이 일어나도 불안해하지 않고 잘 극복할 수 있다.

㉦ 생애 설계를 하지 않았을 때: 개인과 가족에게 어떤 일이 일어날지 걱정이 되며, 어떻게 대처해야 할지 몰라서 불안하고 두렵다.

2. 생애 주기별 생애 설계

① 생애 주기 생애 주기는 개인 생활 주기와 가족생활 주기로 나눌 수 있다.

㉠ 의미: 개인이나 가족의 삶이 시간의 흐름에 따라 변화하는 과정을 단계별로 구분한 것이다.

㉡ 발달 과업

- 생애 주기의 각 단계에는 개인이나 가족이 수행해야 할 과제인 발달 과업이 있다.
- 발달 과업이 원활하게 수행될 때 행복하고 만족스러운 생활을 할 수 있다.

② 생애 주기에 따른 생애 설계

㉠ 장기적인 관점에서 개인과 가족의 생애 전체를 고려하여 계획해야 한다.

㉡ 생애 주기별 생애 설계의 절차

- 1단계: 생애 목표 정하기
  - 어떤 삶을 살고 싶은가?
- 2단계: 구체적인 하위 목표 정하기
  - 직업, 결혼, 건강, 경제 등의 계획 세우기
- 3단계: 목표 달성을 위한 실행 방안 마련하기
  - 무엇을 어떻게 준비해야 할까?

③ 개인 생활 주기별 생애 설계

㉠ 개인 생활 주기별 생애 설계 시 발달 과업을 먼저 이해하고, 이를 원만하게 수행할 수 있도록 계획을 세워야 한다.

㉡ 진로 및 직업 설계, 결혼 설계, 건강 설계, 노후 설계를 중심으로 자신의 욕구와 목표를 고려하여 구체적인 계획을 수립하도록 한다.

㉢ 개인 생활 주기에 따른 발달 과업

- 영아기
  - 생리적 안정 유지
  - 애착 관계 형성
- 유아기
  - 기본 생활 습관 익히기
  - 의사소통 방법 익히기
- 아동기
  - 학교생활 적응
  - 또래 친구와 어울리기
  - 올바른 성 역할 습득
  - 도덕성 기초 형성
- 청소년기
  - 자아 정체감 형성
  - 진로 탐색
- 성년기
  - 직업 선택
  - 배우자 선택 및 결혼
  - 부모 됨에 적응
- 중년기
  - 부부 관계 유지
  - 직업 생활 관리

- 중년 위기에 대처
- 건강 관리

• 노년기
- 은퇴
- 노화의 긍정적 수용
- 역할 변화에 융통성 있는 대처
- 죽음 대비

㉣ 설계 항목 및 주요 내용

• 진로 및 직업 설계
- 자신의 꿈과 인생의 목표를 분명히 정하기
- 자신의 성격, 적성, 가치관 등 자신을 바로 알기
- 인생 목표와 자신의 특성에 맞는 진로 및 직업 선택하기
- 직업을 위한 구체적 계획 수립과 준비하기

• 결혼 설계
- 자신에게 맞는 배우자 선택하기
- 결혼 시기와 비용, 주택 마련 등에 관한 계획 수립하기
- 결혼을 위한 경제적 계획 수립하기
- 바람직한 결혼 생활과 그에 따른 준비하기

• 건강 설계
- 생애 주기에 따른 신체적, 정신적, 사회적 건강을 위한 노력 방안과 실천 계획 세우기

• 노후 설계
- 건강한 노후를 위한 건강 관리 계획 수립하기
- 수입 감소에 따른 경제적 대비하기
- 노후 여가 생활을 위한 계획 수립하기
- 노후에 행복한 가족 관계 형성 계획 수립하기

④ 가족생활 주기별 생애 설계

㉠ 분류: 가정 형성기, 가정 확대기, 가정 축소기

㉡ 발달 과업과 유의점

• 각 단계별로 가족이 수행해야 할 발달 과업이 있다.
• 발달 과업을 성공적으로 수행할 때 가족 개개인의 발달과 가족의 행복이 증진될 수 있다.
• 발달 과업을 토대로 각 단계에서 가족이 기대하는 욕구나 가족의 변화를 이해하고, 가족의 행동을 예측하면서 가족생활 설계를 하는 것이 필요하다.

㉢ 가족생활 설계 종류: 가족 관계 설계, 자녀 양육 및 교육 설계, 가정 경제 설계 등이 있다.

㉣ 가족생활 주기에 따른 발달 과업

• 가정 형성기
- 가족생활의 목표와 규칙 정하기
- 서로의 역할과 책임의 기준 정하기
- 부부간에 애정과 친밀감 형성하기
- 친인척과의 원만한 관계 형성하기
- 임신과 부모 됨 준비하기

• 가정 확대기 – 자녀 양육기
- 자녀 양육과 가사의 역할 분담 재조정하기
- 부모 역할과 책임에 관한 이해와 적응하기
- 자녀의 건강한 성장을 위한 물질적, 정서적 환경 조성하기
- 자녀 양육 및 교육, 주택 확장을 위한 경제적 계획 세우기

• 가정 확대기 – 자녀 교육기
- 자녀 발달 단계에 맞는 교육과 환경 지원하기
- 자녀의 정서적 안정 유지와 자녀와의 유대감 형성하기
- 자녀의 자아 정체감 형성과 진로 탐색 지원하기
- 자녀 교육, 독립, 부부의 노후 대비를 위한 경제적 기반 마련하기

• 가정 축소기 – 자녀 독립기
- 자녀의 정서적, 경제적 독립 지원하기
- 부부 관계 재정비하기
- 은퇴 후 생활 준비하기
- 건강 대책 세우기
- 노년을 위한 경제 대책 수립하기

• 가정 축소기 – 노년기
- 노화와 은퇴에 적응하기
- 조부모 역할 준비 및 적응하기
- 경제적 자원 안정적으로 관리하기
- 배우자와의 사별과 자신의 죽음에 대비하기

㉤ 설계 항목 및 주요 내용

• 가족 관계 설계
- 가족생활 주기별 부부 역할 재조정하기

– 원만한 부부 관계 맺기
– 원만한 부모 자녀 관계 맺기
– 새로운 가족과의 적응 및 원만한 친족 관계 맺기

• 자녀 양육 및 교육 설계
– 자녀 양육 방법 수립하기
– 자녀의 정서적 안정과 건강한 발달을 위해 노력하기
– 자녀의 발달 단계에 따른 욕구 파악과 해결 도와주기
– 자녀의 학업과 진로 지도하기

• 가정 경제 설계
– 가정의 수입과 지출에 관한 장기 계획 수립하기
– 자녀 양육비와 교육비 마련 계획 수립하기
– 주택 마련 계획 수립하기
– 부부의 노후 생활 자금 마련 계획 세우기
– 자녀의 독립, 결혼 등 경제적 지원 계획 세우기
– 노후의 경제적 안정을 위한 대책 마련하기
– 노후 의료비 지출 대비하기

04 진로 탐색과 설계

진로 탐색과 설계

어떤 일을 이루기 위해서는 목표를 설정하고, 그것을 달성하기 위한 계획을 세워야 한다. 자신이 원하는 행복한 삶을 위해서도 마찬가지이다.

① 진로 설계

㉠ 의미: 삶의 목표를 달성하기 위해 자신의 특성에 맞는 실현 가능한 삶의 계획을 세우는 것이다.

㉡ 전 생애적 관점에서의 진로 설계가 이루어져야 한다. 자신이 원하는 행복한 삶은 어느 특정 시기에만 이루어지는 것이 아니기 때문이다.

㉢ 청소년기에는 자신의 능력, 적성, 흥미, 가치관 등에 관한 올바른 인식 및 자신의 가능성과 잠재 능력을 발견하여 이를 토대로 진로를 탐색해야 한다.

㉣ 일과 직업에 관한 올바른 가치관과 태도로 직업 세계를 탐색하여 자신의 진로를 계획하고 준비하는 것이 필요하다.

㉤ 진로 설계 과정

자신이 원하는 행복한 삶을 위한 진로 설계 과정	
1. 인생 목표 설정	내가 원하는 행복한 삶을 살기 위해 인생 목표를 설정한다.
↓	
2. 자신의 이해	자아 탐색을 통해 자신의 적성, 흥미, 성격, 가치관, 가정 환경, 학업 성적, 신체적 조건 등을 파악한다.
↓	
3. 직업 세계의 이해	다양한 직업의 종류, 직업 정보, 직업의 변화 등을 이해한다.
↓	
잠정적인 진로 선택	
↓	
4. 진로 정보 수집	최종 진로를 선택하기 위해 부모님이나 전문가 등과의 상담을 통해 조언을 듣는다.
↓	
5. 진로 선택 및 준비	진로를 선택하고 이를 실현하기 위해 계획하고 실천한다.

② 생애 주기에 따른 진로의 발달

㉠ 진로 발달 단계의 순서
• 성장기 → 탐색기 → 확립기 → 유지기 → 쇠퇴기

㉡ 진로 발달은 일정 기간에만 이루어지는 것이 아니라 전 생애에 걸쳐 진행된다.

㉢ 생애 주기에 따른 진로 발달 단계

진로 발달 단계	시기	해야 할 일
성장기	유아기, 아동기	부모님의 보살핌 속에서 자아를 발견한다.
↓		
탐색기	청소년기	자신의 특성을 고려하여 진로를 탐색하고, 미래의 삶을 계획한다.
↓		
확립기	성년기	진로를 선택하고, 안정적인 삶을 위해 노력한다.
↓		
유지기	중년기	직업에서의 자신의 위치를 확고히 하며 안정된 삶을 살아간다.
↓		
쇠퇴기	노년기	직업에서 은퇴하여 새로운 진로를 준비한다.

기초 문제

01 개인이나 가족이 일생을 어떻게 살아갈 것인지를 계획하는 것을 무엇이라고 하는가?

① 생애 주기　② 생애 설계　③ 발달 과업
④ 목표 설정　⑤ 진로 탐색

정답 ②

02 (　　　　)(이)란 개인이나 가족의 삶이 시간의 흐름에 따라 변화하는 과정을 단계별로 구분한 것으로, 각 단계에는 개인이나 가족이 수행해야 할 과제인 (　　　　)이/가 있다.

정답 생애 주기, 발달 과업

03 생애 주기별 생애 설계 절차 중 어떤 삶을 살고 싶은지를 정하는 단계가 무엇인지 쓰시오.

(　　　　　　　　　　)

정답 생애 목표 정하기

04 청소년기의 발달 과업으로는 자아 정체감 형성과 진로 탐색이 있다.

(○ , ×)

정답 ○

05 가정 형성기의 발달 과업으로 옳지 않은 것은?

① 임신과 부모 됨 준비
② 가족생활 목표와 규칙 설정
③ 부부간에 애정과 친밀감 형성
④ 친인척과의 원만한 관계 형성
⑤ 자녀 양육과 가사 역할 분담 재조정

정답 ⑤

06 다음에서 설명하는 개념은 무엇인지 쓰시오.

> 삶의 목표를 달성하기 위해 자신의 특성에 맞는 실현 가능한 삶의 계획을 세우는 것

(　　　　　　　　　　)

정답 진로 설계

07 진로를 설계할 때 가장 먼저 해야 할 일은 자신을 이해하는 것이다.

(○ , ×)

정답 ×

08 생애 주기에 따른 진로 발달 단계를 순서대로 쓰시오.

(　　　　　　　　　　)

정답 성장기 – 탐색기 – 확립기 – 유지기 – 쇠퇴기

정답과 해설 19쪽

01 생애 설계의 중요성에 대한 설명으로 적절하지 않은 것은?

① 안정되고 행복한 노후를 맞이할 수 있다.
② 예측하지 못한 일에 현명하게 대처할 수 있다.
③ 시간의 흐름에 따라 겪게 될 일을 예측할 수 있다.
④ 청소년기에 정해 놓은 삶을 그대로 살아갈 수 있다.
⑤ 개인이나 가족이 행복하고 성공적인 삶을 살 수 있다.

02 다음을 생애 설계의 절차에 따라 순서대로 배열한 것은?

(가) 사회 복지 공무원이 된다.
(나) 배려와 나눔을 실천하는 삶을 산다.
(다) 매달 2회 이상 봉사 활동에 참여한다.

① (가) – (나) – (다)
② (가) – (다) – (나)
③ (나) – (가) – (다)
④ (나) – (다) – (가)
⑤ (다) – (가) – (나)

03 생애 주기와 발달 과업이 바르게 짝지어진 것은?

① 유아기 – 직업 선택
② 아동기 – 생리적 안정 유지
③ 청소년기 – 애착 관계 형성
④ 성년기 – 배우자 선택 및 결혼
⑤ 노년기 – 기본 생활 습관 익히기

04 가족생활 주기에 따른 발달 과업이 잘못 짝지어진 것은?

① 가정 형성기 – 임신과 부모 됨 준비하기
② 자녀 양육기 – 친인척과의 원만한 관계 형성하기
③ 자녀 교육기 – 자녀와의 정서적 유대감 형성하기
④ 자녀 독립기 – 자녀의 정서적, 경제적 독립 지원하기
⑤ 노년기 – 배우자와의 사별과 자신의 죽음에 대비하기

05 진로 설계의 과정에 대한 설명으로 적절한 것은?

① 한번 진로를 설계한 후에는 바꾸지 않고 그대로 실천한다.
② 부모님께서 원하는 삶을 살기 위한 인생 목표를 설정한다.
③ 직업 세계에 관한 정보를 수집한 후에 인생 목표를 설정한다.
④ 자신을 이해하기 위해서 자신의 적성, 흥미, 성격 등을 파악한다.
⑤ 자아 탐색을 통해 자신을 이해한 후 잠정적인 진로를 선택해야 한다.

06 진로 발달 단계 중 청소년기에 해당하는 단계에 대한 설명으로 적절한 것은?

① 부모님의 보살핌 속에서 자아를 발견한다.
② 직업에서 은퇴하여 새로운 진로를 준비한다.
③ 진로를 선택하고, 안정적인 삶을 위해 노력한다.
④ 직업에서의 자신의 위치를 확고히 하며 안정된 삶을 살아간다.
⑤ 자신의 특성을 고려하여 진로를 탐색하고, 미래의 삶을 계획한다.

적용 문제

정답과 해설 19쪽

중요

01 〈보기〉에서 생애 설계가 필요한 이유로 적절한 것을 모두 고른 것은?

보기
ㄱ. 과거를 지향하며 살아갈 수 있다.
ㄴ. 앞으로 겪게 될 일들을 미리 알 수 있다.
ㄷ. 합리적이고 체계적으로 계획을 세울 수 있다.
ㄹ. 예측하지 못한 일들이 일어나지 않게 할 수 있다.

① ㄱ, ㄴ ② ㄱ, ㄷ
③ ㄴ, ㄷ ④ ㄴ, ㄹ
⑤ ㄷ, ㄹ

02 다음에 해당하는 생애 설계의 절차로 옳은 것은?

- 원하는 직업을 갖기 위해서 매달 관련 분야의 책을 한 권씩 읽는다.
- 건강 관리를 위해 매일 30분씩 줄넘기를 한다.

① 생애 목표 정하기
② 목표 중간 점검하기
③ 최종 목표 달성 평가하기
④ 구체적인 하위 목표 정하기
⑤ 목표 달성을 위한 실행 방안 마련하기

중요

03 〈보기〉에서 생애 주기와 생애 설계에 대한 설명으로 적절한 것을 모두 고른 것은?

보기
ㄱ. 생애 주기란 일생을 어떻게 살아갈 것인지를 계획하는 것이다.
ㄴ. 생애 주기는 개인 생활 주기와 가족생활 주기로 나눌 수 있다.
ㄷ. 생애 설계의 주된 목적은 자신의 삶을 되돌아보고 반성하는 것이다.
ㄹ. 생애 설계를 할 때에는 장기적인 관점에서 생애 전체를 고려하여 계획을 세워야 한다.

① ㄱ, ㄴ ② ㄱ, ㄹ
③ ㄴ, ㄷ ④ ㄴ, ㄹ
⑤ ㄷ, ㄹ

중요

04 발달 과업에 대한 설명으로 적절하지 않은 것은?

① 발달 과업은 때가 되면 자연스럽게 달성된다.
② 발달 과업을 잘 수행하면 행복하고 만족스러운 생활을 할 수 있다.
③ 생애 주기의 각 단계에는 개인이나 가족이 수행해야 할 과제가 있다.
④ 개인 생활 주기와 가족생활 주기에 따른 발달 과업을 이해하는 것이 필요하다.
⑤ 이전 단계에서 발달 과업이 성취되지 않으면 다음 단계에서 어려움을 겪게 된다.

05 다음과 같은 발달 과업을 수행해야 하는 생애 주기로 옳은 것은?

- 학교생활 적응하기
- 또래 친구와 어울리기
- 도덕성 기초 형성하기
- 올바른 성 역할 습득하기

① 영아기 ② 유아기
③ 아동기 ④ 청소년기
⑤ 성년기

06 〈보기〉에서 중년기의 발달 과업으로 옳은 것을 모두 고른 것은?

보기
ㄱ. 건강 관리하기
ㄴ. 부부 관계 유지하기
ㄷ. 부모 됨에 적응하기
ㄹ. 직업 생활 관리하기
ㅁ. 자아 정체감 형성하기

① ㄱ, ㄴ, ㄷ ② ㄱ, ㄴ, ㄹ
③ ㄴ, ㄷ, ㄹ ④ ㄴ, ㄹ, ㅁ
⑤ ㄷ, ㄹ, ㅁ

07 개인 생활 주기별 생애 설계 항목 중 진로 및 직업 설계의 주요 내용으로 옳은 것은?

① 자신에게 맞는 배우자 선택하기
② 여가 생활을 위한 계획 수립하기
③ 수입 감소에 따른 경제적 대비하기
④ 자신의 성격, 적성, 가치관 등 자신을 바로 알기
⑤ 생애 주기에 따른 건강을 위한 노력 방안과 실천 계획 세우기

중요

08 다음과 같은 가족생활 주기의 발달 과업으로 옳지 않은 것은?

자녀가 태어나서 초등학교에 입학하기 전까지의 시기

① 자녀 양육과 가사의 역할 분담을 재조정한다.
② 부모 역할과 책임에 대하여 이해하고 적응한다.
③ 자녀가 정서적, 경제적으로 독립하도록 지원한다.
④ 자녀 양육 및 교육, 주택 확장을 위한 경제적 계획을 세운다.
⑤ 자녀의 건강한 성장을 위한 물질적, 정서적 환경을 조성한다.

09 〈보기〉에서 자녀 독립기의 발달 과업을 모두 고른 것은?

보기
ㄱ. 부부 관계 재정비하기
ㄴ. 조부모 역할 준비 및 적응하기
ㄷ. 노년을 위한 경제 대책 수립하기
ㄹ. 자녀의 정서적, 경제적 독립 지원하기
ㅁ. 자녀의 정서적 안정 유지와 자녀와의 유대감 형성하기

① ㄱ, ㄴ, ㄷ ② ㄱ, ㄴ, ㅁ
③ ㄱ, ㄷ, ㄹ ④ ㄴ, ㄹ, ㅁ
⑤ ㄷ, ㄹ, ㅁ

10 〈보기〉에서 가족 관계 설계의 주요 내용에 해당하는 것을 모두 고른 것은?

보기
ㄱ. 원만한 부모 자녀 관계 맺기
ㄴ. 가족생활 주기별 부부 역할 재조정하기
ㄷ. 노후의 경제적 안정을 위한 대책 마련하기
ㄹ. 자녀의 독립, 결혼 등 경제적 지원 계획 세우기
ㅁ. 새로운 가족과의 적응 및 원만한 친족 관계 맺기
ㅂ. 자녀의 발달 단계에 따른 욕구 파악과 해결 도와주기

① ㄱ, ㄴ, ㄹ ② ㄱ, ㄴ, ㅁ
③ ㄱ, ㄷ, ㅂ ④ ㄴ, ㄷ, ㅁ
⑤ ㄹ, ㅁ, ㅂ

11 진로 설계의 과정을 순서대로 나열한 것은?

ㄱ. 직업 세계 이해하기
ㄴ. 인생 목표 설정하기
ㄷ. 진로 정보 수집하기
ㄹ. 자신에 대해 이해하기
ㅁ. 진로 선택 및 준비하기

① ㄱ-ㄴ-ㄷ-ㄹ-ㅁ ② ㄱ-ㄷ-ㅁ-ㄹ-ㄴ
③ ㄴ-ㄱ-ㄷ-ㅁ-ㄹ ④ ㄴ-ㄹ-ㄱ-ㄷ-ㅁ
⑤ ㄴ-ㅁ-ㄹ-ㄱ-ㄷ

12 진로 발단 단계 중 (가) 단계에 대한 설명으로 적절한 것은?

성장기 → ((가)) → 확립기 → 유지기 → 쇠퇴기

① 개인 생활 주기 중 중년기에 해당한다.
② 진로를 선택하고, 안정적인 삶을 위해 노력한다.
③ 부모님의 보살핌 속에서 자아를 발견하는 시기이다.
④ 직업에서 은퇴하여 새로운 진로를 준비하는 시기이다.
⑤ 자신의 특성을 고려하여 진로를 탐색하고, 미래의 삶을 계획한다.

01 다음 가족계획 포스터 문구를 해석한 내용으로 적절한 것은?

① 1970년대에는 자녀를 적게 낳아서 문제였나 봐.
② 1980년대에는 저출산 문제가 심각했던 것 같아.
③ 1990년대에는 남학생보다 여학생이 많았던 것 같아.
④ 1990년대에는 아직 남아 선호 사상이 남아 있었나 봐.
⑤ 2010년대에는 자녀를 적게 낳으라고 홍보하고 있네.

02 저출산·고령 사회가 심각해짐에 따라 발생할 수 있는 문제로 적절하지 않은 것은?

① 노동 인구의 감소로 생산성이 하락한다.
② 젊은 세대의 노인 부양 부담이 증가한다.
③ 소비 계층의 감소로 경제 활동이 침체된다.
④ 노인 부양 부담의 증가로 국가 재정이 악화될 수 있다.
⑤ 노인 인구보다 유소년 인구가 많아지면서 노인 일자리가 부족해질 수 있다.

03 다음에서 나타나고 있는 사회의 대비책으로 옳은 것은?

> 100세 시대가 현실로 다가오면서 노후의 삶이 길어졌다. 나이는 숫자에 불과하다며 노후를 열정적이고 즐겁게 보내는 사람들이 있다. 올림픽에 출전하여 세계 신기록을 세운 할아버지와 최고령 모델 할머니, 최고령 보디빌더, 최고령 대학 졸업생 할아버지, 할머니가 그 사례이다.

① 가족이 노인 부양을 책임진다.
② 현재의 노인 관련 정책을 유지한다.
③ 고령 친화적인 사회 환경을 조성한다.
④ 노인에게 일보다 여가와 휴식을 보장한다.
⑤ 결혼을 하지 않아도 괜찮다는 가치관을 유지한다.

04 다음 중 유연 근무제에 해당하지 않는 것은?

① 육아 휴직
② 시간 선택제
③ 재택 근무제
④ 원격 근무제
⑤ 시차 출퇴근제

틀리기 쉬운 문제

05 다음 그래프에서 2018년 이후 나타날 수 있는 문제의 대비책으로 적절하지 않은 것은?

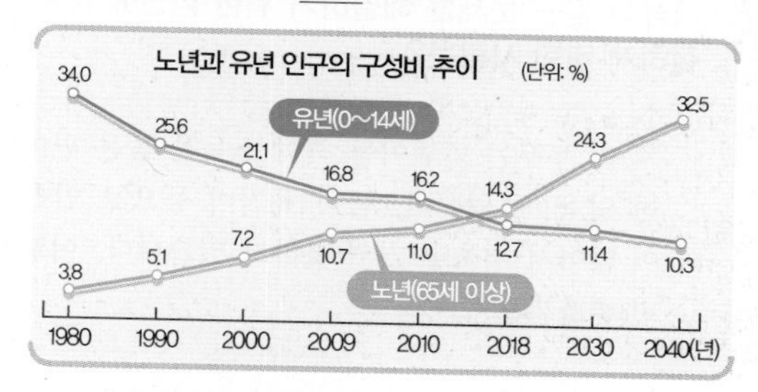

① 경로 연금을 지급한다.
② 노인 보건 사업을 실시한다.
③ 자녀 출산 및 양육을 지원한다.
④ 노인의 의료 보험 혜택을 늘린다.
⑤ 저소득 노인의 복지 자금을 위해 세금을 늘린다.

06 가족 가치관이 나머지 넷과 다른 사람은?

① 어머니: 나이 드신 노부모님은 꼭 모시고 살아야겠어.
② 아들: 모든 가족이 가사 노동을 평등하게 나눠서 해야 해.
③ 할아버지: 성별에 따라 역할을 구분하는 것이 바람직하지.
④ 딸: 남성은 가정 경제를 담당하고, 여성은 집안일을 담당하는 것이 능률적이야.
⑤ 아버지: 어린 아들과 딸을 가진 여자는 직장 생활을 그만두고 자녀와 함께하는 시간을 늘리는 것이 좋아.

실전 문제

자주 출제되는 문제

07 〈사례〉에 해당하는 일·가정 양립 상황에서 발생하는 문제는?

> 사례
> 맞벌이 부부인 김 씨는 부모, 배우자, 직장인, 가정주부 등의 일을 동시에 수행하고 있는데, 직장 생활을 하면서 부모가 해야 할 일을 제대로 하지 못할 때 심리적인 부담감을 느낀다.

① 일정 갈등　② 역할 갈등
③ 자녀 양육 문제　④ 경제생활 관리 문제
⑤ 가족 가치관의 충돌

08 다음과 같은 문제를 해결하기 위한 방안에 대해 가장 적절하게 말한 사람은?

> "우리 부부는 맞벌이를 하여 소득은 높은 편이나 자녀 양육비, 외식비, 품위 유지비 등으로 인한 지출이 많아서 저축을 거의 못하고 있습니다. 어떻게 하면 좋을까요?"

① 철수: 부부가 가사 노동이나 자녀 양육 등을 평등하게 분담해야 합니다.
② 유진: 부부가 수입을 각자 관리하고, 서로 지출에 대해 간섭하지 말아야 합니다.
③ 민영: 가족 구성원 간에 의사소통을 하고, 솔직하게 감정을 표현하는 것이 중요합니다.
④ 민정: 맞벌이 가정은 소득이 많기 때문에 경제생활 관리에 대해서는 신경 쓰지 않아도 됩니다.
⑤ 소희: 먼저 저축 계획을 세워 저축액을 정한 뒤, 필요한 생활비를 미리 계획하여 소비하는 자세를 가져야 합니다.

09 일과 가정생활의 조화를 위한 사회·문화 차원의 문제 해결 방법으로 적절하지 않은 것은?

① 가족 친화 문화를 조성한다.
② 육아 휴직, 돌봄 휴직 등을 잘 지킨다.
③ 일·가정 지원에 관한 법률을 제정한다.
④ 양성평등 사회를 실현하기 위해 노력한다.
⑤ 개인이나 가족의 문제로 국한해서 바라보고 가족 구성원이 스스로 해결할 수 있도록 지지한다.

10 〈보기〉에서 '일하는 아빠'의 어려움을 해결하기 위한 방법으로 적절한 것을 모두 고른 것은?

> 보기
> ㄱ. 배우자에게 가사 노동과 육아를 맡긴다.
> ㄴ. 근무 시간을 늘리고, 여가 시간을 줄인다.
> ㄷ. 자녀와 함께하는 시간을 우선적으로 갖는다.
> ㄹ. 직장 생활을 하다가 출산 휴가, 육아 휴직 제도를 활용한다.

① ㄱ, ㄴ　② ㄱ, ㄷ　③ ㄴ, ㄷ
④ ㄴ, ㄹ　⑤ ㄷ, ㄹ

11 ㉠~㉢에 들어갈 말을 바르게 짝지은 것은?

> (㉠)란 개인이나 가족의 삶이 시간의 흐름에 따라 변화하는 과정을 단계별로 구분한 것으로, 개인 생활 주기와 (㉡)가 있다. (㉠)의 각 단계에는 개인이나 가족이 수행해야 할 과제인 (㉢)이 있다.

	㉠	㉡	㉢
①	생애 설계	부부생활 주기	역할 과업
②	생애 설계	가구생활 주기	발달 과업
③	생애 주기	가구생활 주기	역할 과업
④	생애 주기	가족생활 주기	발달 과업
⑤	생활 주기	가족생활 주기	실행 과업

12 생애 설계를 할 때 고려해야 할 사항으로 적절하지 않은 것은?

① 장기적인 관점에서 계획을 세운다.
② 개인과 가족의 생애 전체를 고려하여 계획한다.
③ 구체적인 실행 방안을 마련한 후 생애 목표를 세운다.
④ 개인이나 가족의 욕구와 목표를 반영할 수 있도록 한다.
⑤ 개인이나 가족의 생활 주기에 따른 발달 과업을 먼저 이해한 후 계획을 세운다.

틀리기 쉬운 문제

13 생애 설계의 절차 중 (가) 단계의 예로 적절한 것은?

생애 목표 정하기 → (가) → 목표 달성을 위한 실행 방안 마련하기

① 생명 과학과로 진학하여 학위를 취득한다.
② 인류 발전에 기여하는 생명 과학자가 되고 싶다.
③ 매달 관련 분야의 책을 1권 이상 읽고 독후감을 쓴다.
④ 과학 관련 영어 원서를 읽기 위해 열심히 영어 공부를 한다.
⑤ 신체적, 정신적 건강을 유지하기 위해 매일 한 시간씩 농구를 하며 체력을 다진다.

자주 출제되는 문제

14 〈보기〉에서 발달 과업에 대한 설명으로 옳은 것을 모두 고른 것은?

보기
ㄱ. 생애 주기의 각 단계마다 개인이나 가족이 수행해야 할 과제이다.
ㄴ. 생애 설계를 할 때 계획을 먼저 세운 후 발달 과업을 이해해야 한다.
ㄷ. 발달 과업이 원활하게 수행될 때 행복하고 만족스러운 생활을 할 수 있다.
ㄹ. 이전 단계의 발달 과업을 성취하지 않더라도 다음 단계의 발달 과업을 성취할 수 있다.

① ㄱ, ㄴ ② ㄱ, ㄷ
③ ㄴ, ㄷ ④ ㄴ, ㄹ
⑤ ㄷ, ㄹ

15 〈보기〉에서 청소년기의 발달 과업을 모두 고른 것은?

보기
ㄱ. 직업 선택하기
ㄴ. 진로 탐색하기
ㄷ. 자아 정체감 형성하기
ㄹ. 도덕성 기초 형성하기

① ㄱ, ㄴ ② ㄱ, ㄷ
③ ㄴ, ㄷ ④ ㄴ, ㄹ
⑤ ㄷ, ㄹ

16 〈보기〉에서 노후 설계의 주요 내용으로 옳은 것을 모두 고른 것은?

보기
ㄱ. 건강 관리 계획을 수립한다.
ㄴ. 여가 생활을 위한 계획을 세운다.
ㄷ. 수입 감소에 따른 경제적 대비를 한다.
ㄹ. 자신의 꿈과 인생의 목표를 분명히 정한다.
ㅁ. 바람직한 결혼 생활과 그에 따른 준비를 한다.

① ㄱ, ㄴ, ㄷ ② ㄱ, ㄴ, ㅁ
③ ㄱ, ㄷ, ㄹ ④ ㄴ, ㄹ, ㅁ
⑤ ㄷ, ㄹ, ㅁ

17 다음 대화와 관련된 가족생활 주기의 발달 과업으로 옳지 않은 것은?

• 아내: 우리, 아이는 두 명을 낳을까요?
• 남편: 그래요. 아이를 잘 키우려면 저축도 열심히 해야 해요.

① 임신과 부모 됨 준비하기
② 가족생활의 목표와 규칙 정하기
③ 친인척과의 원만한 관계 형성하기
④ 경제적 자원 안정적으로 관리하기
⑤ 서로의 역할과 책임의 기준 정하기

18 다음과 같은 발달 과업을 수행해야 하는 사람들로 가장 적절한 것은?

• 자녀 발달 단계에 맞는 교육과 환경 지원
• 자녀의 자아 정체감 형성과 진로 탐색 지원
• 자녀의 정서적 안정 유지와 자녀와의 유대감 형성

① 결혼한 지 얼마 안 된 신혼부부
② 자녀의 결혼을 앞두고 있는 부모
③ 올해 중학교에 입학한 자녀를 둔 부모
④ 은퇴 후 여가 생활을 즐기고 있는 부부
⑤ 아이를 유치원에 맡기고 일터로 나가는 맞벌이 부부

19 **생애 설계의 내용 중 가정 경제 설계의 주요 내용에 해당하는 것으로 옳은 것은?**

① 원만한 부부 관계를 맺기 위해 무엇을 할 것인가?
② 은퇴 후 노후 생활 자금은 어떻게 마련할 것인가?
③ 자녀의 학업과 진로 지도는 어떤 방법으로 할 것인가?
④ 가족생활 주기별 부부 역할을 어떻게 재조정할 것인가?
⑤ 자녀의 정서적 안정과 건강한 발달을 위해 무엇을 준비할 것인가?

자주 출제되는 문제

20 **진로 설계 과정 중 (가) 단계에서 해야 할 일로 옳은 것은?**

> 인생 목표 설정 → ((가)) → 직업 세계의 이해 → 진로 정보 수집 → 진로 선택 및 준비

① 내가 원하는 행복한 삶을 위한 목표를 정한다.
② 진로를 선택하고 이를 실현하기 위해 계획하고 실천한다.
③ 다양한 직업의 종류, 직업 정보, 직업의 변화 등을 이해한다.
④ 자아 탐색을 통해 자신의 적성, 흥미, 성격, 가치관 등을 파악한다.
⑤ 최종 진로를 선택하기 위해 부모님이나 전문가 등과의 상담을 통해 조언을 듣는다.

21 **진로 발달 단계와 그 단계에서 해야 할 일이 바르게 짝지어진 것은?**

① 성장기 - 부모님의 보살핌 속에서 자아를 발견한다.
② 탐색기 - 직업에서 은퇴하여 새로운 진로를 준비한다.
③ 확립기 - 직업에서의 자신의 위치를 확고히 하며 안정된 삶을 살아간다.
④ 유지기 - 자신에게 맞는 진로를 선택하고, 안정적인 삶을 위해 노력한다.
⑤ 쇠퇴기 - 자신의 특성을 고려하여 진로를 탐색하고, 미래의 삶을 계획한다.

서술형 문제

22 **다음에서 설명하는 것을 이루기 위한 개인과 가족의 노력을 두 가지만 쓰시오.**

> 일과 가정생활의 균형을 유지할 수 있도록 모두가 가족을 배려하는 분위기를 만들고, 가족의 소중함에 관한 가치를 공유하며 지원하는 문화를 의미한다.

23 **다음의 가족이 겪고 있는 문제점과 개인·가족 차원에서의 해결 방안을 쓰시오.**

> 세 살된 아들과 함께 살고 있는 아빠 A씨와 엄마 B씨는 회사일, 집안일, 육아 등으로 몸이 열 개라도 부족하다. 아침에 일어나 부부는 출근 준비를 하면서 아들의 아침을 먹이느라 허둥지둥한다. A씨는 아들을 어린이집에 보내고 바쁘게 출근한다. 둘은 회사에서 열심히 일하며 B씨는 퇴근 무렵 어린이집에서 아들을 데려와 저녁을 먹이고 씻긴다. 오늘도 야근인 A씨 대신 아들과 놀아주며 엉망인 집 청소를 하고 난 B씨는 피곤에 지쳐 잠든다.

24 **생애 설계의 중요성을 생애 설계를 했을 때와 그렇지 않을 때를 비교하여 쓰시오.**

25 **자신이 원하는 행복한 삶을 살기 위한 진로 설계 과정을 쓰시오.**

▶ 다음 명화에 나타난 생애 단계와 나는 어디쯤에 속하는지 파악해 보고, 생애 설계의 필요성에 대해 써 보자.

<에펠탑의 신랑 신부>
마르크 샤갈(1887~1985)

<팔걸이의자에 앉아 있는 노인>
반 레인 렘브란트(1606~1669)

MEMO

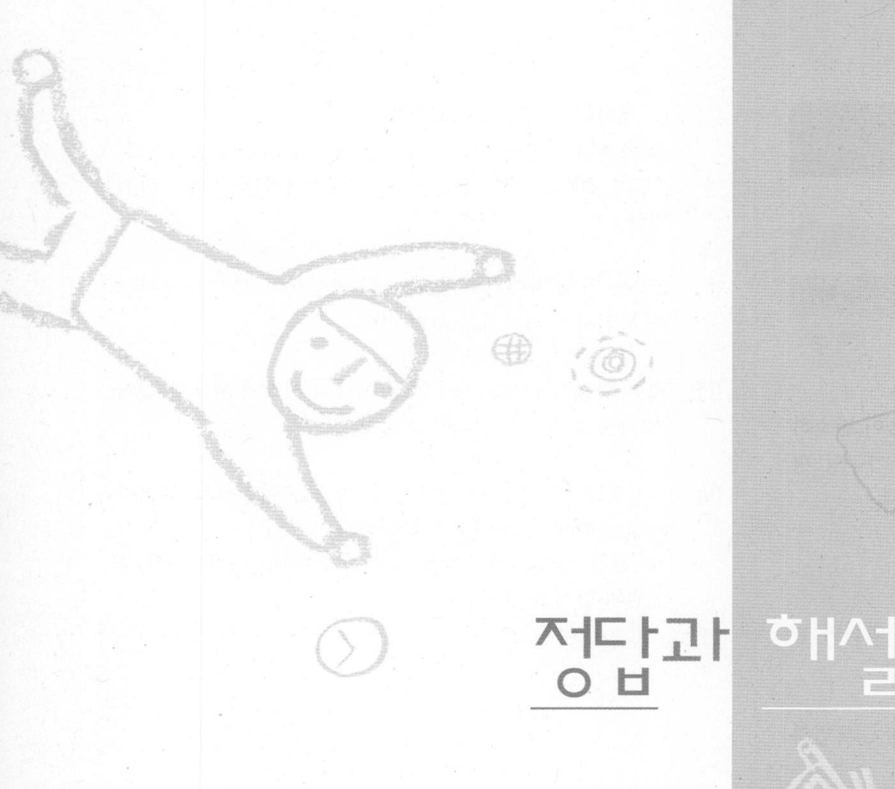

정답과 해설

I 건강한 가족 관계

01 변화하는 가족과 건강 가정

이해 문제 8쪽

01 ④ 02 ③ 03 ② 04 ② 05 ① 06 ②

01 현대 사회에서는 초혼 연령이 높아지고, 출산율이 감소하였다. 또한, 핵가족과 1인 가구가 증가하면서 가구당 평균 가구원 수가 줄고 전체 가구 수가 증가하였다.

02 자녀 출산의 기능에 대한 설명이다.

03 현대에는 개인주의 성향이 강해지고 양성평등 의식이 높아지면서 가족에 관한 인식도 변화되고 있다.

04 가정 확대기는 첫 자녀의 출산을 시작으로 자녀가 독립하기 전까지의 시기를 말한다.

05 평균 수명이 연장되면서 가정 해체의 시작과 완료가 늦어져 가정 축소기는 길어지고 있다.

06 건강 가정은 가족 간에 대화 시간을 많이 가지며 즐거운 시간을 공유하는 특성이 있다.

적용 문제 9쪽

01 ② 02 ⑤ 03 ④ 04 ④ 05 ② 06 ④

01 현대 사회의 가족 구조 변화로는 초혼 연령의 상승, 출산율 감소, 가족 규모의 축소, 세대 구성의 단순화가 있다.
오답 **뛰어넘기** ㄴ. 전체 가구 수는 증가하지만, 가구당 평균 가구원 수는 줄어들어 가족의 규모는 축소되고 있다. ㄷ. 부부와 자녀, 조부모로 구성된 세대는 줄어들고, 부부로만 구성된 핵가족과 1인 가구가 증가하면서 세대 구성이 단순화되었다.

02 (가)는 보호의 기능에 대한 설명이고, (나)는 정서적 안정 및 휴식의 기능에 대한 설명이다.

03 ① 개인주의 성향이 강해졌다.
② 가족의 중심이 아버지와 아들에서 부부로 이동하였다.
③, ⑤ 결혼과 자녀 출산은 개인이 선택하는 문제로 바뀌었다.

04 (가)는 가정 확대기로 첫 자녀의 출산으로 시작되어 자녀가 독립하기 전까지의 시기이다.

05 평균 수명이 연장되면서 가정 해체의 시작과 완료가 늦어져 가정 축소기가 길어지고 있다.

06 ㄱ. 건강 가정은 양성평등한 가치관을 바탕으로 성별이 아닌 능력에 따라 역할을 분담한다.
ㄷ. 건강 가정은 가족의 일을 결정할 때에는 모든 가족 구성원의 합의로 결정한다.

02 가족 관계

이해 문제 12쪽

01 ① 02 ② 03 ③ 04 ④ 05 ④ 06 ③
07 ①

01 부부 관계의 특징에 대한 설명이다.

02 ②는 형제자매 관계의 특징에 대한 설명이다.

03 형제자매 관계는 어릴 적부터 놀이 상대이면서, 때로는 선의의 경쟁자가 되기도 한다.

04 조부모는 손자녀에게 정서적 지지를 보내며, 훈육자의 역할을 한다.

05 세대 간에 민주적인 부모 자녀 관계를 형성하기 위해서는 부모와 자녀가 공동으로 의사 결정을 하는 것이 바람직하다.

06 형제자매 관계는 어릴 적부터 놀이 상대이면서 때로는 선의의 경쟁자가 되기도 하지만, 경쟁의식을 갖는 것은 원만한 관계 형성을 위해 바람직하지 않다.

07 ㄷ. 조부모님이 가족으로부터 소외감을 느끼지 않도록 하는 것이 바람직하다.
ㄹ. 조부모님의 삶의 방식과 경험을 존중해야 한다.

적용 문제 13쪽

01 ⑤	02 ④	03 ③	04 ②	05 ④	06 ⑤

01 ㄱ. 형제자매 관계에 대한 설명이다.
ㄴ. 부모 자녀 관계에 대한 설명이다.

02 (가)는 부모 자녀 관계, (나)는 형제자매 관계의 특징에 대한 설명이다.

03 형제자매는 개인의 인성 발달과 사회화에 영향을 주므로 서로에게 긍정적인 영향을 주며 좋은 본보기가 되도록 노력해야 하지만 부모의 편애, 양육 태도 등으로 갈등이 일어날 수 있는 관계이다.
오답 **뛰어넘기** ㄱ. 조부모 손자녀 관계에 대한 설명이다.
ㄹ. 자녀 출산과 부모 됨에 대한 설명이다.

04 ㄴ. 양성평등하고 민주적으로 역할을 분담해야 한다.
ㄹ. 서로의 의견이 불일치할 때에는 서로의 차이를 이해하고 상대방을 배려하며 의견을 조율해 나가야 한다.

05 세대 간에 민주적인 부모 자녀 관계를 형성하기 위해서는 부모와 자녀가 공동으로 의사 결정을 하는 것이 바람직하다.

06 원만한 조부모 손자녀 관계를 형성하기 위해 조부모님과 시간을 함께 보내며 친밀감을 형성하는 것이 좋다.

03 가족 간의 갈등과 해결

이해 문제 17~18쪽

01 ④	02 ⑤	03 ②	04 ②	05 ①	06 ④
07 ②	08 ⑤	09 ④	10 ①	11 ②	12 ⑤

01 친밀한 가족 관계에서도 크고 작은 갈등을 겪을 수 있다.

02 가족 간의 갈등은 다양한 원인으로 발생할 수 있는데, 지문은 자녀 교육 및 행동의 문제로 인해 발생한 갈등 상황이다.

03 효과적인 의사소통은 친밀한 인간관계를 맺는 데 중요한 역할을 한다.

04 반가운 친구를 보고 환하게 웃은 것은 감정을 언어 이외의 방법으로 표현하는 비언어적 의사소통에 해당한다. 편지, 전자 우편, 전화, 문자 메시지 등은 언어적 의사소통에 해당한다.

05 편지는 언어적 의사소통에 해당하고, 표정, 자세, 시선, 몸짓 등은 비언어적 의사소통에 해당한다.

06 (가)는 송신자 즉, 보내는 사람에 대한 설명이며, (나)는 송신자로부터 받은 정보를 이해했다는 표시를 보이는 반응에 대한 설명이다.

07 경청이란 상대방과 시선을 맞추며 상대방의 말에 적극적으로 귀 기울이고, 적절한 반응을 보이며 감정을 이해하고자 노력하는 것을 말한다. 상대방의 말을 끊고 조언하는 것은 경청하는 태도로 옳지 않다.

08 명령과 지시 등은 상대방의 기분을 상하게 하여 자신이 상대방에게 전달하려고 한 의도가 제대로 전해지기 어렵다.

09 '나' 전달법에 대한 설명으로, 자신의 감정과 생각을 솔직하게 말하면서도 상대방의 기분을 상하지 않게 전달하는 대화 방법이다.

10 '나' 전달법은 상대방이 해 주기를 바라는 행동을 상대방의 기분이 상하지 않게 전달하는 방법으로 상대방의 책임을 묻는 것은 포함하지 않는다.

11 언어적 의사소통과 비언어적 의사소통을 일치시켜 말하면 상대방에게 혼란을 주지 않고 자신의 의사와 생각을 잘 전달하여 의사소통이 원활하게 이루어질 수 있다.

12 ① 갈등 상황을 인정하고, 숨기기보다는 있는 그대로 받아들인다.
② 해결 방안은 가족 모두가 협의를 통해 함께 찾아 실천한다.
③ 상대방의 말을 비난하지 않고 공감하기 위해 노력한다.
④ 해결 방안을 모색할 때에는 갈등이 되고 있는 문제에만 초점을 맞춘다.

적용 문제 19~20쪽

01 ③	02 ①	03 ②	04 ④	05 ⑤	06 ④
07 ④	08 ③	09 ③	10 ⑤	11 ③	12 ⑤

01 친밀한 가족 관계에서도 가족 갈등이 생길 수 있으며, 가족 구성원이 상호 작용하는 과정에서 의견이 일치하지 않을 때 갈등이 생길 수 있다.
오답 **뛰어넘기** ㄱ. 가족 갈등이 발생하면 가족 구성원 전체에게 영향을 끼친다.
ㄹ. 가족 갈등은 다양한 개성과 서로 다른 욕구를 가진 구성원으로 이루어져 있기 때문에 발생한다.

02 가족 갈등의 원인은 다양하지만 세대 간의 가치관, 생활 습관, 기호 등이 다를 경우 가족 갈등이 일어날 수 있다.

03 의사소통은 가족 구성원 간의 유대감을 높이고, 주변 사람들과 친밀한 인간관계를 맺는 데 도움을 준다.
오답 **뛰어넘기** ㄴ. 효과적인 의사소통을 통해 가족 간의 갈등에 현명하게 대처할 수 있다.
ㄹ. 생각이나 감정을 말뿐만 아니라 행동을 통해 상대방에게 전달하고 전달받는 과정을 말한다.

04 비언어적 의사소통에 대한 설명으로, 몸짓, 자세, 표정, 옷차림, 시선 등이 해당한다.

05 전화와 편지는 언어적 의사소통에 해당하며, 손을 흔드는 등의 몸짓과 시선은 비언어적 의사소통에 해당한다.

06 전달 매체는 보내는 사람과 받는 사람이 언어적 또는 비언어적 방법을 사용하여 의사소통이 이루어질 수 있도록 하는 수단이다.
오답 **뛰어넘기** ㉠ 정보, ㉡ 받는 사람(수신자), ㉢ 보내는 사람(송신자), ㉤ 반응에 대한 설명이다.

07 적극적으로 잘 듣기 위해서는 자세를 바르게 하고 집중해야 하며, 이야기를 다 듣고 자신이 바르게 이해하였는지 확인한다.
오답 **뛰어넘기** ㄱ. 상대방의 이야기에 적절한 반응을 보이며 경청해야 한다.
ㄷ. 상대방의 말을 중간에 가로막지 않고 끝까지 들은 후 자신의 의견을 말한다.

08 긍정적인 표현을 사용하여 말하면 상대방은 자신이 존중받는다는 느낌을 받아 상대방과 신뢰를 형성할 수 있다.
오답 **뛰어넘기** ㄱ. 언어적 의사소통과 비언어적 의사소통이 일치하지 않을 때 생기는 문제이다.
ㄹ. '나' 전달법을 사용하여 말할 때 얻을 수 있는 효과이다.

09 '나' 전달법은 상대방의 행동을 비난하지 않고 표현하기, 상대방의 행동이 나에게 끼치는 영향 말하기, 상대방의 행동으로 느낀 나의 감정 말하기, 상대방이 해 주기를 바라는 점 말하기로 이루어진다.

10 괜찮다라는 말과 고개를 돌리며 찌푸리는 표정이 일치하지 않아 상대방에게 혼란을 주게 되고, 오해와 갈등이 생길 수 있다.

11 가족 갈등을 통해 가족은 서로를 더 잘 이해할 수 있고 구성원 간의 결속력이 커지며, 또 다른 갈등이 발생했을 때 올바르게 대처하고 해결할 수 있는 능력을 길러 준다.

12 가족 간의 갈등이 생겼을 때에는 일방적으로 해결하려고 하면 더 큰 문제가 생길 수 있으므로 가족 모두가 해결 방안을 찾고 협의를 통해 결정한 후 함께 실천해야 한다.

실전 문제 21~24쪽

01 ②	02 ④	03 ⑤	04 ③	05 ①	06 ③
07 ⑤	08 ④	09 ④	10 ⑤	11 ③	12 ③
13 ②	14 ②	15 ③	16 ④	17 ⑤	18 ⑤
19 ③	20 ④	21 ②			

[서술형 문제] 22~25 해설 참조

01 늦은 결혼으로 인해 초혼 연령이 상승하였고, 출산율은 급격하게 감소하고 있으며, 가구당 평균 가구원 수가 줄어들어 가족의 규모가 축소되었다.

02 (가)와 (나)는 가족의 기능 중 자녀 양육 및 사회화 기능에 대한 설명이다. 과거에는 인성과 도덕성을 중시한 가정교육이 강조되었으나, 현재에는 전문 기관이 이러한 역할을 대신해 주고 있다.

03 현대에는 개인주의 성향이 강해지면서 결혼과 자녀 출산은 개인이 선택하는 문제가 되었다.

04 오늘날 사회가 빠르게 변화함에 따라 가족생활 주기도 변화하고 있다.
오답 파헤치기 ① 남녀의 결혼으로 가정이 형성된다.
② 가족생활 주기는 부부의 사망으로 끝난다.
④ 가족생활 주기의 순서와 기간은 가정마다 다를 수 있다.
⑤ 가정 축소기는 첫 자녀의 독립~부부 중 한 명이 사망하는 시기를 말한다.

05 ㄷ. 평균 수명이 연장되면서 가정 해체의 시작과 완료가 늦어지고 있다.
ㄹ. 자녀의 늦은 결혼과 결혼 기피로 가정 축소기의 시작과 완료가 늦어지고 있다.

06 아내와 남편이 성별이 아닌 양성평등한 가치관으로 역할을 분담하고 있다.

07 (가)는 분거 가족, (나)는 공동체 가족에 대한 설명이다.

08 다양한 가족 관계 중 부부 관계는 가족의 기초가 되며 좋은 부부 관계는 가족 전체 생활에 영향을 준다.
오답 파헤치기 ①, ② 부모 자녀 관계의 특징이다.
③, ⑤ 형제자매 관계의 특징이다.

09 ㄱ, ㄷ. 부부 관계의 특징에 대한 설명이다.

10 원만한 부부 관계를 형성하기 위해서는 한쪽이 참는 것보다는 서로의 차이를 이해하고, 상대방을 배려하는 마음을 갖고 갈등을 해결하려 노력하는 것이 바람직하다.

11 형제자매 관계의 특징에 대한 설명으로, 형제자매는 선의의 경쟁을 통해 함께 성장하지만 지나친 경쟁은 원만한 관계 형성의 방안으로 적절하지 않다.

12 핵가족화로 함께 생활하지 않지만 자주 찾아뵙고, 연락을 주고받으며 조부모님이 가족으로부터 소외감을 느끼지 않도록 한다.

13 아버지의 실직으로 생활비 마련 등의 가정 경제 문제가 가족 갈등의 원인이 되고 있다.

14 문자 메시지와 편지는 언어적 의사소통에 해당하고, 고개를 끄덕이는 것은 비언어적 의사소통에 해당한다.

15 (가)는 반응으로, 보내는 사람이 정보를 전달하면 받는 사람이 정보를 받고 이해했다는 표시를 보이는 것을 말한다.
오답 파헤치기 ① 정보에 대한 설명이다.
② 받는 사람이 갖추어야 할 태도로 정보를 잘 전달받기 위해 귀를 기울여야 한다.
④ 반응은 의사소통이 잘 이루어지기 위한 필수 요소이다.
⑤ 보내는 사람이 해야 할 일로 받는 사람이 잘 이해할 수 있도록 정보를 정확하게 표현해야 한다.

16 ㄱ. 칭찬, 격려, 지지, 공감과 같은 긍정적인 표현을 사용하는 것이 좋다.
ㄷ. 자신의 생각과 느낌을 솔직하게 표현하는 것이 바람직하다.

17 경청과 공감을 위해서는 상대방의 이야기에 적절한 반응을 보이는 것이 좋다.

18 긍정적인 표현을 사용한 대화로, ⑤는 부정적인 표현을 사용할 때의 결과에 해당한다.

19 '나' 전달법은 상대방의 행동이 나에게 끼치는 영향과 그로 인해 내가 느낀 감정을 솔직하게 말한다.
오답 파헤치기 ㄱ. 상대방의 행동을 비난하지 않고 표현한다.
ㄹ. 상대방이 해 주기를 바라는 점을 포함하여 말한다.

20 자신의 의사를 명확하고 효과적으로 전달하기 위해서는 언어적 의사소통과 비언어적 의사소통을 일치시켜야 하며, 그렇지 않으면 상대방에게 혼란을 주게 되고, 오해와 갈등이 생길 수 있다.

21 가족 갈등을 해결하기 위해서는 갈등 상황을 있는 그대로 받아들이고 자신의 의견을 분명하게 표현하여 최선의 해결 방안을 찾기 위해 노력해야 한다.
오답 파헤치기 ㄴ. 가족 구성원 모두가 협의를 통해 해결 방안을 결정하고 실천해야 한다.
ㄹ. 해결 방안을 모색할 때에는 갈등이 되고 있는 문제에만 초점을 맞추는 것이 바람직하다.

서술형 문제

22 첫째, 서로 사랑하며 친밀감과 유대감을 갖는다. 둘째, 가족 간에 대화 시간을 많이 갖는다. 셋째, 세대 간의 차이를 인정하고, 양성평등한 가치관으로 역할을 분담한다. 넷째, 가족 문제가 생겼을 때 긍정적 사고로 협동하며 대처한다. 다섯째, 가족의 일을 결정할 때에는 가족 구성원 모두의 합의로 결정한다. 여섯째, 민주적인 가족 관계를 만든다.

23 '나' 전달법을 사용하기 위해서는 상대방의 행동을 비난하지 않고 표현해야 한다. 그다음 상대방의 행동이 나에게 끼치는 영향을 말한 후 상대방의 행동으로 느낀 나의 감정을 말한다. 마지막으로 상대방이 해 주기를 바라는 점을 말한다. 이러한 대화 방법은 상대방의 기분을 상하지 않게 하면서 자신이 원하는 바를 전달하는 효과가 있다.

24 언어적 의사소통과 비언어적 의사소통을 일치시켜 말하면 자신의 의사를 명확하고 효과적으로 전달할 수 있기 때문에 의사소통이 더 원활하게 이루어질 수 있다. 반면, 언어적 의사소통과 비언어적 의사소통이 일치하지 않으면 상대방에게 혼란을 주게 되고, 오해와 갈등이 생길 수 있다.

25 가족 간의 갈등을 원만하게 해결하게 되면 가족 구성원 간의 결속력이 더욱 커지고, 서로를 잘 이해하게 된다. 이는 또 다른 갈등이 발생했을 때 올바르게 대처하고 해결할 수 있는 능력을 길러 준다.

창의 융합 코너 25쪽

예시 답안 소설 속 가족 갈등의 원인은 돈벌이를 제대로 할 수 없는 예술가 남편과 궁핍한 살림을 꾸려 나가는 아내 사이에 발생한 가정 경제 문제이다. 현재 부부는 경제적으로 빈곤한 생활을 하고 있으며, 이로 인해 부부간에 싸움이 발생한 상황임을 인지하고, 갈등 상황을 있는 그대로 받아들여야 한다. 해결 방안을 모색할 때에는 현재 갈등의 원인이 되고 있는 가정 경제 문제에만 초점을 맞추는 것이 바람직하다. 갈등을 해결하기 위해서는 부부가 각자의 생각을 자유롭게 이야기할 수 있는 분위기를 만들어야 한다. 대화할 분위기를 만든 후 남편은 예술가로서 돈벌이를 제대로 할 수 없는 자신에 대한 답답함, 은행원 T와 자신을 비교한 아내에 대한 서운함, 매일 반찬거리를 걱정하는 아내에 대한 미안함 등을 솔직하고 분명하게 표현해야 한다. 이에 대해 아내는 남편의 말을 비난하지 않고 공감하기 위해 노력해야 하며, 남편의 말에 대한 자신의 의견을 이야기한다. 이러한 솔직한 대화를 통해 남편과 아내가 다양한 해결 방안을 함께 찾은 후에는 협의를 통해 최선의 해결 방안을 결정하고 실천하려는 노력이 필요하다.

Ⅱ 창의적인 생활 문화

01 균형 잡힌 식사 계획과 선택

이해 문제 30~31쪽

01 ④ 02 ㉠ 식품군별 대표 식품, ㉡ 권장 식사 패턴 03 ③
04 ① 05 ⑤ 06 ③ 07 ② 08 ③ 09 ①
10 ⑤ 11 ⑤ 12 (가) – (4), (나) – (3), (다) – (2), (라) – (1)

01 ㄱ. 에너지는 필요 추정량으로 제시한다.
ㄹ. 12~14세 청소년의 영양소 섭취 기준은 남자, 여자로 각각 구분되어 제시된다.

03 식품군별 대표 식품의 1인 1회 분량에서 *표시된 음식은 0.3회 섭취량을 나타낸 것이다.

04 • 지원: 중학생은 12~14세에 해당하는 식품군별 1일 권장 섭취 횟수를 참고한다.
• 현호: 3.5, 3 등 숫자는 청소년 남녀의 식품군별 1일 권장 섭취 횟수를 나타낸다.

05 12~14세 식품군별 1일 권장 섭취 횟수에 따르면 고기·생선·달걀·콩류의 식품군을 남자는 5.5회, 여자는 3.5회 섭취할 것을 권장한다. 유지·당류의 식품군을 남자는 7회, 여자는 6회 섭취할 것을 권장한다.

06 세 번째 단계에서는 식품군별 1일 권장 섭취 횟수를 세끼 식사와 간식에 배분한다.

07 국수는 곡류, 멸치와 어묵, 제육볶음은 고기·생선·달걀·콩류, 새송이버섯볶음과 샐러드는 채소류, 요구르트는 우유·유제품류에 해당한다. 따라서 부족한 식품군은 과일류이다.

08 유지·당류는 조리 시 소량씩 사용하여 필요량을 충족시키므로 별도로 먹지 않아도 된다.

09 식품 구성 자전거에서 중요시하는 세 가지 요소는 균형 잡힌 식단, 적당한 수분의 섭취, 규칙적인 운동이다.

10 치즈는 우유 · 유제품류에 해당한다.

11 1인 가구가 증가하면서 편리한 식생활을 추구함에 따라 완제품이나 반제품을 구입하여 이용하는 일이 늘어나고 있다.

적용 문제 32~33쪽

01 ② 02 ① 03 ② 04 ⑤ 05 ③ 06 ⑤
07 ⑤ 08 ③ 09 ④ 10 ③ 11 ②

01 12~14세 청소년의 영양소 섭취 기준 요소 중 여자가 남자보다 더 많이 섭취해야 하는 것은 철과 비타민 C이다.
오답 뛰어넘기 수분, 칼슘, 단백질, 비타민 A는 모두 남자가 더 많이 섭취해야 한다.

02 깨는 유지·당류 식품군의 대표 식품에 해당한다.

03 ㉠ 식품군별 대표 식품은 곡류, 고기·생선·달걀·콩류, 채소류, 과일류, 우유·유제품류, 유지·당류로 분류된다.
㉤ 마요네즈는 유지 · 당류에 해당된다.

04 12~14세 식품군별 1일 권장 섭취 횟수를 보면, 남자는 2,500kcal, 여자는 2,000kcal로 제시되어 있다. 우유·유제품류를 제외한 다섯 가지 식품군의 섭취 횟수는 남자가 여자보다 많고, 우유·유제품류만 2회로 섭취 횟수가 동일하다.

05 돼지고기 60g = 1회, 달걀 60g = 1회, 바지락 120g = 1.5회 ∴ 총 3.5회
오답 뛰어넘기 ① 총 2.5회, ② 총 4회, ④ 총 3회, ⑤ 총 5회

06 두 번째 단계는 식품군별 1일 권장 섭취 횟수를 확인하는 것이며, 세 번째 단계는 식품군별 1일 권장 섭취 횟수를 세끼 식사와 간식에 배분하는 것이다.

07 꿀은 유지·당류에 해당되는 것으로, 유지·당류는 조리 시 소량씩 사용하여 필요량을 충족시키므로 별도로 먹지 않아도 된다.

08 보리밥 210g, 시루떡 150g, 국수 말린 것 90g이 곡류 3회 분량이다.
오답 뛰어넘기 ① 총 2.5회, ② 총 2회, ④ 총 4회, ⑤ 총 4회

09 • 슬기: 버섯과 미역은 채소류에 해당된다.
• 웬디: 식품 구성 자전거는 여섯 가지 식품군으로 구성되어 있다.
오답 뛰어넘기 식품 구성 자전거의 뒷바퀴 면적은 섭취해야 하는 식품군의 양에 따라 면적이 나뉘어져 있다. 따라서 가장 넓은 면적의 곡류 식품군을 가장 많이 섭취해야 한다.

10 3분 카레라이스는 반제품으로, 반조리되어 있는 제품을 우리가 집에서 추가적으로 전자레인지에 돌려 먹거나 끓는 물에 익혀서 먹는다.
오답 뛰어넘기 ① 초밥을 포장해 와서 집에서 먹는 것은 가정 밖에서 완제품을 구입하여 가정 내에서 식사하는 형태이다.
② 중국집에 가서 짜장면을 먹은 것은 가정 밖에서 음식 구입 후 식사한 형태이다.
④ 반찬 가게에서 반찬을 사 먹는 것은 가정 밖에서 완제품을 구입하여 가정 내에서 식사하는 형태이다.
⑤ 부모님께서 직접 해 주신 밥은 가정 내에서 직접 조리한 형태이다.

11 생활 수준이 향상됨에 따라 다양한 요리를 먹고 싶다는 욕구가 증가하고 있다.
오답 뛰어넘기 ① 희준: 경제 활동 증가로 식사 준비에 드는 시간과 노력의 절약을 추구한다.
③ 재원: 1인 가구가 증가하면서 조리된 음식을 사서 먹는 것이 더 경제적이다.
④ 강타: 여가 시간을 즐기는 문화가 확산되면서 가정 밖에서 식사할 기회가 늘었다.
⑤ 우혁: 인구의 고령화가 진행되면서 조리된 음식을 사서 먹는 것이 더 경제적이다.

02 주거 가치관과 주생활 문화

이해 문제 37쪽

01 ② 02 ① 03 ④ 04 ④ 05 ⑤ 06 ③

01 주거는 주택이라는 건축물뿐만 아니라 그 안에서 이루어지는 개인이나 가족의 생활, 거주 환경까지를 포함한 개념이다.

02 주거의 선택 기준 중 '안락해야 한다'의 기준은 가족의 사생활이 보호되어야 하며, 휴식과 취미 활동이 가능해야 한다는 것이다.

03 가정 형성기는 가족 수가 적어 주거 공간 규모가 크지 않다. 가정 확대기는 자녀의 수가 증가하므로, 주거 공간 규모가 확대된다. 가정 축소기는 가족 수가 줄어 주거 공간 규모가 축소된다.

04 입식은 공간의 독립성이 뚜렷하여 넓은 주거 공간이 필요하다.

05 ⑤ 공동 주거가 증가하였지만, 이웃 간의 소통은 여전히 단절된 상태이다.

06 지속 가능한 삶을 위한 주거는 인간과 인간, 인간과 자연, 현재와 미래 세대가 공존하는 지속 가능한 삶에 관심을 갖고 있다. 유니버설 주거와 친환경 주거가 그 예시이다. 유니버설 주거는 모든 사람이 편리하게 사용할 수 있는 주거이고, 친환경 주거는 자연과 조화를 이루는 주거이다.

적용 문제 38쪽

01 ③	02 ③	03 ⑤	04 ④	05 ③	06 ③

01 과거의 주거는 보호의 기능이 전부였지만, 현재의 주거는 보호의 공간, 행복한 가정생활을 꾸려 나가고, 이웃과 더불어 살아가는 공간으로까지 의미가 확대되었다.

02 실내의 색상이나 디자인이 조화로운 것은 '아름다워야 한다'는 주거의 선택 기준에 대한 설명이다.

03 가정 축소기 때 쾌적한 주거 환경을 가진 교외 지역을 선호하는 경향이 있다.
오답 **뛰어넘기** 가정 확대기 중 자녀가 성장하였을 때는 좋은 교육 환경을 선호하는 경향이 있다.

04 입식은 공부방, 거실 등과 같이 공간 구분이 뚜렷하고 책상과 소파, 침대 등 가구를 사용하여 생활하는 방식이므로, 거실에 소파가 있어야 한다.

05 이웃과 인사하면서 지내기, 층간 소음에 주의하기, 엘리베이터 질서 지키기, 함께 쓰는 공공시설 소중히 다루기는 이웃을 위한 배려를 실천하는 방법이다.

06 ③은 유니버설 주거에 대한 내용이다.
오답 **뛰어넘기** 한옥은 친환경 주거의 대표적 예시이다.

03 효율적인 주거 공간 구성과 활용

이해 문제 42~43쪽

01 ⑤	02 ②	03 ①	04 벽, 침대 밑, 계단 밑 등	
05 ①	06 ⑤	07 ③	08 ④	09 ㄴ - ㄷ - ㄱ
10 ③	11 ②	12 ①		

01 주거 공간의 구역화는 비슷한 성격을 가진 공간들을 하나의 영역으로 묶어 배치하는 것이다.

02 기타 공간은 통로로 사용되는 공간이며, 개인 생활 공간은 개인의 독립적인 생활이 이루어지는 공간이다.

03 동선을 절약하기 위해서 생활 내용이 관련된 공간을 가까이 배치한다. 식사실과 부엌을 가까이 배치하는 것이 예시이다.

05 가구를 적절하게 배치하면 동선이 편리해지고 작업 능률도 향상되며, 주어진 공간을 다양하게 활용할 수 있다.

06 거실처럼 비교적 넓거나 휴식을 위한 공간에는 분산식 배치가 적당하다.

07 가구를 배치할 때에는 가능한 한 벽면에 붙여 배치한다.

08 개인 물건과 가족 공용 물건을 구분하여 수납한다.

10 자주 사용하는 물건은 가까운 곳에 수납하고, 무거운 것은 아래쪽에 수납한다.

11 주거 공간별 수납 방법은 다르다. 가족 공용 물건은 수납 약속을 정하고, 자주 사용하는 것은 쉽게 찾을 수 있게 보이도록 수납하는 것은 거실 수납 방법에 대한 설명이다.

12 침실은 독립적인 조용한 공간에 배치하는 것이 좋고, 자녀의 침실은 자녀의 개성을 표현할 수 있도록 꾸민다.

적용 문제 44~45쪽

01 ③	02 ③	03 ①	04 ④	05 ④	06 ③
07 ④	08 ③	09 ①	10 ⑤	11 ④	

01 개인 생활 공간은 개인적인 공간으로, 침실과 서재 등이 해당된다.
오답 **뛰어넘기** 기타 공간에는 현관, 복도, 공동생활 공간에는 거실, 식사실, 가사 작업 공간에는 세탁실, 다용도실, 생리위생 공간에는 욕실, 화장실이 해당된다.

02 거실과 식사실은 공동생활 공간에 해당한다. 이는 가족이 공동으로 사용하는 공간으로, 개방성을 필요로 하며 가족 간의 대화가 이루어지는 공간이다.
오답 **뛰어넘기** 개인 생활 공간은 독립성을 필요로 하며 개인의 독립적인 생활이 이루어지는 공간으로, 침실과 서재가 그 예이다.

03 동선은 짧고 단순할수록 좋다.

04 주거 공간의 입체적 활용은 주거 공간 내에서 잘 사용하지 않는 공간이나 벽 등을 이용하는 것으로, 계단 밑을 수납공간으로 사용하는 것은 주거 공간의 입체적 활용의 예이다.

05 공간의 입체적 활용은 주거 공간 내에서 잘 사용하지 않는 공간이나 벽 등을 이용하는 것으로, 공간의 입체적 활용을 통해 주거 공간을 효율적으로 활용할 수 있다.

06 거실처럼 휴식을 위한 공간에는 분산식 가구 배치가 적합하다.

07 호돌이가 원하는 가구 배치 방법은 분산식 배치이다. ④는 집중식 배치에 대한 설명이다.
오답 **뛰어넘기** 분산식 배치 방법은 실내가 정돈되어 보이나, 가구를 한곳에 배치하는 것이 아니라 다양한 장소에 배치하기 때문에 공간을 다용도로 활용하기는 어렵다. 따라서 거실 중앙에 소파를 배치하는 것은 분산식 배치 방법의 예시이며, 가족 간의 대화가 원활하게 이루어질 수 있도록 마주 보는 ㄷ자 형태로 의자를 분산 배치하는 것은 적합한 조언이다.

08 (다)는 가구가 채광이나 통풍에 방해되지 않도록 배치된 것이다.
오답 **뛰어넘기** ① 스위치나 콘센트를 가리지 않도록 배치해야 한다.
② 가구의 폭과 높이를 맞춰 가능한 한 요철이 생기지 않도록 배치한다.
④ 가구들은 가능한 한 벽면에 붙여 배치한다.
⑤ 가구를 사용하는 데 필요한 여유 공간을 두고 배치해야 한다.

09 (가)에는 가볍거나 가끔 사용하는 것, (나)에는 자주 사용하는 것, (다)에는 가장 많이 사용하는 것, (라)에는 무겁거나 가끔 사용하는 것을 수납한다.

10 큰 바구니는 가볍고 가끔 사용하는 것으로, (가) 구간에 수납하는 것이 좋다.

11 거실, 식사실, 부엌을 한 공간에 배치하는 것은 좁은 공간을 활용하는 방법이다.

실전 문제 46~50쪽

01 ⑤	02 ①	03 ②	04 ④	05 ①	06 ⑤
07 ②	08 ②	09 ⑤	10 ④	11 ⑤	12 ⑤
13 ⑤	14 ③	15 ⑤	16 ④	17 ④	18 ④
19 ①	20 ④	21 ②	22 ③	23 ①	

[서술형 문제] 24~26 해설 참조

01 청소년기의 여성은 월경에 의한 혈액 손실로 철의 섭취량이 남성에 비해 많다.
오답 **파헤치기** ㉠ – 에너지, ㉡ – 2,000, ㉢ – μg RAE, ㉣ – 비타민 D

02 깨, 버터, 설탕, 콩기름, 꿀, 마요네즈는 유지·당류 식품군에 해당되는 식품이다.
오답 **파헤치기** ② 과자는 곡류에 해당된다.
③ 땅콩은 고기·생선·달걀·콩류에 해당된다.
④ 아이스크림은 우유·유제품류에 해당된다.
⑤ 건포도는 과일류에 해당된다.

03 미역국의 미역, 배추김치, 오이소박이는 채소류 식품군의 대표 식품이다.
오답 파헤치기 보리밥과 감자볶음은 곡류 식품군, 쇠고기 미역국의 쇠고기, 고등어조림은 고기·생선·달걀·콩류 식품군의 대표 식품이다. 요구르트는 우유·유제품류 식품군, 귤은 과일류 식품군의 대표 식품이다.

04 우유·유제품류는 유일하게 동일한 섭취 횟수를 가진 식품군으로, 12~14세 식품군별 1일 권장 섭취 횟수에서 하루 2회로 제시되었다.

05 보리밥 210g = 1회, 쌀밥 210g = 1회, 식빵 140g = 1.2회, 과자 30g = 0.3회 ∴ 총 3.5회
오답 파헤치기 ② 총 2.5회, ③ 총 2.9회, ④ 총 2.9회, ⑤ 총 5회

06 식품군별 1일 권장 섭취 횟수를 세끼 식사와 간식에 골고루 배분하는 것이 좋다.
오답 파헤치기 ① 과일류와 우유·유제품류는 간식에 배분해 준다.
② 동일한 식품군은 세끼의 식사에 골고루 배분하는 것이 좋다.
③ 자신의 성별과 연령에 따른 에너지 필요량을 고려한다.
④ 반찬의 개수보다는 여섯 가지 식품군을 골고루 넣는 것이 중요하다.

07 ㉠ 곡류는 혼합 잡곡을 섭취하는 것을 권장한다.
㉣ 과일류는 제철 과일을 섭취하는 것을 권장한다.

08 완성된 식품을 구입하여 은수네 가족이 집에서 먹는 것이 가장 적절하다.
오답 파헤치기 ① 가정 내에서 직접 조리하여 가정 내에서 식사하는 형태 – 부모님께서 퇴근 후 피곤하셔서 요리하는 것은 무리이며, 은수와 은수 동생은 요리를 못한다.
③ 가정 밖에서 반제품을 구입하여 가정 내에서 식사하는 형태 – 은수와 은수 동생은 요리를 못한다.
④ 가정 밖에서 반제품을 구입하여 가정 밖에서 식사하는 형태 – 가정 밖에서 반제품을 구입하여 조리하기는 무리가 있다.
⑤ 가정 내에서 조리하지 않고 가정 밖에서 음식을 구입하여 식사하는 형태 – 은수네 언니가 20분밖에 시간이 없기 때문에 나가서 먹을 시간이 부족하다.

09 자신을 보호하기 위한 공간의 기능은 안전한 주거의 선택 기준이며, 이웃과 더불어 살아가는 공간은 이웃과 친밀한 관계를 유지하는 주거의 선택 기준이다.

10 집 밖의 경치가 좋고, 아름다운 정원이 있는 것은 주거의 선택 기준 중 '아름다워야 한다'를 고려한 것이다.

11 친밀감 유지를 위한 공간이 필요하지만, 독립성 확보를 위하여 부모와 자녀의 공간은 분리시켜야 한다.

12 직장과 가깝고 편의 시설이 많은 도심지는 가정 형성기의 부부가 선호하는 경향이 있다. 가정 축소기의 부부는 교외 지역을 선호하는 경향이 있다.

13 절충식은 좌식과 입식의 특성을 혼합한 형태이다. ㄷ은 소규모 주거 공간에 적합한 좌식과 독립성이 높은 입식의 장점을 혼합한 형태이다. ㄹ은 안방의 공간을 좌식으로, 거실의 공간은 입식으로 둔 형태이다.
오답 파헤치기 ㄱ은 입식 생활 양식, ㄴ은 좌식 생활 양식에 대한 설명이다.

14 그림은 좌식 생활 양식이다. 좌식은 우리나라의 전통적인 생활 양식이다.
오답 파헤치기 ①, ②, ④, ⑤는 입식 생활 양식에 대한 설명이다.

15 제시된 문제는 지역 사회에 참여함으로써 해결할 수 있다.
오답 파헤치기 지역 사회에 참여하는 방법은 함께 공동체를 만들고, 이웃을 돌보고, 주거 환경을 개선하는 등이 있다. ⑤ 지역 사회의 경제적, 사회적, 정서적 문제는 이웃들의 자발적인 참여를 통해 함께 해결한다.

16 ㉣은 공동체 주거의 종류 중 셰어하우스에 대한 설명이다.

17 가족이 함께 모이고 손님 방문 시 차를 마실 수 있는 거실은 1층에 배치하는 것이 좋다. 2층 주택의 공간을 배치할 때, 공동생활 공간을 1층에, 개인 생활 공간을 2층에 배치하면 개인 생활 공간이 온전히 독립될 수 있으며, 사생활이 보호된다.

18 주거 공간의 입체적 활용은 주거 공간 내에서 잘 사용하지 않는 공간이나 벽 등을 이용하는 것으로, 침대 밑을 수납공간으로 사용하는 것은 주거 공간의 입체적 활용의 예이다.

19 ①은 분산식 배치에 대한 내용이다. 집중식 배치는 한쪽 벽면에 가구를 붙여 배치하기 때문에 넓은 활동 면적이 제공되어 공간을 다용도로 활용할 수 있다.

20 가구를 배치할 때는 가구를 사용하는 데 필요한 여유 공간을 두고, 높이를 맞춰서 배치한다.
오답 **파헤치기** ㄱ. 큰 가구를 배치한 후에 작은 가구를 배치한다.
ㄷ. 콘센트나 스위치는 가리지 않도록 배치한다.

21 가족이 함께 쓰는 물건은 거실과 같은 개방적인 공간에 수납하는 것이 좋다.
오답 **파헤치기** ③ 수납공간은 한정되어 있으므로 불필요한 물건들은 적절한 방법으로 처분한다.

22 ③은 부엌의 수납 방법에 대한 설명이다.
오답 **파헤치기** ①은 거실의 수납 방법에 대한 설명이다.
② 식기와 조리 도구는 사용 빈도, 용도에 따라 분류한다.
④는 침실, ⑤는 욕실의 수납 방법에 대한 설명이다.

23 침실의 공간이 좁을 때는 침대보다는 바닥에 이불과 요를 깔고 자는 것이 바람직하다.

서술형 문제

24 아침에 사과 100g을 먹고, 점심에 과일 주스 100mL를 마시고, 간식으로 건포도 15g을 먹는다. 또는 아침에 바나나 100g을 먹고, 점심에 참외 150g을 먹고, 저녁에 배 100g을 먹는다. 등

25 유니버설 주거는 연령과 성별, 건강 상태, 장애 여부와 관계없이 모든 사람이 편리하고 안전하게 생활할 수 있는 주거이다. 유니버설 주거의 예로는 높이 조절이 가능한 세면대가 있다.

26 좁은 공간을 활용할 수 있는 방안은 거실, 식사실, 부엌을 한 공간에 배치하는 것이다. 하지만 이렇게 배치를 하면 거실 분위기가 산만해질 수 있는 단점이 있다.

창의 융합 코너

51쪽

예시 답안 한옥은 우리나라 전통 주거로 당시의 유교 사상을 반영하여 주거 공간을 배치하였다. 따라서 남성과 여성의 공간이 따로 분리되어 있으며 생활도 따로 하였다. 신분의 높고 낮음에 따라 공간을 다르게 사용하였기에 행랑 공간도 존재하였다.

1. 창덕궁 연경당의 평면도를 생활 내용에 따라 주거 공간을 구분한 것

한옥은 집의 공간들을 따로 분리시켜 놓은 곳이 많다. 가사 작업 공간은 부엌과 광이 해당되고, 개인 생활 공간은 안채, 안방, 사랑채, 사랑방, 건넌방, 행랑 공간이 해당된다. 공동생활 공간은 대청마루와 누마루가 해당되고, 생리위생 공간은 뒷간이 해당된다. 기타 공간에는 마당과 다양한 문들이 해당된다.

2. 동선을 절약하고 공간을 효율적으로 활용하기 위해 개선할 수 있는 부분

한옥은 공간들이 따로 분리되어 있는 곳이 많다. 따라서 안방, 사랑방, 건넌방이 함께 배치되어 있는 주거 공간을 중심으로 두고, 부엌과 광을 대청마루 근처에 배치를 하면 요리를 만들러 가는 동선과 만들어진 요리를 식사실인 대청마루로 옮기는 동선을 절약할 수 있다. 더불어 뒷간, 즉 화장실을 안방, 사랑방, 건넌방이 있는 개인 생활 공간과 가까이에 배치를 하면 동선을 절약할 수 있다.

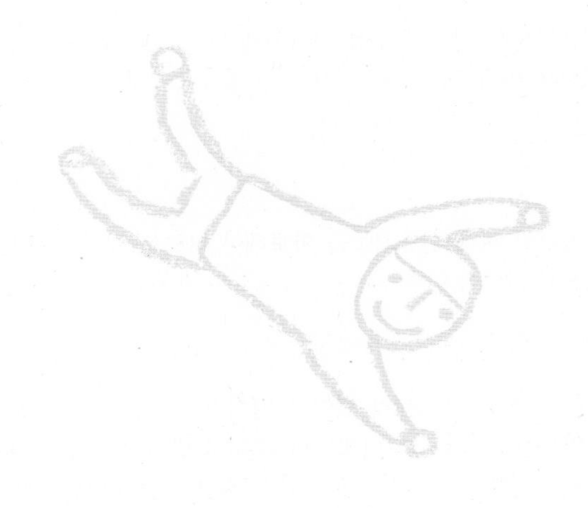

Ⅲ 안전한 생활

01 성폭력과 성폭력의 예방 및 대처 방안

이해 문제 56쪽

01 ⑤ 02 ⑤ 03 ② 04 ② 05 ② 06 ④
07 ②

01 성적 의사 결정 능력은 자신의 감정과 욕구를 잘 알고 있으며, 상대방의 감정과 욕구도 이해하려고 노력하는 것이다. 따라서 자신의 욕구나 감정을 솔직하게 표현하며 의사소통하려는 영수가 올바른 성적 의사 결정을 내렸다고 볼 수 있다.

02 ㄱ – 성폭행, ㄴ – 성추행, ㄷ – 성희롱에 대한 내용이다.

03 ㄴ은 신체적 후유증, ㄹ은 사회적 후유증에 해당한다.

04 ① 늦은 밤에 혼자 다니지 않는다.
③ 버스나 지하철 등에서 불쾌한 성적 접촉이나 상황에 직면했을 때에는 강력하게 거부 의사를 표시한다.
④ 늦은 시간에 이어폰을 꽂고 음악을 들으며 걷는 것에 주의한다. 누가 와도 알아차리지 못해 범죄의 대상이 될 수 있다.
⑤ 원하지 않는 성적 행동에 대해서는 단호하게 거부 의사를 표현해야 한다.

05 음란물은 성적 욕구를 지나치게 자극하고, 왜곡된 성 지식을 받아들여 잘못된 성 가치관을 가질 수 있으므로 멀리해야 한다.

06 성폭력 피해의 증거물을 확보해야 하므로 씻거나 속옷을 빨지 않아야 한다.

07 동성 친구 사이에서 벌어진 일이라도 성폭력이라 할 수 있으므로, 기분이 나쁘니까 그러지 말라고 분명히 말하며, 선생님, 가족 등에게 도움을 청하는 것이 바람직하다.

적용 문제 57쪽

01 ⑤ 02 ② 03 ⑤ 04 ⑤ 05 ⑤ 06 ⑤

01 제시된 내용은 성적 의사 결정 능력을 알아보는 지표로, 성적 의사 결정은 성적인 행동을 스스로 판단하여 결정하는 것을 말한다.

02 성적 행동을 원하지 않으면 주저하지 말고 단호하게 “안 돼!”라고 분명히 말한다.

03 ⑤는 성폭력의 개인적 원인에 해당하고, 나머지는 사회적 원인에 해당한다.

04 성폭력은 상대방의 동의 없이 일방적으로 성 욕구를 충족하기 위해 강제로 행해지는 모든 언어적, 육체적, 정신적인 강요 및 위압적인 행동을 말한다.
오답 **뛰어넘기** ① 성폭력은 피해자에게 신체적 피해뿐만 아니라 심리적, 사회적으로도 심각한 피해를 준다.
② 성폭력으로 인해 피해자의 가족 역시 고통을 겪게 된다.
③ 성과 관련된 불쾌한 언어는 성희롱에 해당한다.
④ 누구나 성적인 욕구를 스스로 조절하고 자제할 수 있다는 것을 명심해야 한다.

05 모두 맞게 풀었다.
ㄱ. 성폭력 가해자는 데이트 성폭력, 친족 간 성폭력 등 아는 사람인 경우가 많다.
ㄷ. 성 욕구는 스스로 조절하고 자제할 수 있다.
ㄹ. 여성에게만 책임을 돌려서는 안 된다.
ㅁ. 피해자는 성폭력이 범죄라는 것을 인식하고 몸을 씻지 않은 채 병원에 가서 가해자의 증거를 확보해야 한다.

06 성에 대한 지식은 성교육 전문가에게 교육을 받는 것이 좋다.

02 가정 폭력과 가정 폭력의 대처 및 지원 방안

이해 문제 60쪽

01 ① 02 ③ 03 ② 04 ③ 05 ③ 06 ⑤

01 가정 폭력은 가정 내에서 숨겨져 외부로 노출되지 않고, 외부에서도 가정 폭력에 개입을 꺼림으로써 은폐되는 특성이 있다.

02 ㄱ은 신체적, 물리적 폭력, ㄷ은 방임적 폭력, ㅁ은 정서적 폭력으로 모두 가정 폭력에 해당한다.

03 ㄴ. 어린 시절의 폭력과 학대 경험이 가정 폭력의 원인이 될 수 있다.
ㄷ. 자녀를 향한 비현실적인 기대가 원인이다.

04 ㄱ. 가해자가 받을 수 있는 영향이다.
ㄹ. 가정 폭력의 피해자는 폭력을 대물림할 수 있다는 문제점이 있다.

05 피해 사실을 믿을 만한 사람에게 알리는 것이 좋다. 또는 가정 폭력 전문 상담 기관에서 상담할 수 있다.

06 가정 폭력 신고 시, 피해자의 신변을 보호하기 위해서 경찰관의 출동 및 조사를 통해 긴급히 임시 조치를 할 수 있다. 또한, 폭행 가해자를 24시간 임시로 분리시킬 수 있다.

적용 문제 61쪽

01 ④ 02 ① 03 ③ 04 ④ 05 ④ 06 ⑤

01 가정 폭력은 더 이상 한 가정만의 문제가 아닌 우리 사회가 함께 고민해야 할 문제이다.

02 아이가 생겨도 폭력은 줄어들지 않는다.

03 ③은 가정 폭력의 사회·문화적 원인에 해당하고, 나머지는 개인·가정적 원인에 해당한다.

04 가정 폭력은 피해자뿐만 아니라 가해자, 가정, 사회에까지 모두 영향을 끼친다.
오답 **뛰어넘기** ㄱ. 가정 폭력은 피해자에게 두려움을 느끼게 하고, 안정적인 가정생활과 사회 질서를 유지하기 어렵게 만든다.
ㄷ. 우리가 가정 폭력 피해자를 외면하는 동안 가정 폭력은 반복되고 확대되며, 또 다른 피해와 사회 문제를 발생시킬 수 있다.

05 이웃에게 관심을 가지고 가정 폭력 피해자에게 적극적으로 도움을 주어야 한다.

06 가해자와 접촉을 원하지 않을 때 폭행 가해자를 24시간 임시로 분리시킬 수 있다.

03 안전한 식품의 선택과 관리 및 보관

이해 문제 65쪽

01 ② 02 ③ 03 ① 04 ⑤ 05 ⑤ 06 ⑤
07 ③ 08 ④

01 식품의 원재료명 및 함량, 제조 연월일 및 유통 기한, 영양 정보, 내용량, 보관 및 취급 방법 등에 관한 정보를 제품의 포장이나 용기에서 확인할 수 있다.

02 영양 정보에서 영양 성분은 소비자의 관심도가 높은 영양 성분 순으로 표시한다.

03 영양 정보는 소비자가 자신의 건강에 도움이 되는 제품을 선택할 수 있도록 가공식품의 영양적 특성을 제품의 포장이나 용기에 표시한 것이다.

04 ① 무농약 농산물 인증 마크: 합성 농약은 사용하지 않고, 화학 비료는 권장량의 1/3 이하로 사용하여 재배한 농산물에 부여한다.
② 유기 가공식품 마크: 유기 농축산물을 95% 이상 이용하되, 모든 제조 과정이 철저히 인증된 가공식품에 부여한다.
③ 전통 식품 인증 마크: 우리 농산물로 만들어 안전하고, 전통의 맛과 향이 살아 있는 우수한 제품에 부여한다.
④ HACCP: 식품의 원재료에서부터 제조, 가공, 보존, 조리, 유통 등 모든 과정에서 위해 요소를 규명하고 위생적으로 관리된 식품에 부여한다.

05 로컬 푸드는 수입 농산물에 비해 운송 거리가 짧아 이산화탄소 발생량이 줄어든다.

06 먹을거리의 이동 거리가 멀수록 운반과 포장, 폐기 과정에서 이산화탄소 배출량이 늘어난다.

07 감자류는 알이 굵고 고르며, 단단하고 상처가 없는 것, 녹색을 띠지 않는 것을 선택한다.

08 식품 첨가물은 식품의 맛, 향, 외관, 저장성을 향상하거나 영양소를 강화하기 위해 식품의 제조 과정에서 식품에 첨가하는 물질로, 식품 위해 요소는 아니다. 그러나 식품 첨가물이 들어 있지 않거나 되도록 적게 들어 있는 식품을 선택하는 것이 건강을 유지하는 데 도움이 된다.

적용 문제 66~67쪽

01 ⑤	02 ⑤	03 ②	04 ③	05 ④	06 ⑤
07 ⑤	08 ②	09 ⑤	10 ⑤	11 ⑤	12 ①

01 식품 성분 표시는 소비자들이 자신에게 적합한 식품을 선택할 수 있도록 식품의 원재료명 및 함량, 제조 연월일 및 유통 기한, 영양 정보, 내용량, 보관 및 취급 방법 등에 관한 정보를 제품의 포장이나 용기에 표시한 것으로, 식품 첨가물의 허용치는 표시되어 있지 않다.

02 무농약 농산물 인증 마크에 대한 설명이다.

03 로컬 푸드는 먹을거리의 이동 거리가 짧아 푸드 마일리지가 낮고, 유통 과정에서 에너지 소비나 이산화탄소 배출량이 적다.

04 식품 구매 순서는 냉장이 필요 없는 식품 → 과일, 채소류 → 냉장이 필요한 가공식품 → 육류 → 어패류 순이다.

05 ㄴ. 같은 무게일 경우 무겁고 단단하며, 상처가 없는 것을 고른다.
ㄹ. 조개는 껍데기를 만졌을 때 즉시 오므리는 것을 고른다.

06 쇠고기는 선명한 붉은색을 띠고 탄력이 있는 것을 선택하며, 돼지고기는 살코기가 연분홍색을 띠고 지방이 희며, 탄력과 윤기가 있는 것을 선택한다.

07 조리 또는 반조리된 식품을 −18℃ 이하로 급속히 냉동시킨 냉동식품의 경우 해동된 후 재냉동될 시 얼음 조각이 많아지고 그 사이 미생물이 번식할 수 있다.

08 안전한 식품을 구매하려면 유통 기한을 확인하여 날짜가 많이 남아 있는 식품을 구입해야 한다.

09 식품 변질에는 산패, 부패, 변패 등이 있다. 발효된 김치라도 미생물, 효소 등에 의해 변질되면 악취가 나거나 유해한 균이 번식하여 부패할 수 있다.

10 제시된 식품들은 고온에서 가열 살균하여 가공한 식품이다.
오답 뛰어넘기 ① 살균력이 있는 연기를 쐬어 미생물의 번식을 억제하는 방법이다.
② 미생물 발육에 필요한 수분을 15% 이하로 감소시켜 미생물이 번식할 수 없게 한다.
③ 소금을 고농도로 식품에 첨가하여 미생물의 생육을 억제시켜 식품을 보존한다.
④ 식품에 산을 첨가하여 pH를 4.5 이하로 낮추어 미생물 번식을 막아 식품의 보존 기간을 늘리는 방법이다.

11 ㄱ. 손은 비누로 깨끗이 씻는다.
ㄴ. 물은 100℃로 끓여 마시는 것이 원칙이다.

12 냉장고 안에 들어 있는 식품을 확인할 수 있도록 보이게 보관한다.

04 가족의 식사 계획과 안전한 조리

이해 문제 72~73쪽

01 ④	02 ②	03 ④	04 ②	05 ⑤	06 ③
07 ②	08 ④	09 ②	10 ⑤	11 ⑤	12 ②
13 ④	14 ⑤				

01 식사를 계획할 때에는 가족 구성원의 요구와 기호, 영양적 균형 등을 고려하여 식품과 조리법을 선택해야 한다.

02 교차 오염은 식품에 따라 매번 교체할 수 없는 개수대와 도마에서 가장 많이 일어나므로 식재료의 종류에 따라 조리 순서를 정하는 것이 매우 중요하다.

03 (가)는 생조리, (나)는 볶기에 대한 설명이다.

04 ① 볶기 – 호박볶음, 멸치볶음
③ 굽기 – 너비아니, 생선구이
④ 찌기 – 떡, 만두, 계란찜
⑤ 생조리 – 생채, 샐러드, 회

05 ㄱ. 1ts은 5mL이다.
ㄴ. 1C은 200mL이다.

06 (가)는 나박썰기, (나)는 반달썰기이다.

07 깨지기 쉽고 기름기가 없는 그릇부터 먼저 씻는다.

08 밥을 할 때 센 불에서 끓이다가 중간 불, 약한 불로 낮추어야 녹말에 물이 침투하고 팽창하여 점성이 커지게 되는 호화가 잘된다. 녹말이 호화되면 식품이 부드러워져 소화가 잘되고, 맛이 좋아진다.

09 ㄴ. 체에 걸러 된장을 푼다.
ㄷ. 멸치의 내장을 뺀 후 사용해야 쓴맛이 나지 않는다.

10 ㄱ. 소금을 조금 넣고 데친다.
ㄴ. 채소 무게의 5배 정도의 충분한 물에 단시간에 데친다.

11 비린내가 심하지 않고 연한 흰 살 생선을 주로 이용한다. 고등어는 붉은 살 생선이다.

12 ㄴ. 무 껍질에도 영양 성분이 많으므로 지저분한 부분만 벗겨 내는 것도 좋다.
ㄷ. 고춧가루는 양념(쪽파, 마늘, 새우젓, 새우젓 국물, 설탕)을 넣기 전에 색이 배어들도록 넣고 10분 정도 둔다.

13 ① 더운물에 불리거나 끓이면 떫은맛과 신맛이 강해지므로 찬물에서 서서히 우려낸다.
② 잣은 고깔을 떼고 깨끗이 닦아서 띄운다.
③ 화채에 띄우는 잣은 홀수로 3개 혹은 5개가 적당하다.
⑤ 우려낸 오미자 국물을 깨끗한 천에 거른다.

14 끓이거나 더운물에 담그면 갈변 효소가 파괴되나, 과일의 아삭함을 유지하기 어렵다.

적용 문제 74~75쪽

01 ⑤	02 ⑤	03 ③	04 ①	05 ②	06 ②
07 ①	08 ④	09 ①	10 ②	11 ②	12 ⑤

01 각각의 가족 구성원에게 요구되는 식사 조건에 맞게 식사를 계획해야 한다.
오답 **뛰어넘기** 아버지를 위해서는 설탕이나 꿀을 넣지 않고, 과일에도 당분이 많으므로 피하는 것이 좋다. 할머니를 위해서는 두부조림과 같이 연한 재료로 만든 음식을 계획하고, 콩은 3시간 정도 불려서 밥을 짓는 것이 좋다.

02 시간이 오래 걸리는 불리기나 해동은 시간을 예상하여 미리 해 두는 것이 좋다.

03 ㄴ. 행주는 용도별로 몇 장씩 준비해 둔다.
ㄷ. 도마는 세척이나 소독을 한 후 물기가 없게 하여 보관하고 사용한다.

04 조리 과정은 ①의 순서로 이루어진다.

05 ㄴ. 식품에 있는 오염 물질을 흐르는 물에 깨끗이 씻은 후 썰기를 해야 한다.
ㄷ. 칼을 사용할 때에는 손가락을 안으로 구부려 베이지 않도록 한다.

06 ㄴ. 깨지기 쉽고 기름기가 없는 그릇부터 먼저 씻는다.
ㄹ. 세제는 적당량만 사용하고, 세제가 남지 않도록 깨끗하게 헹군다.

07 마지막에 뜸을 들여 수증기가 녹말에 침투하여 호화가 잘되도록 하면 맛이 좋다.
오답 **뛰어넘기** ② 깍두기와 백김치를 만들 때에는 깔끔한 맛을 내는 새우젓이 적당하고, 배추김치와 총각김치는 진한 감칠맛을 내는 멸치 액젓에 새우젓을 섞은 것이 적당하다.
③ 소금을 조금 넣고 데친 후 찬물에 재빨리 헹구면 누렇게 변하는 것을 방지할 수 있다.
④ 찬물에 멸치와 다시마를 넣고, 끓으면 불을 끈 후 15분 정도 두었다가 멸치와 다시마를 건져 낸다.
⑤ 밑간을 해 둔 동태에 물이 생기면 키친타월을 이용해 물기를 제거한 후 밀가루와 달걀물을 입힌 후 지져 낸다.

08 두부 된장찌개를 만들 때 필요한 국물용 멸치는 내장을 뺀 후 사용해야 쓴맛이 나지 않는다.
오답 **뛰어넘기** ① 국물의 간은 된장으로 한다.
② 호박은 두께 0.5cm로 은행잎썰기 한다.
③ 조개는 소금물에 30분 정도 담가 해감한 후 사용한다.
⑤ 국물이 끓으면 호박, 양파를 넣어 끓이고, 그다음 두부, 고춧가루, 파, 고추를 넣어 3분 정도 더 끓인다.

09 생선전을 낼 때에는 간장 : 식초 : 물의 비율을 1 : 1 : 1로 하여 초간장을 만들어 곁들인다.

10 ㄴ. 소금과 후춧가루를 뿌려 밑간을 한다.
ㄹ. 생선전이 타지 않도록 불의 세기를 중간 불에서 약한 불로 조절한다.

11 무에 고춧가루를 넣고 버무려 색이 배어들도록 10분 정도 둔다. 그 후 무에 쪽파, 마늘, 새우젓, 새우젓 국물, 설탕을 넣고 골고루 버무려 완성한다.

12 ㄱ. 오이는 통썰기 한다.
ㄴ. 견과류와 같이 잘 붙지 않는 재료에는 버터나 마요네즈를 사용한다.

실전 문제

76~80쪽

01 ④	02 ⑤	03 ⑤	04 ⑤	05 ③	06 ②
07 ③	08 ②	09 ②	10 ⑤	11 ③	12 ⑤
13 ⑤	14 ③	15 ⑤	16 ①	17 ④	18 ④
19 ②	20 ⑤	21 ②	22 ②	23 ①	24 ⑤
25 ⑤	26 ①				

[서술형 문제] 27~30 해설 참조

01 자신이 원하지 않는 성 행동일 때에는 단호하게 거부 의사를 표현해야 한다. 또한 성 행동에 상대방이 침묵한다고 해서 이를 동의로 받아들이지 않는다.

02 모두 잘못된 지식이다.
오답 **파헤치기** ㄱ. 성적인 욕구는 스스로 조절하고 자제할 수 있다는 것을 명심한다.
ㄴ. 저항하더라도 성폭력 피해를 당할 수 있기 때문에 초기에 성적 행동을 원하지 않으면 주저하지 말고 단호하게 "안 돼!"라고 분명히 말해야 한다.
ㄷ. 성폭력은 피해자뿐만 아니라 가해자도 스스로 말과 행동을 조심하여 피해를 예방해야 한다.
ㄹ. 상대방이 불쾌하도록 음란한 말을 하는 것은 성희롱으로 성폭력에 해당한다.
ㅁ. 가해자는 정신적으로 정상인 사람이라도 잘못된 성 가치관으로 인해 언어적, 육체적, 정신적 성폭력을 할 수 있다.

03 성희롱은 성과 관계된 말과 행동으로 상대방에게 불쾌감, 굴욕감 등을 주어 피해를 입히는 행위를 말한다.

04 성폭력의 영향으로 대인 관계에서의 두려움과 같은 사회적 후유증을 겪게 된다.
오답 **파헤치기** 죄의식, 의욕 상실, 부정적인 자기 인식은 심리적 후유증에 해당하고, 성매개 감염병은 신체적 후유증에 해당한다.

05 ㄴ. 성 행동에 상대방이 침묵한다고 해서 이를 동의로 받아들이지 않는다.
ㄷ. 친구끼리 모르고 한 행동이라도 잘못했다면 반드시 사과한다.

06 ㄴ. 피해자의 잘못이 아니므로, 최대한 죄책감이 들지 않도록 위로해 주어야 한다.
ㄹ. 증거물을 확보해야 하므로 씻거나 속옷을 빨지 말아야 한다.

07 무관심, 냉담, 위험 상황에서 방치하는 행동은 방임적 폭력에 해당한다.
오답 **파헤치기** ① 지속적인 성적 학대
② 폭언, 무시, 모욕과 같은 언어적 학대, 정신적 학대
④ 경제 활동을 통제하는 행위
⑤ 학교생활, 친구 관계를 통제하거나 관계를 의심하는 행동

08 가정 폭력이 있는 가정은 가해자에게 느끼는 두려움으로 안정된 가정생활을 유지하기 어려우며, 가족 간의 갈등으로 가족 해체의 가능성이 높다.

09 가정 폭력 피해자는 가정 폭력을 가족 구성원 사이에서 벌어지는 개인적인 일이라고 생각하고, 가족이라는 점 때문에 신고를 하지 않으려고 한다. 하지만 가정 폭력이 발생하였을 때에는 112에 신고하여 피해 사실을 알리고 신속하게 대처해야 한다.

10 식품 성분 표시란 소비자들이 자신에게 적합한 식품을 선택할 수 있도록 식품의 원재료명 및 함량, 제조 연월일 및 유통 기한, 영양 정보, 내용량, 보관 및 취급 방법 등에 관한 정보를 제품의 포장이나 용기에 표시한 것을 말한다.

11 영양 정보를 통해 지방, 트랜스 지방, 포화 지방, 콜레스테롤은 알 수 있으나, 불포화 지방은 표시하지 않는다.

12 • 혜수: 식품 인증 마크는 식품이 안전하게 재배되고 위생적으로 가공되었는지 알아볼 수 있도록 정보를 제공해 준다.
• 범수: 무농약 농산물 인증 마크는 합성 농약은 사용하지 않고, 화학 비료는 권장량의 1/3 이하로 사용하여 재배한 농산물에 부여한다.
오답 **파헤치기** • 소미: 전통 식품 인증 마크는 우리 농산물로 만들어 안전하고, 전통의 맛과 향이 살아 있는 우수한 제품에 부여한다.
• 민지: 유기 가공식품 마크는 유기 농축산물을 95% 이상 이용하되, 모든 제조 과정이 철저히 인증된 가공식품에 부여한다.

13 식품의 운송 거리가 짧은 지역 농산물을 이용하면 에너지 소비가 적고, 이산화탄소 발생량이 줄어들게 된다.

14 푸드 마일리지가 낮은 식품은 식품 이동 거리가 짧은 식품으로, 신선도가 높고 맛과 영양이 더 좋다.

15 채소류는 제철에 생산된 것으로 빛깔이 선명하고 싱싱하며, 상처가 없고 단단한 것을 선택한다.
오답 **파헤치기** ① 탄력과 윤기가 있는 것
② 낟알이 고르고 반투명하며, 잘 건조되어 광택이 나는 것
③ 눈알이 맑고 튀어나온 것, 비린내가 나지 않는 것
④ 제철에 생산된 것으로 알맞게 익은 것, 고유의 색과 향이 있고, 윤기가 나는 것

16 쇠고기와 돼지고기는 숙성된 것을 선택한다. 갓 잡은 육류는 사후 경직으로 인해 질기고 단단하며 풍미가 떨어진다.

17 ㄱ. 어패류는 변질되면 비린내가 심해진다.
ㄷ. 통조림, 레토르트 식품은 가열 살균하여 가공한 식품이다.

18 식품 위해 요소에 대한 설명이다.

19 식중독에 대한 설명으로, 식중독은 특히 여름철에 많이 발생하며 식중독이 발생하기 쉬운 식품으로는 도시락, 샐러드, 어패류, 육류 등이 있다.

20 냉장고는 위치마다 온도가 다르기 때문에 식품에 따라 보관하는 위치를 잘 구분하여 보관해야 한다.
오답 **파헤치기** ㄱ. 냉장고 문 쪽은 온도 변화가 가장 심하므로 잘 상하지 않는 식품을 보관한다.
ㄷ. 쌀, 감자, 고구마, 양파, 바나나 등은 냉장고가 아닌 서늘하고 통풍이 잘 되는 곳에 보관한다.

21 ㄱ은 찌기, ㄷ은 굽기, ㄹ은 볶기에 대한 설명이다.

22 보리밥과 두부 된장찌개는 끓이기, 생선전은 부치기, 시금치나물은 데치기의 조리 방법을 사용한 음식이다.

23 국물용 멸치는 내장을 뺀 후 사용해야 쓴맛이 나지 않는다.

24 밥을 할 때 센 불에서 끓이다가 중간 불, 약한 불로 낮추어야 녹말에 물이 침투하고 팽창하여 점성이 커지는 호화가 잘된다. 녹말이 호화되면 식품이 부드러워져 소화가 잘될 수 있다.

25 ㄱ. 생선살에 간이 배면 밀가루를 묻히고, 풀어 놓은 달걀물을 입힌다.
ㄴ. 팬을 달구어 식용유를 두르고, 생선살을 노르스름하게 지져 낸다.

26 만드는 동안 크래커가 물기에 닿지 않아 바삭바삭한 상태를 유지하도록 주의한다.

서술형 문제

27 가정 폭력의 사회·문화적 원인으로는 가부장제하에서 아내와 자녀를 내 마음대로 할 수 있다는 소유 의식, 남의 집 일에 끼어들면 안 된다는 잘못된 사회적 인식, 사회의 폭력 허용 분위기, 피해자를 위한 법적 보호의 미비 등이 있다.

28 채소와 과일류를 지역 내에서 소비함으로써 생산지에서 소비자에게 오는 단계를 줄일 수 있어서 신선도가 높고 맛, 향, 영양이 좋다. 식품의 운송 거리가 짧은 지역 농산물을 이용하면 에너지 소비가 적고, 이산화탄소 발생량이 줄어들어 지구 온난화 속도를 늦출 수 있다. 또한, 소비자는 신선하고 저렴한 식품을 살 수 있고, 지역 농산물을 소비함으로써 지역 경제를 활성화시킬 수 있다.

29 • 남은 음식은 뚜껑을 덮어 냉장고에 보관한다.
• 설거지할 때 세제는 적당량만 사용하며, 세제가 남지 않도록 깨끗하게 헹군다.
• 설거지가 끝나면 조리대와 개수대 주변을 정리하고, 개수대 거름망을 깨끗이 비운다.
• 행주와 수세미를 깨끗이 빨아 햇볕에 말린다.

30 시금치를 충분한 양(채소 무게의 5배)의 끓는 물에 소금을 조금 넣어 뚜껑을 열고 단시간에 데친 후 찬물에 즉시 헹구어야 한다.

창의 융합 코너

81쪽

예시 답안 〈헨젤과 그레텔〉에서 부모는 자녀 양육의 책임과 의무를 이행하지 않고, 경제적인 이유로 자녀인 헨젤과 그레텔을 방임하고 유기하여 위험한 상황에 방치하는 행동을 하였다. 이는 방임적 폭력에 해당한다. 이러한 자녀에 대한 가정 폭력으로 인해 헨젤과 그레텔은 굶어 죽거나 실종되는 등의 위험과 불안, 두려움, 공포 등의 정서적 고통을 겪을 수 있다.

Ⅳ 미래를 위한 생애 설계

01 저출산 · 고령 사회 ~ 02 일과 가정의 양립

이해 문제 87쪽

01 ① 02 ③ 03 ② 04 ⑤ 05 ③ 06 ③

01 평균 수명의 증가는 저출산 · 고령 사회의 원인에 해당하며 대비책이라고 볼 수는 없다.

02 ① 가족 내 양성평등한 가치관 및 역할 분담이 제대로 이루어지지 않는 가정이 많다.
② 여성의 경제 활동 참여와 출산, 육아가 병립할 수 있도록 해야 한다. 따라서 일과 가정생활의 균형을 유지할 수 있어야 한다.
④ 현대 가족의 다양한 문제들은 개인이나 가족 구성원의 힘만으로는 해결할 수 없는 사회 구조적인 문제들이 많다.
⑤ 문제를 해결하기 위해서는 가족 친화 문화를 조성해야 하며, 이를 위해서는 개인뿐만 아니라 직장, 지역 사회, 국가가 함께 노력해야 한다.

03 노인 적합형 일자리를 창출하고, 노령 인구의 경제 생산 활동 참여를 확대해야 한다.

04 ⑤ 가족의 적극적인 도움과 능력에 따른 능률적인 역할 분담은 일·가정 양립의 해결책이 될 수 있다.

05 일·가정 양립 과정에서 나타날 수 있는 문제 중 자녀 양육 문제로, 맞벌이 가족의 자녀를 맡길 만한 곳이 없거나 부족한 문제가 발생한다.

06 일·가정 양립 과정에서 발생하는 문제점인 역할 갈등을 해결하기 위해서는 한 사람이 여러 가지 역할을 동시에 수행할 수 없음을 인정해야 한다.

적용 문제 88~89쪽

01 ④ 02 ① 03 ④ 04 ② 05 ④
06 ③, ④ 07 ③ 08 ④ 09 ⑤ 10 ⑤ 11 ⑤

01 저출산 · 고령 사회의 원인은 여성의 사회 활동 참여 증가, 결혼 및 자녀에 관한 가치관 변화, 자녀 양육비 및 교육비 부담, 평균 수명의 증가 등이 있다.

02 저출산 문제를 해결하기 위해서는 결혼과 자녀 출산에 관해 긍정적인 생각을 가져야 하며, 이를 위해서 직장, 지역 사회, 국가가 함께 노력해야 한다.

03 일과 가정생활의 균형을 유지할 수 있도록 가정 내에서 양성평등한 가치관을 갖고 능률적으로 역할 분담을 하며, 마을 공동체와 같은 공동육아에 참여한다.

04 ㄴ. 마을 돌봄 공동체는 여러 가족이 서로 돌봄의 기능을 공유하고 협력한다.
ㄷ. 마을 구성원 간의 다양한 만남과 상호 작용, 의사소통을 가능하게 하는 기회가 늘어나야 한다.

05 엄마도 직장 생활을 하는데 남편과 아이들의 일까지 혼자 다 감당해야 하는 어려움을 겪는 것으로 보인다. 즉, 한 사람이 여러 가지 역할을 동시에 수행함으로써 오는 역할 갈등을 겪고 있다고 할 수 있다.

06 맞벌이 부부임에도 가사 노동을 아내가 혼자 책임져야 한다는 남편과 남편의 아침밥은 꼭 챙겨야 한다는 시어머니의 생각은 성 역할 고정 관념이 강한 전통적 가족 가치관에 해당한다. 이는 양성평등하게 역할을 분담하길 바라는 아내의 현대적 가족 가치관과 충돌할 수 있다.

07 제시된 글에 나타난 성 역할 고정 관념과 가사 노동 통계 결과는 가족 구성원 간의 가사 노동 분담이 양성평등하게 이루어지지 않고 있음을 나타낸다.

08 ①, ⑤는 역할 및 일정 갈등, ②는 가족 가치관의 충돌, ③은 자녀 양육 문제에 해당하는 사례이다.

09 경제생활 관리 문제를 해결하기 위해서는 부부가 각자의 수입과 지출을 공개하고, 공동 관리해야 한다.

10 자녀 양육 문제를 가족의 문제로 국한해서 바라볼 것이 아니라, 사회적 지원 방안을 찾아 활용해야 한다.
오답 뛰어넘기 ① 자녀 양육 문제는 개인 혼자만의 문제가 아니기 때문에 가족 구성원 간의 배려와 존중을 통해 부부가 자녀 양육의 역할을 수행할 수 있도록 정신적 지지와 지원이 필요하다.
② 부모 교육 프로그램에 참여한다.
③ 사회 차원에서는 가족 친화 문화를 조성해야 한다.
④ 보육 시설의 확대를 사회에 요구한다.

11 일·가정 양립의 문제는 가족의 문제로 국한해서 바라볼 것이 아니라, 사회적 문제로 인식하여 사회 · 문화 차원에서 가족 친화 문화를 조성하기 위해 노력해야 한다. 위의 사례는 가족 친화 경영을 하는 기업의 사례이다.

03 생애 설계 ~ 04 진로 탐색과 설계

이해 문제 94쪽

01 ④ 02 ③ 03 ④ 04 ② 05 ④ 06 ⑤

01 청소년기에 자신의 진로를 생각하여 생애 계획을 세워보는 것은 매우 중요하지만 정해 놓은 삶을 그대로 살아갈 수 있다는 설명은 적절하지 않다.

02 생애 설계 절차는 생애 목표 정하기 – 구체적인 하위 목표 정하기 – 목표 달성을 위한 실행 방안 마련하기 순으로 이루어진다. (나)는 생애 목표 정하기, (가)는 구체적인 하위 목표 정하기, (다)는 목표 달성을 위한 실행 방안 마련하기에 해당한다.

03 ① 직업 선택은 성년기의 발달 과업이다.
②, ③ 생리적 안정 유지와 애착 관계 형성은 영아기의 발달 과업이다.
⑤ 기본 생활 습관 익히기는 유아기의 발달 과업이다.

04 친인척과의 원만한 관계를 형성하는 것은 가정 형성기의 발달 과업이다.

05 ① 진로를 설계한 후 필요에 따라 수정 · 보완한다.
② 자신이 원하는 행복한 삶을 살기 위한 인생 목표를 설정한다.
③ 진로 설계 과정에서 가장 먼저 해야 할 일은 인생 목표를 설정하는 것이다.
⑤ 인생 목표 설정, 자신의 이해, 직업 세계의 이해 과정을 거친 후 잠정적인 진로를 선택한다.

06 청소년기는 진로 발달 단계 중 탐색기에 해당한다. 탐색기에는 자신의 특성을 고려하여 진로를 탐색하고, 미래의 삶을 계획해야 한다.

적용 문제 95~96쪽

01 ③ 02 ⑤ 03 ④ 04 ① 05 ③ 06 ②
07 ④ 08 ③ 09 ③ 10 ② 11 ④ 12 ⑤

01 생애 설계를 통해 시간의 흐름에 따라 겪게 될 일들을 예측해 보고, 그에 따른 합리적이고 체계적인 계획을 세울 수 있다.
오답 뛰어넘기 ㄱ. 미래를 지향하며 살아갈 수 있다.
ㄹ. 예측하지 못한 일에 현명하게 대처할 수 있다.

02 목표 달성을 위한 실행 방안 마련하기는 무엇을 어떻게 준비할 것인가에 대한 구체적인 방법을 정하는 단계이다.

03 생애 주기는 개인 생활 주기와 가족생활 주기로 나눌 수 있으며, 생애 설계를 할 때에는 장기적인 관점에서 개인과 가족의 생애 전체를 고려하여 계획해야 한다.
오답 뛰어넘기 ㄱ. 일생을 어떻게 살아갈 것인지를 계획하는 것은 생애 설계에 대한 설명이다.
ㄷ. 생애 설계를 하는 주된 목적은 미래에 겪게 될 일들을 미리 예측하고 대비하여 행복한 삶을 살기 위함이다.

04 발달 과업을 달성하기 위해서는 생애 주기에 따른 목표를 설정하고 구체적인 계획을 수립해야 한다.

05 아동기의 발달 과업에 해당한다.

06 중년기의 발달 과업에는 부부 관계 유지, 직업 생활 관리, 건강 관리, 중년 위기에 대처하기 등이 있다.
오답 뛰어넘기 ㄷ. 성년기의 발달 과업이다.
ㅁ. 청소년기의 발달 과업이다.

07 자신에 대해 바로 알기는 진로 및 직업 설계의 주요 내용에 해당한다.
오답 뛰어넘기 ① 결혼 설계의 주요 내용이다.
②, ③ 노후 설계의 주요 내용이다.
⑤ 건강 설계의 주요 내용이다.

08 자녀가 태어나서 초등학교에 입학하기 전까지의 시기는 자녀 양육기에 해당한다. ③은 자녀 독립기의 발달 과업에 해당한다.

09 ㄱ, ㄷ, ㄹ은 자녀 독립기의 발달 과업에 해당한다.
오답 뛰어넘기 ㄴ. 노년기의 발달 과업이다.
ㅁ. 자녀 교육기의 발달 과업이다.

10 ㄱ, ㄴ, ㅁ은 가족 관계 설계의 주요 내용에 해당한다.
오답 **뛰어넘기** ㄷ, ㄹ. 가정 경제 설계의 주요 내용이다. ㅂ. 자녀 양육 및 교육 설계의 주요 내용이다.

11 진로 설계의 과정은 인생 목표 설정 – 자신의 이해 – 직업 세계의 이해 – 진로 정보 수집 – 진로 선택 및 준비 순으로 이루어진다.

12 (가)는 탐색기로, 개인 생활 주기 중 청소년기에 해당한다. 이 시기에는 자신의 특성을 고려하여 진로를 탐색하고, 미래의 삶을 계획해야 한다.

실전 문제

97~100쪽

01 ④	02 ⑤	03 ③	04 ①	05 ⑤	06 ②
07 ②	08 ⑤	09 ⑤	10 ⑤	11 ④	12 ③
13 ①	14 ②	15 ③	16 ①	17 ④	18 ③
19 ②	20 ④	21 ①			

[서술형 문제] 22~25 해설 참조

01 1990년대에는 남아 선호 사상으로 여학생보다 남학생이 많아 위와 같은 가족계획 포스터가 만들어졌다.

02 저출산과 고령화로 노인 인구에 비해 유소년 인구의 비율이 적어진다.

03 노인 인구가 점점 많아지는 고령 사회에 대비하기 위하여 노후 생활을 보장하고 고령 친화적인 사회 환경을 조성해야 한다.
오답 **파헤치기** ① 젊은 세대의 노인 부양 책임이 커지고 있으므로, 사회의 지원이 필요하다.
② 점점 심각해질 고령 사회에 대비하여 현재의 노인 관련 정책을 수정하고, 연금 및 복지 시설과 서비스 등을 개선하거나 늘려야 한다.
④ 노인 인구의 경제 생산 활동 참여를 확대한다.
⑤ 인구 고령화로 노동 인구가 감소하므로, 저출산 문제를 극복하기 위해 노력해야 한다.

04 육아 휴직은 자녀 출산 및 양육 지원에 해당한다.

05 무조건 세금을 늘리기보다는 복지 재정 확보를 위해서 세대 간 갈등을 줄일 수 있는 공평한 부담 방안을 강구해야 한다.

06 ①, ③, ④, ⑤는 전통적인 가족 가치관으로 일과 가정생활을 양립하기 어렵게 하는 요인이다.
②는 양성평등한 가치관으로 가사 노동 분담 문제를 해결하는 데 도움이 된다.

07 한 사람이 여러 가지 역할을 동시에 수행함으로써 오는 갈등을 겪고 있다.

08 각자의 수입을 각자 관리하거나, 수입원이 둘이라는 생각으로 과소비나 계획성 없는 소비를 하거나, 씀씀이가 커져서 합리적인 가계 관리가 안 되는 경제생활 관리 문제가 발생한다. 이를 해결하기 위해서는 장기적인 경제 계획과 단기적인 계획을 함께 세우며, 합리적인 소비 생활을 하도록 노력해야 한다.

09 일·가정 양립의 문제는 개인이나 가족의 문제로 국한해서 바라볼 것이 아니라 사회적 문제로 인식하여 사회 구성원 모두가 함께 적극적으로 대처하려고 노력하며, 사회 전체가 일 · 가정 양립을 위한 관심과 배려가 필요하다.

10 ㄷ. '일하는 아빠'의 경우 자녀와 함께하는 시간이 부족하여 아이들이 아빠를 좋아하지 않는 문제 등을 겪을 수 있다. 따라서 자녀와 함께하는 시간을 늘리도록 한다.
ㄹ. 집안일과 육아에 참여할 시간이 부족하여 발생하는 가족 갈등 문제를 해결하기 위해서는 직장 내 휴직 제도를 활용할 수 있다.
오답 **파헤치기** ㄱ. 배우자와의 관계에서 서로 존중하고 배려하는 자세로 가사 노동과 육아에 함께 참여해야 한다.
ㄴ. 일하는 아빠의 경우 근로 시간이 길다는 문제점이 있으므로, 1일 근무 시간을 지키고, 가족과 함께하는 시간과 개인 여가 시간을 늘리도록 해야 한다.

11 ㉠은 생애 주기, ㉡은 가족생활 주기, ㉢은 발달 과업에 해당한다.

12 생애 설계를 할 때에는 우선 원하는 생애 목표를 설정하고 그에 따른 구체적인 하위 목표를 세운 후 구체적인 실행 방안을 마련하여 실천한다.

13 (가)는 생애 설계의 절차 중 구체적인 하위 목표 정하기에 해당한다. 이 단계에서는 직업, 결혼, 건강, 경제 등의 계획을 세워야 한다.

오답 **파헤치기** ②는 생애 목표 설정하기에 해당한다.
③, ④, ⑤는 목표 달성을 위한 실행 방안 마련하기에 해당한다.

14 ㄴ. 생애 설계를 할 때에는 발달 과업을 먼저 이해한 후, 계획을 세워야 한다.
ㄹ. 이전 단계의 발달 과업이 성취되지 않으면 다음 단계에서 어려움을 겪게 된다.

15 ㄱ. 성년기의 발달 과업이다.
ㄹ. 아동기의 발달 과업이다.

16 ㄱ, ㄴ, ㄷ은 노후 설계의 주요 내용에 해당한다.

오답 **파헤치기** ㄹ. 진로 및 직업 설계의 주요 내용이다.
ㅁ. 결혼 설계의 주요 내용이다.

17 가정 형성기와 관련된 대화 내용으로, ④는 노년기의 발달 과업에 해당한다.

18 가족생활 주기 중 자녀 교육기의 발달 과업에 대한 설명으로, 중학생인 자녀를 둔 부모가 가장 적절하다.

19 부부의 노후 생활 자금 마련 계획 세우기는 가정 경제 설계의 주요 내용에 해당한다.

20 (가) 단계는 자신의 이해 단계로, 자아 탐색을 통해 자신의 적성, 흥미, 성격, 가치관, 가정 환경, 학업 성적, 신체적 조건 등을 파악해야 한다.

21 성장기는 개인 생활 주기 중 유아기, 아동기에 해당하는 단계로 부모님의 보살핌 속에서 자아를 발견하는 시기이다.

오답 **파헤치기** ②는 쇠퇴기, ③은 유지기, ④는 확립기, ⑤는 탐색기에서 해야 할 일이다.

서술형 문제

22 위 글처럼 가족 친화 문화를 조성하기 위해서는 개인과 가족 차원에서 행복한 가정생활 및 행복한 노후 생활을 위해 노력해야 한다. 우선, 행복한 가정생활을 위해서 가족 구성원은 양성평등한 가치관을 갖고 능률적으로 역할을 분담하며, 공동으로 육아에 참여해야 한다. 뿐만 아니라 행복한 노후 생활을 돕기 위해서 평소 할아버지, 할머니를 공경하는 자세가 필요하다.

23 이 가족은 일과 가정생활을 병행하는 과정에서 자녀 양육 문제, 역할 갈등, 장시간 근로 환경, 사회적 지원 부족 등의 문제를 겪고 있다. 이러한 문제를 해결하기 위해서 개인 차원에서는 일과 가정에서의 역할을 명확히 구분하고 우선순위를 정하며, 합리적으로 시간 관리를 한다. 이때 한 사람이 여러 가지 역할을 동시에 수행할 수 없음을 인정해야 한다. 그리고 가족 차원에서는 부부가 충분한 의사소통을 하여 일정을 미리 파악하고, 상황과 능력에 맞추어 가사 노동을 분담해야 한다.

24 생애 설계를 했을 때는 개인과 가족에게 생길 수 있는 변화 요인들을 예측하고 준비할 수 있어 미래에 어떤 일이 일어나도 불안해 하지 않고 대처할 수 있다. 반면, 생애 설계를 하지 않았을 때는 개인과 가족에게 어떤 일이 일어날지 걱정이 되고, 대처할 수 없기 때문에 생애 설계는 안정되고 행복한 삶을 위해 꼭 필요하다.

25 자신이 원하는 행복한 삶을 살기 위해서는 제일 먼저 인생 목표를 설정하고 자아 탐색을 통해 자신을 이해해야 한다. 자신에 대해 이해한 후에는 다양한 직업의 종류, 직업 정보, 직업의 변화 등을 이해한다. 이렇게 잠정적인 진로를 선택하고 나면 최종 진로를 선택하기 위해 부모님이나 전문가 등과의 상담을 통해 조언을 듣는다. 마지막으로 진로를 선택하고 이를 실현하기 위해 계획하고 실천한다.

창의 융합 코너

101쪽

예시 답안 〈에펠탑의 신랑 신부〉는 개인 생활 주기로는 성년기에 해당하고, 가족생활 주기로는 가정 형성기 단계에 해당한다. 〈팔걸이의자에 앉아 있는 노인〉은 노년기 단계에 해당한다.
나는 현재 중학교에 다니는 청소년기이며, 부모님의 가족생활 주기의 자녀 교육기 단계이다. 전 생애 단계를 파악하여 생애 설계를 통해 미래를 대비하고, 자아 정체감과 진로 탐색이라는 청소년기의 발달 과업을 달성하기 위해 노력해야 한다.
생애 설계를 하면 선택할 수 있는 삶의 모습이 다양해져 성공적인 삶을 이룰 수 있다. 생애 설계는 과거와 현재의 생활에 대한 평가와 반성을 기반으로 하므로 미래의 생활을 비교적 정확하게 예측하여 준비할 수 있으며, 자신의 생애를 종합적으로 내다봄으로써 개인 생활과 가족생활 사이의 균형을 이루어나갈 수 있다.

MEMO

MEMO

MEMO

MEMO

MEMO